Baronne Blixen

Dominique de Saint Pern

Baronne
Blixen

roman

Stock

Couverture Atelier Didier Thimonier
Illustration : © Hans Bendix / Det Kongelige Bibliotek –
The Royal Library

ISBN 978-2-234-07636-5

À la mémoire de Jim Hodgetts

Chérie, va serrer la main de la duchesse de Westmorland : l'aristrocratie se transmet par les os.

Jean-Jacques Schuhl, *Obsessions*

Pétursson contempla les épaules maigres. C'était une dame légère et invincible. Elle ne déposerait jamais les armes.

Gilles Lapouge, *L'Incendie de Copenhague*

PROLOGUE

Copenhague 1983

Il existe un dieu pour veiller sur les légendes en perdition. Pour sauver les étoiles un peu oubliées. Un ange gardien capable de quitter la table du banquet où les dieux festoient. Il existe, sinon comment expliquer.

Blixen. Karen Blixen. Ce nom n'évoque plus grand-chose de nos jours. Pas davantage Isak Dinesen, son nom de plume. «Celui qui rit», en hébreu. Isak, la perpétuelle promise à un prix Nobel de littérature qui n'est jamais venu. Quant à la baronne Blixen... de son vivant déjà, ses jeunes compatriotes danois la croyaient morte. Sa vie et ses contes appartenaient à une époque périmée. Le monde d'après-guerre passait à autre chose, à l'existentialisme, à la fièvre du jazz dans les caves de Saint-Germain.

Morte ? C'était mal la connaître. J'ai vécu plus de vingt ans aux côtés de Karen Blixen. Un as de la résurrection. Vraiment très forte. De l'aplomb, une présence envoûtante... Et cet art de sortir du tombeau où s'empressaient de la fourrer des modes littéraires qui ne tardaient pas à subir le même sort, sans compter le zèle des médecins qui scrutaient son corps souffrant, le trituraient, ôtant ici un nerf, là un bout d'estomac, la découpant en morceaux au prétexte de la garder en vie. Déjouant les pronostics, elle s'extirpait de là et vous ensorcelait.

À l'âge où d'autres jouent les douairières, je l'ai vue vamper Manhattan. Grandiose. Soixante-quatorze ans, l'Amérique des tapis rouge à ses pieds. J'y étais. New York, 1959. C'était invraisemblable, cette excitation, cette adoration.

Puis l'assoupissement. Et l'oubli.

Dernier soupir poussé à l'automne 1962, après soixante-dix-sept années de vie dont une seule m'aurait amplement mise à plat.

Et soudain, Hollywood. Un « biopic », disent-ils. Sa vie en Afrique. Le film s'appellera *Out of Africa*, le titre qu'elle a donné à son livre de souvenirs africains, son plus grand succès littéraire. Sa légende sublimée sur écran panoramique. Meryl Streep, Robert Redford. Elle adorerait ça. Ça ? Les stars, les sunlights, les fêtes, l'éclat de la légende qu'elle a soigneusement façonnée.

S'offrir un dernier come-back depuis l'au-delà. Pour voir.

La productrice m'invite sur le tournage. Pressante, au bout du fil. « Nous souhaitons votre présence à Nairobi. Miss Streep est très désireuse de vous rencontrer afin que vous lui parliez de Mme Blixen. »

14

Qu'est-ce qui lui fait croire que j'accepterai de parler de Karen ? Que j'en sais plus que les autres ? D'ailleurs, que sait-on véritablement de ceux que l'on a aimés... ils partent en vous laissant quelques souvenirs partagés et les bribes d'une histoire qui a été la leur, et entre ces bribes des silences où, recroquevillées, dorment leur vérité et l'ignorance vertigineuse que nous avons d'eux.

« Vous savez, j'ai connu la baronne Blixen bien après son retour d'Afrique... que pourrais-je apprendre à Miss Streep qu'elle ne sache déjà ? »

Elle insiste. Je perçois une pointe d'hystérie dans la voix. Cette femme n'a pas le droit d'échouer :

« Miss Svendsen, vous avez vécu dans son intimité pendant vingt ans, qui la connaît mieux que vous ? »

La connaître... Je l'ai vue, telle une bougie sur le point de brûler la dernière fibre de sa mèche, puis flamboyer à nouveau. Ou courbée par la souffrance, écrivant ses contes pour continuer d'avancer dans une nuit vivante. Je l'ai surprise à créer des romances avec des êtres de chair, brisant des couples pour en former d'autres avec les débris des premiers. Je l'ai connue tourbillon de foudre, cri de joie, incisive ou vulnérable, joyeuse, jamais la même, toujours poussée par son goût immodéré du jeu. Car elle jouait, comme les enfants dans leur toute-puissance s'inventent un monde malléable, comme les dieux s'amusent des mortels, à leur manière désinvolte et cruelle.

Elle pouvait être exaspérante. Certains jours, je l'aurais scalpée. Mais, la connaître... Ils me font rire, tous, journalistes, poètes, éditeurs, qui m'interrogent et attendent qu'elle leur parle par ma voix, intrigués par son œuvre qui, tout entière, interroge les mystères de l'identité.

Personne ne songe à demander : *Et toi, Clara, qui es-tu ?*

À celui-là, je répondrais avec gratitude que je me suis appelée Clara Svendsen et que je suis née deux fois. La première, à Dragør, Danemark, en 1914, dans une famille de pêcheurs. Diplômée de littérature, polyglotte, latiniste, pianiste à mes heures, une source d'étonnement et de fierté pour ma modeste famille.

Mon existence se résume à une poignée de faits : j'étais la secrétaire d'une femme de génie puis, au fil des ans, je suis devenue sa dame de compagnie, son infirmière, sa traductrice, sa lectrice la plus exigeante, son esclave consentante, payée au lance-pierre, généralement pas du tout. Elle m'a considérée comme un fardeau épouvantable, un bout de scotch impossible à décoller. Curieusement, les brimades qu'inventait son esprit révolté par les tourments infligés à son corps n'ont jamais altéré la confiance qu'elle me portait, puisqu'elle a fait de moi son exécutrice testamentaire littéraire. Autant dire que je resterai à son service jusqu'à mon dernier souffle.

D'accord, mais qui es-tu, vraiment, Clara ?

Une silhouette floue dans l'ombre d'une femme habituée à attirer les regards, une bouille ronde derrière le visage aigu de la baronne. Je ne suis personne en dehors d'elle. Je n'ai pas d'ami, de relation qui n'ait d'abord été la sienne ou ne soit guidée par son intérêt pour elle. J'ai fait mes œufs dans le nid d'une autre sans même m'en rendre compte. Avoir la haute main sur son œuvre ferait de moi une femme puissante, elle ne pouvait l'ignorer. Si je le voulais je pourrais étouffer sa notoriété, comme elle a étouffé ma vie. À vingt ans, j'aurais pu devenir écrivain, plaire à un homme, fonder une famille, avancer par moi-même. Au lieu de quoi, j'ai frappé à sa porte.

Je ne sais plus quel auteur conseillait à un jeune admirateur : « Ne faites jamais la connaissance d'un écrivain dont vous avez aimé le livre. » Que ne l'ai-je su à temps !

Il m'a fallu presque vingt ans pour me libérer de son emprise. Un matin, en me levant, j'ai su que j'étais guérie, c'est inexplicable mais je l'ai su. Le jour de ce que j'appelle ma levée d'écrou, j'ai entamé les démarches pour changer de nom. Je suis devenue Clara Selborn. À une lettre près, *Selfborn*. Née à moi-même, en quelque sorte. À soixante-dix ans ! Ça l'aurait amusée, je crois.

Je m'entends dire, dans le combiné :

« Clara Selborn, mon nom est Selborn. »

Derrière les vitres de mon bureau, la neige tombe sur le pont japonais et sur l'étang. Le paysage blanc respire au ralenti. Le silence de l'hiver étouffe le bruit des vagues qui roulent à l'autre bout de la maison.

C'est par un jour de neige comme celui-ci que nous sommes parties découvrir l'Amérique, Karen et moi. La baronne et ses trente et un kilos d'ossements, moi et ma terreur de la voir se disloquer en route. Des milliers d'images me restent d'elle, mais il en est une que je garde en moi, tant elle dit bien la manière dont Karen Blixen a conduit sa vie. Celle de sa résurrection un soir de 1959, à Manhattan.

Elle était invitée pour une poignée de conférences. Dès 1937, l'Amérique avait été le premier pays à publier ses étranges *Sept contes gothiques* et à s'emballer pour cette Danoise surgie de nulle part. Critiques et public confondus l'avaient célébrée comme un merveilleux écrivain. Ensuite, *La Ferme africaine* avait ébloui cette nation de pionniers. Vingt-cinq ans plus tard, l'Amérique qui n'avait cessé de se dérober à elle, chacune de ses tentatives pour s'y rendre ayant échoué, cette Amérique réputée versatile la demandait, la voulait sur son sol pour l'y honorer enfin.

En ce soir de janvier 1959, personne n'aurait misé un shilling sur la prestation de Karen Blixen au centre de poésie du Young Men's-Young Women's Hebrew Association. Jay William Smith, le jeune poète chargé de l'escorter sur scène, moins que quiconque.

Leur première rencontre avait eu lieu un peu plus tôt, dans la bibliothèque du centre. Smith en était sorti effaré.

Perdue dans un fauteuil démesuré, ses petits pieds chaussés d'escarpins battant le vide, la baronne avait esquissé le geste de se lever pour le saluer, mais elle en avait été incapable. Smith découvrait une vieille femme d'une extrême fragilité, si frêle qu'elle lui paraissait bricolée dans du bois flotté. Deux yeux perplexes le fixaient, comme si leur propriétaire s'était réveillée en sursaut, un peu perdue. Il s'approcha, la vit mieux. Sous le bibi de lutin, une face étroite et blanche striée d'un enchevêtrement de fines rides, puis le nez aquilin, les pommettes hautes et l'expression ironique de la longue bouche. Les yeux d'un noir profond, eux, étaient bien vivants. Immenses, cernés de khôl, ils brûlaient d'une énergie extraordinaire. Smith vit une étincelle de gaieté danser au fond de la pupille. La voix de contralto qui sortit de la fragile carcasse l'étonna. Mais très vite, ses gracieusetés faites, Karen retourna à sa légère apathie.

New York et ses fêtes l'avaient exténuée. Ses jambes qui, jadis, avaient dansé le fox-trot au Muthaiga ne la portaient plus. J'aurais voulu qu'elle renonce. Tenir le public en haleine avec ses récits deux heures durant exigeait l'énergie d'une héroïne wagnérienne. Où la puiserait-elle ?

Karen savait lire dans mes pensées, elle préféra donc m'ignorer et se retira au fond de son siège en tirant une bouffée de cigarette. Le message transmis par la colonne de fumée qui monta du fauteuil me narguait : Je suis là, bien vivante, *I'll be back soon* !

Personne n'y croyait.

19

Je lui arrachai une concession qui confirma mes craintes : au moment de la brève pause prévue entre ses deux histoires, je lui demanderai discrètement si elle souhaitait poursuivre. Dans le cas contraire, Smith l'aiderait à quitter la scène.

Bravant la tornade qui s'était abattue sur Manhattan, le public arrivait. Sa rumeur nous parvenait, assourdie, frémissante. Un flux continu de taxis et de limousines crachait sa ration de célébrités sur la 92e Rue : Truman Capote qui venait parfois nous voir à Rungstedlund, Gloria Vanderbilt au bras de Sidney Lumet, des écrivains, des comédiens de théâtre, des étudiants... Ils voulaient approcher la légende.

Karen me demanda de la laisser seule un moment. Elle se maquilla avec soin – « seul compte le regard » –, puis je l'aidai à enfiler sa robe comme on enfile une armure.

Il fallut l'extraire de son fauteuil en la tenant sous les bras, ils étaient aussi frêles que les ailes d'un oiseau. Ensuite, la faire flotter jusqu'à l'ascenseur, enfin la laisser choir dans un fauteuil roulant. Déjà les coulisses. Bientôt la scène. Son regard sombre vira à l'orage. « Sortez-moi de là ! Je ne suis pas une infirme ! Debout, allez, aidez-moi à me mettre debout ! » Elle soufflait comme un chat. Smith me chuchota : « Elle n'atteindra jamais le micro ! » Je levai les yeux au ciel. J'abdiquai. Il prit une inspiration profonde... « Dites-moi Clara, quelle était donc la devise de son ami Finch Hatton, déjà ? *Je Respondray* ? Bien, allons-y... »

Il lui présenta son bras et, miraculeusement, la baronne s'y arrima avec grâce.

Dans le grand auditorium, le brouhaha s'éteignit. Le public élargit les yeux devant le frêle esquif, devant l'apparition vêtue d'une longue robe noire d'une telle simplicité que sa fabrication avait certainement exigé la plus grande complexité, devant le visage poudré de blanc où deux yeux savamment fardés étincelaient. La salle entière avait compris. Sans le soutien athlétique du poète, l'apparition s'affalerait. Il y avait pourtant quelque chose de si résolu dans sa façon d'avancer qu'elle paraissait imposer le tempo à son cavalier, se détacher imperceptiblement de lui et se mouvoir par sa seule volonté. Une énergie électrique parcourut la salle. Chaque spectateur retenait son souffle à l'unisson des autres, dans l'espoir fou de soutenir la démarche incertaine jusqu'à son but, d'empêcher la chute et prolonger le miracle.

Soudain, Karen s'arrêta à mi-chemin. Elle oscilla. Au prix d'un effort que je savais surhumain, elle se tourna vers eux, leur offrit son visage pâle, son sourire.

Était-ce pour les remercier d'être venus ? De l'avoir sauvée de l'oubli ? Était-ce pour rendre hommage à l'assemblée tout entière, au parterre, aux balcons, à ceux qui étaient assis sur les marches, ou debout, serrés au fond de la salle ? En un geste vif, elle tendit vers eux son bras délicat. Comme une magicienne donne vie à quelque créature endormie.

Il y avait là tant de grâce et de courage réunis que, spontanément, ils se levèrent et l'acclamèrent.

C'était toujours la même chose. Elle entrait dans une pièce et, aussitôt, tout basculait.

Elle rejoignit le lourd fauteuil médiéval que la direction du centre avait tiré des combles pour l'occasion, si vaste qu'il l'avala. Tandis que Smith la présentait au public, elle parcourut la salle de son regard de gitane, souveraine, amicale. Ce soir, elle donnerait à ces Américains autant d'amour qu'ils lui en témoignaient depuis un quart de siècle, ce soir s'il le fallait elle irait chercher son souffle dans ses dernières forces vives.

« Ceux qui ont lu mon livre, *La Ferme africaine*, se rappellent peut-être mon aventure d'un matin de jour de l'An. Le soleil n'était pas encore levé et les étoiles, prêtes à disparaître de la voûte du ciel, y restaient suspendues telles des gouttes lumineuses… »

Comme Jay Smith plus tôt, ils restèrent saisis par le timbre hors du temps. La voix de l'éternité. Forte et voilée, maîtrisée, changeant de couleur sans prévenir, elle les emportait où ça lui chantait. La ferme, les enfants kikuyus, les chagrins de la conteuse devenaient les leurs. Là où elle avait chevauché, ils chevauchaient. Dormaient avec elle sous la Croix du Sud, et quand elle plongea son regard dans celui des lions, ils firent de même, en tremblant.

Karen Blixen ou Isak Dinesen, peu importait le nom ou le pseudonyme. La femme ou l'écrivain nobélisable ou la planteuse de café au Kenya du début du siècle, peu importait l'identité. Celle à laquelle ils s'abandonnaient n'était plus une septuagénaire fantasque, la coqueluche de la saison new-yorkaise qu'il fallait avoir écoutée, rencontrée, applaudie. Non, ce soir, elle avait vingt ans, cent ans, mille, trois mille ans. Elle était la vieille Europe aristocratique et joyeuse. Elle était la bouche de la sagesse et du passé.

Son ascendant était total. Elle connaissait son pouvoir. Elle leur dit les nuits africaines de pleine lune; elle leur raconta Denys Finch Hatton, l'ami qui lui apportait l'air vif et la lumière; elle leur offrit Farah le Somali, sentinelle de son univers africain; elle révéla la lettre du roi du Danemark, que ses serviteurs kikuyus paraient de pouvoirs magiques capables de guérir leurs plaies. Elle conta, sans jeter un regard aux feuilles posées sur ses genoux, que j'avais dactylographiées sous sa dictée. À quoi bon? Chaque mot, chaque ligne étaient inscrits dans sa chair. Ils étaient nés du désastre et des merveilles de sa vie. Jadis, il y avait des siècles de cela, elle avait été une jeune femme portée par l'espérance. Elle avait aimé démesurément, désespérément; on l'avait aimée aussi, avec plus de légèreté. Dans cette salle pleine à craquer, il n'y avait qu'elle et moi pour savoir que l'écho de cet amour imparfait, certaines nuits, continuait de la poursuivre.

Les phrases coulaient de sa bouche, souples, dans une langue superbe, comme elles l'avaient toujours fait. Elle ne trichait pas. Ne jouait pas. Elle revivait ce qu'elle disait, rêvait à nouveau ce qu'elle avait inventé. Et pour eux tous, captifs de la voix, elle refaisait l'histoire. Son histoire, idéalisée, dont la vérité touchait en chacun une note secrète qui vibrait et se reliait les unes aux autres.

Elle s'interrompit un instant avant de commencer le deuxième conte. Je me faufilai jusqu'à elle. Son regard aveugle me traversa. Seule existait la concentration qui maintenait soudés tous ses moi, seul comptait le cercle de lumière qui l'enveloppait. J'étais l'inconsistance de l'éther. J'insistai. J'eus droit à un regard d'une violence inouïe. Sous le choc, je reculai. La sorcière !

Elle était en transe.

À coup sûr les amphétamines qu'elle prenait en douce pour tenir debout. Une de ses innombrables cachotteries. J'avais beau savoir, il eût fallu convoquer d'autres forces que les miennes pour s'opposer à sa volonté.

À peine retrouvais-je l'ombre des coulisses, que la voix persuasive s'élevait à nouveau

Elle a tenu une heure de plus. Ils étaient debout, faisaient rouler un tonnerre d'applaudissements dont les grondements reprenaient sans jamais devoir cesser. Certains étaient au bord des larmes, d'autres trépignaient. Elle s'éloigna sous les vivats, tête haute, le bras de Smith relégué au rang d'accessoire. Plus tard, quelqu'un remarqua qu'elle avait quitté la scène «comme un oiseau d'une race trop ancienne pour pouvoir s'envoler». L'image me paraît juste. À cette époque de sa vie, son corps lui était une cage, mais son esprit, qui avait traversé bien des océans, des civilisations et des drames, s'obstinait à battre le vide à grands coups d'aile.

C'est ainsi que je l'ai aimée, pour cela que je l'ai supportée. Résistante. Indomptable. Joueuse de tours. Mon Honorable Lionne.

PREMIÈRE PARTIE

UN TOURNAGE EN AFRIQUE

Nairobi 1984

1

Je savais quels seraient mes premiers mots.

«Taxi, conduisez-moi à la vieille gare, nous nous y arrêterons un instant, puis vous prendrez la Railway road et me déposerez à l'hôtel Norfolk.»

J'entrerai dans Nairobi par le chemin que Karen Blixen a emprunté la toute première fois, en 1914. Je dormirai dans l'hôtel où elle a passé sa première nuit africaine. J'ai accepté l'invitation de la production du film et, depuis, j'ai refait cent fois ce trajet imaginaire jusqu'à «l'hôtel des lords».

J'arriverai un peu fatiguée par le long vol depuis Copenhague, ça ne m'empêchera pas de suivre la route de terre battue que, soixante-dix ans plus tôt, Karen et Bror Blixen tout juste mariés découvraient, bringuebalés dans une carriole tirée par des mulets. Bror et Karen au seuil de leur existence. Les Blixen, maîtres des hautes terres avec, sous leurs pieds, l'Afrique pour terrain de jeux. Deux adorables fous, encore essoufflés d'avoir échappé à un danger terrifiant : la vie sous linceul qui les menaçait en Scandinavie. Je ferme les yeux. Karen ne sait où poser le regard. Sur les parures de plumes ? Sur les peaux nues luisantes ? Les couleurs l'étourdissent. Trop exubérantes. Le grouillement fébrile des rues, aussi. Puis, l'émotion incontrôlable. La voilà foudroyée. Grisée des arômes violents, amalgames de sueur, de fumées âcres, de crottin de cheval. Elle n'a connu que les senteurs fraîches des forêts danoises et les tons d'aquarelle des jardins nordiques.

Toute à mon scénario idéal, j'ai oublié de me préparer à la réalité. Il est à peine six heures du soir et c'est l'obscurité. Ici, la nuit s'effondre sur la ville à heure fixe.

La production a envoyé une voiture m'accueillir à l'aéroport. Il pleut des torrents. À travers les vitres brouillées, j'entrevois une scène d'apocalypse. Nous avançons sur une gigantesque piste de boue criblée de cratères dégueulant d'eau. Des voitures slaloment avec une dextérité admirable pour éviter les gigantesques nids de poule. D'autres décident de foncer sur l'obstacle en écrasant le klaxon. Indifférents à ce gymkhana, à l'averse tropicale, au vacarme, des groupes de jeunes Noirs rejoignent Nairobi à pied. Ils ruissellent.

J'entre dans une ville hallucinée.

Deux heures plus tard, nous atteignons l'hôtel Norfolk. J'ai renoncé au détour par la vieille gare, à l'arrivée glorieuse par la Railway road. Mon pèlerinage commence par un rendez-vous raté.

2

À peine franchi le seuil du Muthaiga j'ai la certitude réconfortante que ses fantômes m'attendent au bar, en tenues de chasse, verre de whisky au poing. Ma présence au sein d'une légende qui swingue au rythme des bouchons de champagne me donne la chair de poule. J'ai ma petite idée sur chacun des pionniers-gentlemen qui illuminaient les souvenirs de Karen. Quelques connétables, pas mal de propres-à-rien... Mais c'était instantané, à leur évocation, elle rajeunissait.

Dans un coin du bar aux boiseries sombres, ils s'impatientent, mes fantômes, je le sais, le sens. Je commande un scotch. Ça devrait leur plaire. J'ai choisi un fauteuil isolé, à l'exacte diagonale des banquettes où ils se retrouvaient pour perpétuer les us et coutumes de la vieille Angleterre et boire jusqu'à plus soif entre anciens d'Eton. Ils sont là. Le premier d'entre tous, qui domine le groupe de sa stature, je le reconnais à sa crinière blanche et sa patte folle, Hugh Cholmondeley, mieux connu sous le nom de lord Delamere. Le vieux lion respecté des Massaïs. À ses côtés, aussi massif mais infiniment plus jeune, le baron Bror von Blixen-Finecke, le grand chasseur blanc qui fascinait Hemingway. Karen, elle, le vouait à l'enfer. Elle devait à Bror les tragédies de sa vie. En retrait, toujours un peu songeur bien qu'il ait le sourire espiègle et prompt, Denys George Finch Hatton, fils du huitième comte de Nottingham, le meilleur fusil d'Afrique. Denys est mort bien trop tôt, bien trop jeune, pour que Hem ait le temps de s'enticher de lui. Les deux vifs-argents, en bout de table, incapables de rester en place sauf quand ils tiennent un gros gibier au bout de leur fusil, sans doute Tich Miles et Berkeley Cole, inséparables, incorrigiblement entre deux verres et deux frasques. Le type mince, de petite taille, qui les rejoint... Galbraith Cole, bien sûr, il est aussi rouquin que son frère Berkeley. À peine assis, il raconte aux autres qu'il arrive de la vallée du Rift et qu'il lui a fallu démanteler son chariot pièce par pièce pour franchir une ravine, puis, une fois l'obstacle passé, remonter le tout à la main. Sans quoi, jamais il ne serait arrivé à temps pour le boire, ce verre ! Ils se serrent un peu pour faire une place à l'âme errante du malheureux Jossly Hay, comte d'Errol et secrétaire d'État aux Affaires pour la colonie, assassiné au coin d'un bois par un mari jaloux.

Ces noms familiers n'étaient pour moi que des visages aveugles. À présent, leurs portraits me fixent, accrochés au-dessus de la banquette. On les dirait réunis telle une troupe d'acteurs sur la scène d'un théâtre qui n'attendrait que la vieille amie de Tania pour commencer le spectacle. Il s'agirait d'une pièce qui restituerait l'odeur perdue de Nairobi.

Hélas, nous sommes un dimanche de 1984, et le Muthaiga club, lieu de fêtes, de débauche et d'amitié, est désormais aux mains des pâles descendants de pionniers. Génération après génération, ils l'ont vidé de sa substance sulfureuse pour le faire à leur image : un lieu de culte convenable. On vient y faire une génuflexion bière à la main avant de passer au sacro-saint brunch dominical. Un moutonnement de polos Ralph Lauren remplace les vestes de broussard et les jaquettes.

Hier, à peine avais-je posé mes bagages à l'hôtel que l'assistante personnelle de l'actrice m'a interceptée. « Miss Streep aimerait vous rencontrer au plus vite. Elle ne tourne pas demain. Êtes-vous libre pour le déjeuner ? Au Muthaiga ? Douze heures précises, alors… »

J'attends, perdue dans mes pensées, quand le brouhaha des conversations s'arrête net. L'actrice vient d'apparaître. On croirait voir grésiller le courant électrique qui parcourt la salle. Puis les regards braqués sur elle se détournent avec un détachement feint.

On l'observe. Elle le sait. Me cherche derrière ses verres fumés. Les montures étroites durcissent son visage aigu. Je la croyais blonde, or c'est une

33

brune aux cheveux mousseux qui balaye la salle du regard. Je ne suis pas de celles qu'on remarque d'emblée, mais elle arrive droit sur moi avant même que j'aie esquissé un geste. Voilà ma main entre les siennes, secouée avec enthousiasme : « Clara ! Je suis si heureuse… » Elle ôte ses lunettes, me sourit. Douceur des yeux bleu porcelaine. Le front haut et bombé, la respiration lumineuse du visage expriment la sérénité, on s'y laisserait prendre si une ride verticale, solitaire mais profonde, entre les sourcils ne venait troubler le tableau. Rien de tape-à-l'œil dans sa tenue. Un chemisier strict, pantalon sport, baskets aux pieds. Aucun bijou à l'exception de deux grands anneaux d'or. Le chignon est noué à la va-vite, laissant échapper une mèche sur la nuque.

Ainsi, Karen, c'est elle.

Je connais le travail de l'actrice, je l'admire. Elle est capable d'exprimer nos émotions les plus ténues sans verser dans le pathos. Pourtant, cette jeune Américaine terriblement Wasp qui s'assoit face à moi saura-t-elle exprimer la complexité de « ma » Blixen ?

« Deux vermouths, en hommage à la baronne ? » fait-elle en préambule.

Bien sûr, j'acquiesce. Mais je vais la décevoir. Elle me croit dépositaire d'un savoir dont, en réalité, je ne détiens qu'une infime partie. Karen a emporté sa vérité avec elle, me laissant avec une multitude d'interrogations que je compte éclaircir pendant mon séjour ici. Ses cachotteries, ses embrouillaminis, ses pudeurs, aussi.

34

Je détaille l'actrice, qui parle pour me mettre à l'aise, ou se rassurer, je ne sais. Belle, oui, à sa manière pleine de minuscules imperfections. Un nez un peu trop long, un peu trop pointu, les yeux plutôt petits mais si expressifs... Je crois que Truman Capote lui trouvait l'air d'une volaille. C'est excessif. On doit la remarquer à peine dans la vie quotidienne, la croiser sans se retourner sur elle. Or, il y a la délicatesse merveilleuse de sa peau, un teint de crème fouettée qui absorbe la moindre particule de lumière voletant à sa portée.

Devine-t-elle mes pensées ? Elle confie, un rire dans les yeux :

« Vous n'imaginez pas comment je me suis battue pour décrocher le rôle... Syd voyait quelqu'un de plus sexy pour incarner cette "aguicheuse" de Blixen ! »

Elle a dit « aguicheuse » en secouant ses épaules, comme une ingénue sur le gril, comme Marilyn se trémoussait quand elle jouait à être Marilyn.

« Syd ?

– Oui, Sydney Pollack, le réalisateur. »

Eh bien, « Syd » a vu juste. Aussi invraisemblable qu'il y paraisse, jusqu'à un âge canonique et malgré sa maigreur effrayante, Karen Blixen a exercé un pouvoir magnétique sur les hommes. Certains, j'en ai connu, en sont demeurés secoués à vie.

Nous éclatons de rire. La jeune femme s'amuse, elle est vivante, espiègle. Elle aime la vie. Prendre du bon temps.

Soudain, je revois une photo.

Ce portrait de Karen a été pris à la ferme en 1923, elle avait trente-huit ans. Il montre une jeune femme décontractée, souriante, son visage aux joues rondes est nu. Cette femme-là ne cherche pas encore à jouer avec l'objectif, ou le photographe, ou le public. Le cliché a été pris à la fin d'un déjeuner, dans un bien-être évident. Elle a repoussé son assiette, s'est accoudée à la table et fume. Une tasse à moka est posée devant elle, la position de la cuillère sur la soucoupe, quelques miettes d'un dessert sur la nappe indiquent que le café vient d'être servi et savouré. Qui a capturé ce moment d'abandon ? Denys ? Berkeley ? Ou bien Thomas, lors d'un séjour chez sa sœur ? Quelqu'un d'aimant, c'est certain. Il s'en dégage une telle confiance dans l'instant présent, qu'elle me serre la gorge. Un foulard noué en turban dissimule une partie des cheveux et son visage plein se tourne vers une petite boule de plumes blottie sur son épaule. Un bébé chouette. Il semble lui chuchoter à l'oreille une confidence qui amuse Karen. Elle sourit.

On me demanderait : « À quoi ressemblait le temps du bonheur à Mbogani ? », je dirais : « À cela. »

Bientôt, le majordome retrouvera le petit animal étranglé par un cordon de store dont il a tenté d'arracher quelques fils pour se construire un nid. Bientôt, l'illusion se dissipera.

Karen aurait aimé l'actrice, je crois.

Nous déjeunons devant les baies ouvertes sur le jardin tropical ; les regards sont à nouveau sur nous, leurs petits coups d'aiguille picotent mon dos, j'admire la manière dont la jeune femme les ignore, comme elle parvient à créer un espace de liberté au cœur de cette masse obscure qui tente de l'emprisonner.

Elle a loué une vaste propriété à l'écart de Nairobi, avec des champs et des chevaux. Elle veut respirer l'Afrique, dit-elle, la ressentir, approcher au plus près les sensations qui ont transformé Karen Blixen. Coudes sur la table, elle appuie son visage entre ses mains. Ses yeux sont un songe.

« L'Afrique est un tendre Moloch. Si j'en crois la baronne, elle exige que l'on se dépouille du temps qui est le nôtre et qui nous a faits, jusqu'à l'oublier. Alors, seulement, elle nous comblera de sa beauté extravagante. Mais il y a un prix à payer, n'est-ce pas, Clara ? On doit lui sacrifier tout ce qui n'est pas elle... »

Puis s'ébrouant pour sortir du rêve :

« Sinon, il n'y a plus qu'à rentrer chez soi sans avoir rien compris. Autant n'être pas venue ! »

Cette femme est pure émotion. Elle réagit comme une plante à la lumière. Pourtant, on m'avait dit « c'est une cérébrale ». Elle a fait des recherches extrêmement poussées pour ce rôle, comme pour tous ceux qu'elle a habités, elle a ingurgité l'œuvre, épluché les biographies, les documents et les témoignages. Katharine Hepburn résumait ça d'un « clic, clic, clic » singeant la mécanique laborieuse des rouages de la pensée. La peste ! Moi, j'ai cru discerner dans le bleu du regard une nervosité, d'ailleurs la jeune femme ne cherche plus à la déguiser, elle se penche, me dit à voix basse, d'abord hésitante puis jetant les mots :

« Clara… Je ne me sens pas à la hauteur pour l'incarner. Je ne sais pas comment donner vie à cette femme qui est allée au plus profond d'elle-même pour y chercher le plus noir et l'a transformé en lumière. Elle n'est pas entrée en moi, or le tournage commence demain ! »

Ces mots me soulagent. Pollack n'est pas Bergman. Je redoutais les certitudes, les personnages lissés jusqu'à devenir des stéréotypes. J'aimerais encourager l'actrice à douter, à chercher encore et pénétrer plus avant dans le royaume des miroirs qu'est la quête d'un personnage, de celui-ci en particulier, mais j'ignore ce qu'elle attend de moi. Que je la rassure ? Nous restons silencieuses. La fine ride se creuse entre les yeux.

« Je vais avoir besoin de vous, Clara. Terriblement. Vous voudrez bien me faire confiance et me parler de votre amie ? »

Comment lui expliquer que Karen et moi n'étions pas amies, sans dénaturer la relation complexe qui fut la nôtre ? Je ne lui ai pas connu de véritable amie. Elle préférait l'amitié des hommes, elle les estimait mieux. La compétition n'avait pas lieu d'être avec eux.

Au moment de quitter la table, l'actrice chuchote à mon oreille : « Appelez-moi Meryl, s'il vous plaît. »

Avant qu'elle ne s'échappe complètement, j'attrape son poignet. J'ai besoin de savoir.

« Blixen est une énigme… Votre film inventera un mensonge qui deviendra une vérité, et cela pour l'éternité. Alors Meryl, dites-moi, quelle femme allez-vous raconter ? »

Un frisson m'a fait trembler, sans doute l'a-t-elle deviné à ma voix. Elle me dévisage gravement puis son regard clair se perd dans la contemplation du patio, il effleure les magnolias, le foisonnement des bougainvilliers, lorsqu'il revient vers moi il miroite, tendre et confiant. Je sens son souffle frais sur ma joue quand elle dit :

« Une femme dont l'amant était plus beau qu'elle. »

3

La ferme m'attend au bout d'une longue allée aux courbes douces. Elle attend, prise dans son destin qui fut toujours d'attendre et d'espérer. Attendre le retour des amis, Bror Blixen d'abord, puis Denys Finch Hatton et Berkeley Cole qui parcouraient les grandes plaines de la Somalie au Tanganyika, franchissaient les frontières, les montagnes et les fleuves à la poursuite de gibiers impossibles ; mais dont les montures retrouvaient toujours le chemin de la ferme.

Mbogani. Aussi stable que le cours d'une planète.

J'ai possédé une ferme en Afrique, au pied du Ngong...

Le taxi attend respectueusement à l'écart. Les tuiles rouges du toit luisent sous le soleil matinal, l'élégante véranda court le long de la façade offerte au levant. Des rideaux ondulent dans l'air léger. Ici, l'atmosphère est plus vive qu'à Nairobi pourtant toute proche. Presque mordante. Les mille huit cents mètres d'altitude, sans doute.

La maison paraît vide. Le bruit du moteur a alerté un serviteur. Ses maîtres sont partis pour Nairobi, dit-il. Mais si je le souhaite, je peux flâner à ma guise. D'un geste large qui englobe le jardin, les environs et même l'azur, il m'invite à la promenade. Ici, comme du temps de Karen, on n'est guère strict sur la notion de propriété privée. Mais j'aurais l'impression de fouiner dans un tas de linge qui ne m'appartient pas. Je ne suis qu'une intruse dans cette maison dont je connais l'histoire mieux que personne.

Je m'éloigne déjà quand une force me pousse à me retourner. À la regarder une dernière fois. Elle s'offre à moi, telle que la succession de ses occupants l'a faite. Un peu fatiguée, négligée, blessée. Elle m'appelle. Alors, je vois la toiture à l'abandon, les magnolias absents. Et l'esplanade.

Jadis, celle-ci s'étendait jusqu'au bois qui, lui-même, courait au loin jusqu'à la ville. Ses pelouses impeccables accueillaient les chèvres qui broutaient, et les enfants de la ferme, les *totos*, qui s'asseyaient en rond pour écouter Mozart au son du Gramophone du salon dont Karen ouvrait grandes les fenêtres, à l'heure du concert. Tendres pelouses où l'ami le plus cher de Karen, Berkeley Cole, lutin désenchanté, venait boire son champagne sous les arbres du bois, dans les coupes en cristal des Blixen. Pour un instant, il oubliait les tourments que sa ferme au pied du mont Kenya lui causait – bien

41

qu'il les supportât avec patience et distinction –, il oubliait les créanciers et la ruine toute proche, et quand la bouteille n'avait plus de consolation à lui offrir, Berkeley tournait son regard vers des temps meilleurs qui n'existaient plus. À l'automne, les nuits de pleine lune, une *ngoma* s'organisait spontanément et les pelouses se tendaient sous les pieds des danseurs pour devenir la scène d'un spectacle primitif envoûtant.

La nature a tout englouti, les jardins, les fleurs, les pelouses tondues, le potager, pour laisser libre cours à un déchaînement de broussailles. Là où régnait la forêt, on a taillé une large route où s'engouffrent la circulation et le vacarme des klaxons ; des baraquements aux toits de tôle remplacent le foisonnement des arbres et des huttes rondes coiffées de chaume.

Tout abîmée qu'elle soit, la maison m'aspire dans son cercle magique. Je ne peux l'abandonner à son sort. À Rungstedlund j'ai souvent étudié le plan de la ferme – Karen l'avait fixé à un panneau de la bibliothèque, dans son bureau –, je pourrais le dessiner, à main levée. Je contourne la maison pour rejoindre la terrasse côté ouest. Les deux meules de moulin qui servaient de tables, où Karen s'installait pour distribuer leur salaire à ses employés, où elle bavardait sans fin avec ses amis en regardant le soleil se coucher, les deux grosses meules, talismans de la ferme, ont disparu. Arrachées à leur socle. L'arrière de la maison n'est plus qu'une façade morne et silencieuse.

J'ai le sombre pressentiment que ce voyage va tourner au fiasco. Ça m'apprendra à m'être inventé une vérité à travers le regard d'une autre. Un regard d'autrefois. Il ne me reste plus qu'à remercier les circonstances qui, obstinément, se sont liguées pour empêcher le retour de Karen. Une guerre au moins lui aura été épargnée. Celle, perdue d'avance, entre sa mémoire et la réalité.

Je n'ai aucune raison de m'attarder.

Au moment où je n'attends plus rien de Mbogani, une odeur que je ne connais pas frappe mes narines. Je la respire, avec précaution, puis à fond. Quelle suavité! Acacias? Magnolias? Glycines? L'odeur des lys peut-être ou de plantes tropicales dont j'ignore l'existence… Mes oreilles s'ouvrent à leur tour, des cris d'oiseaux, des cris que je n'ai jamais entendus, des cris fous de vie prennent possession de l'air. C'est magique. Est-ce l'euphorie des *highlands* qui agit sur moi et aiguise mes sens atrophiés? Je lève les yeux et je le vois, dressé, au bout de la plaine. La masse mauve du Ngong scintille dans la lumière du matin, sa crête ceinte d'une légère couronne de nuages. L'empereur des hautes terres. Mes yeux fouillent ses flancs, sa jungle exubérante, à la recherche de la clairière.

La tombe de Denys Finch Hatton, existe-t-elle encore? Ou la nature insatiable l'a-t-elle dévorée?

4

La chaleur africaine s'est abattue d'un coup sur le tournage, chauffant à blanc les rues pavées de terre, écrasant le petit monde de figurants et de techniciens qui attendent que Syd lance son « Action ! » Le passage des attelages au galop soulève des nuages de poussière rouge. Une rafale de vent fait danser un voile de sable jusqu'aux trottoirs en bois, il rattrape notre petit groupe situé hors champ. Mes yeux brûlent, je tousse, je crache… mais je la tiens enfin ma Coronation Street bordée d'eucalyptus !

C'est sidérant. La petite ville sauvage et délabrée, bâtie autour d'une tête de ligne ferroviaire, revit dans le moindre détail, telle que Karen l'a connue à son arrivée. Le Nairobi de 1914, avec les devantures d'Osgood, de l'East African Standard Bank, et ses *dukha* tenues par des Indiens qui vendent leur bric-à-brac, et ses demoiselles en robe de dentelles qui vont et viennent pour leurs emplettes, laissant derrière elles un sillage de lavande anglaise, tout existe, fictif et si incroyablement vrai.

« Pas de reconstitution bidon », a ordonné le réalisateur.

Après ma visite matinale à Mbogani, j'ai rejoint le quartier général du film, sur ce qui fut les terres de Karen. Un camp militaire sous tension, plutôt. Une armée de tentes kaki a été dressée pour le maquillage et l'habillage des acteurs. Dans cette ruche infatigable où les anachronismes se télescopent, de pseudo-colons sirotent leur canette de Coca ; un dresseur de fauves de Las Vegas flirte avec une fille en crinoline. Une centaine de Massaïs et de Kikuyus, indifférents à la chaleur accablante, font la queue devant une tente. Ils attendent que les maquilleurs les travestissent en Massaïs et en Kikuyus. Tuniques de peau, parures magnifiques, maquillage de guerre…

L'actrice apparaît sur le seuil de sa tente, un peu à l'écart de l'agitation. La toilette ivoire délicatement ajustée, la calotte de paille de guingois sur le crâne avec sa subtile voilette… Karen, sur les photos prises par son frère Thomas. Raffinée, aristocratique avec, déjà, un zeste d'intrépidité. En me voyant approcher l'actrice prend la pose, main sur la hanche.

« Voyons, Clara, qu'en pensez-vous ? Ces horribles corsets… sous les tropiques. Comment ces femmes se débrouillaient-elles pour supporter un supplice pareil ? dit-elle en mimant l'asphyxie.

– Elles étaient aussi futées que les femmes d'aujourd'hui ! Karen a coupé sa longue crinière plutôt malcommode pour un safari de plusieurs mois dans la brousse. Et supprimé le corset. Elle écrivait à ses amies de la métropole : *"Coupez-vous les cheveux et apprenez à conduire une automobile. Ces deux choses-là changent le cours de l'existence !"* On l'aurait vue porter des shorts, si elle avait eu les jambes et le mental qu'il fallait pour ça ! »

Une maquilleuse s'empresse et soulève la voilette pour traquer une goutte de sueur sur le nez de l'actrice, qui soupire en désignant de la main sa mise, jusqu'aux bottines :

« Franchement, Clara, elle méprisait ces fanfreluches... »

Quelle idée ! C'est extravagant comme elle aimait ça... Karen écrivait à son frère Thomas : « *Je n'ai jamais connu de chagrin assez grand que l'achat d'un chapeau neuf ne puisse soulager* », alors même qu'elle tenait sa ferme à bout de bras, affrontait la sécheresse puis les inondations, tout en se battant contre la maladie. Ses poches vides ne l'empêchaient pas d'avoir un mannequin à ses mesures chez Paquin. Le style, jusque dans la brousse où elle superposait deux chapeaux à large bord, ne relevant que celui du second. Un chic fou.

« Vous savez, Miss Streep, Karen pensait que notre aiguillage définitif vers le paradis ou vers l'enfer dépendrait de la manière dont on associait les couleurs de nos vêtements !

– Bien ! J'adore l'idée d'incarner une femme profonde *et* frivole. Rien de plus assommant que de jouer la perfection, non ? »

L'obscurité est à peine troublée par la lumière mouvante de l'écran. Les yeux plissés derrière ses lunettes, le réalisateur enchaîne les cigarettes. « On garde cette prise », dit-il. Puis le silence retombe. La tente transformée en salle de visionnage se laisse envahir par les voix venues de l'écran. Dans le fauteuil de camping à côté du mien, l'actrice croise et décroise ses jambes sans que ses yeux quittent les images répétées à l'infini. Ce matin, elle a tourné sa première scène, une scène aussi cruciale pour le film qu'elle le fut pour Karen dans la vie réelle.

Six mois après son arrivée en Afrique et son mariage avec Bror Blixen, des malaises à répétition l'ont conduite chez le médecin de Nairobi. La caméra a filmé un paravent. On aperçoit la crête des cheveux mousseux de la jeune femme, on entend un froissement d'étoffe, on devine le vêtement enfilé. Puis la voix off du médecin. « Vous avez la syphilis. » Derrière le paravent, le silence du corps qui s'est immobilisé, tandis que les quatre mots cheminent jusqu'à la conscience.

Je n'oublierai jamais l'expression de son visage, lorsqu'elle m'a fait cette confidence.

Nous étions à Rungstedlund dans son bureau, elle et moi seules, derrière la fenêtre il y avait la rumeur de la mer. C'était en 1944, je venais

47

d'entrer à son service. Nous discutions de choses élevées. Je me la rappelle, debout, une main appuyée sur le dossier du sofa, l'autre tenant une cigarette. Elle m'avait fixée avec gravité, ou plutôt jaugée, soupesant le pour et le contre, est-ce que je méritais sa confiance ? Les mots avaient claqué :

« Clara, j'ai eu la syphilis. »

La souffrance tordait ses traits.

J'ignorais qu'un être vivant pouvait exprimer une douleur aussi intense. J'avais déjà rencontré cette souffrance, mais c'était sur un tableau du Christ en croix. Enfant, mon père m'avait emmenée au musée de Copenhague et j'avais été terriblement impressionnée par une scène de crucifixion. Des années plus tard, j'étais allée voir le tableau à nouveau, puis j'y étais retournée, et retournée, fascinée par le visage, espérant qu'il me livre peu à peu ses secrets. Et c'est précisément cette expression que je lisais sur les traits de Karen, dans ses yeux. Une femme sur la croix, ses boucles argentées caressées par la belle lumière du soir d'été.

J'étais restée muette. La baronne... Syphilis... ces deux mots appartenaient à des univers étanches l'un à l'autre. Elle avait continué, sans se soucier de mon embarras.

« Il y a mille façons d'apprendre l'infidélité d'un mari. Moi, je l'ai découverte ce jour-là, de cette manière-là. »

Prenant une bouffée de sa cigarette : « Bien sûr, il faut mettre le mot *infidélité* au pluriel... »

Le baron Bror von Blixen-Finecke, son cousin, aimait jouir de la vie et des femmes. En l'épousant, Karen avait pensé que leur vie aventureuse au Kenya l'apaiserait ; au lieu de quoi les occasions s'offraient à lui, faciles, dans ce qu'on appelait « la vallée heureuse », cet espace entre Nairobi et Gilgil, où les rejetons les plus scandaleux de la gentry britannique célébraient sans limite les années folles. Sexe, cocaïne, alcool. L'ambiance des *highlands*, leurs mille huit cents mètres d'altitude, décuplaient la folie et les sens.

Il y avait eu les femmes massaïs.

« Comment aurais-je pu deviner que mon mari portait la syphilis... Il était d'une constitution exceptionnelle, aucun symptôme pour l'alerter. J'ai toujours pensé qu'il ignorait avoir en lui cette maladie abjecte... »

Sa moue de dégoût fit place à un sourire ironique. « En pareil cas, une femme a le choix entre deux attitudes : abattre l'homme ou accepter les faits. »

Le chuchotement de l'actrice dans mon oreille me ramène à l'obscurité de la tente.

« Quel enfoiré ! Ce type lui a fait les pires saloperies, n'est-ce pas ? Je me demande comment ils ont pu rester amis... »

Amis ? Rien de moins sûr. Je sais la baronne capable de garder sa colère au chaud. À l'abri de l'oubli.

5

« Han… Han… Han… » Un halètement désespéré accompagne le claquement sec des lanières du fouet. Les coups cinglent la terre, la poussière se soulève, tourbillonne. La femme est en nage, exténuée.

Le fauve s'en fiche. Il reste assis, tête penchée, regard étonné.

Quinzième prise pour rien du tout. Le lion expédié des États-Unis refuse de jouer le jeu. Son dresseur américain le tient en laisse, donne des ordres, en vain. L'actrice épuise son énergie. Elle doit faire fuir deux lions qui attaquent son convoi.

Seizième prise. Le lion prend appui sur la force formidable de ses pattes arrière et bondit sur l'actrice pétrifiée. La terreur dans ses yeux.

La scène enfin en boîte, elle s'effondre dans son fauteuil, couverte de sueur. Artifices du maquillage, des estafilades zèbrent sa joue. Un aréopage d'assistantes l'entoure, la console. Je me risque dans le cercle. Son regard accroche le mien.

« Clara, c'est incroyable ! Je suis certaine que Syd a demandé au dresseur de détacher son fauve, sans me prévenir ! »

Furieuse, elle saute sur ses pieds et file interpeller le réalisateur.

« Syd, il faut que je te parle… »

Quel homme aime entendre ça ? Le réalisateur obtempère. Ils s'isolent, mais le ton est assez élevé pour que je puisse saisir des bribes. Elle bredouille quelque chose, rouge de colère. Lui, avec un sourire de matou : « Chérie, je t'adore, et loin de moi l'idée de te contredire… mais personne ne croira que j'aie pu donner l'ordre de lâcher les lions sur mon actrice ! »

Elle en reste muette. Puis, bonne fille, elle laisse tomber.

Cette attaque des lions sur le convoi, Karen l'a véritablement vécue. Elle était arrivée au Kenya huit mois plus tôt. La Première Guerre mondiale, que chacun prédisait fulgurante, commençait à peine.

J'aime imaginer que Denys Finch Hatton a découvert l'existence de la baronne Karen Blixen par le récit de cet exploit. En quelque sorte, il a d'abord connu sa bravoure.

Fumée des cigarettes, bruit des verres entrechoqués, brouhaha des rires, musique à gogo qui s'échappait de la salle de danse… Ce soir-là au

Muthaiga club, les soldats en permission se retrouvaient autour d'un verre. De retour d'Angleterre, Denys avait loué un bungalow au club. Sur le chemin du bar, il était tombé sur lord Delamere. Hugh Cholmondeley, troisième baron Delamere, « D. » pour les intimes, en particulier les dames. « D. », la légende vivante du Kenya, le pionnier des pionniers et, jadis, la honte de sa famille. Trop d'énergie, d'extravagance, d'indiscipline. Il avait fui vers l'Afrique. En 1897, il émergeait d'une impitoyable traversée de la Somalie à dos de chameau, quand la splendeur inviolée des hautes terres kenyanes l'avait foudroyé. À jamais contaminé par cet amour, il avait installé son bivouac sur les hauts plateaux et n'en était plus reparti. À la tête d'une troupe du King's African Rifles depuis le début de la guerre, il veillait sur les trois cents kilomètres de frontière non sécurisée qui courait à travers la réserve massaï, séparant ainsi l'Afrique anglaise de l'Afrique allemande.

Denys était heureux de le revoir, ce vieil arrogant généreux. Lui, il bricolait avec son ami Berkeley Cole une troupe hétéroclite de Somalis dont il ne désespérait pas qu'un jour elle puisse donner un coup de main à Delamere. Les deux hommes se donnèrent l'accolade et allèrent rejoindre les autres.

Deux barons suédois amateurs de whisky étaient déjà accoudés au bar. On remarquait surtout le premier. Trapu, jovial, la bouche charnue, une puissance physique animale... tout en Bror von Blixen-Finecke trahissait la jouissance de la vie. À l'inverse, son compagnon affichait un air lugubre, une chose plutôt rare au Muthaiga. Pour qui l'examinait de près, il avait la mine d'un type qui crève du mal d'amour.

Des hourras saluèrent l'entrée d'un rouquin légèrement éméché et flanqué d'un grand brun tout aussi vacillant. « Les gars ! Venez par ici », leur fit Delamere. Denys ouvrit les bras aux deux arrivants sanglés dans leur uniforme des fusiliers voltigeurs d'Afrique de l'Est. Berkeley Cole et Tich Miles ! Ses deux potes d'Eton. La dernière fois que Denys avait croisé Tich au club, celui-ci se livrait à son sport favori : suspendu aux poutres du grand hall, il imitait un ouistiti.

« Denys ! s'exclama Berkeley Cole, où étais-tu passé ? On a bien cru que tu ne reviendrais jamais de Londres ! Ça s'est bien passé cette permission ? »

Trop assoiffé pour attendre la réponse de son copain, Berkeley enchaînait déjà : « Bienvenue à la civilisation, mon pote ! Puisque nous voici réunis comme au bon vieux temps, célébrons ça… », fit-il à l'intention de l'assemblée.

Le raffut du bar attirait les curieux. La salle était noire de monde à présent. Denys souriait, heureux d'être là. L'Afrique ne vous lâche plus quand vous l'avez aimée.

Berkeley levait son verre, l'œil brillant.

« Tous braves, tous guerriers, tous noceurs ! »

Un rugissement l'interrompit. C'était Bror Blixen.

« Eh ! Tous noceurs ? Crénom ! Mon ami Erik n'a rien d'un fêtard, je vous assure ! »

De la tête, il désignait son compagnon. « Le pauvre diable est amoureux de ma femme, ce qu'au demeurant je trouve sympathique... Le problème, c'est qu'il l'a envoûtée en lui parlant de l'islam du matin au soir. Ces sornettes la passionnent, paraît-il. J'ai dû y mettre le holà ! Et fermement : pas de référence à Mahomet entre midi et quatre heures dans ma maison, ai-je dit à la baronne ! »

Il conclut sa tirade par une bourrade au malheureux, qui avait viré au pourpre. Finalement, cet Erik prit le parti de s'en amuser avec les autres.

La scène laissait Denys perplexe. Il ne connaissait pas la baronne, mais son mari lui paraissait cavalier. Berkeley Cole lui glissa à l'oreille :

« Erik en est fou. Blix ferait bien de s'occuper de sa femme au lieu de courir après les jupons. Il enchaîne les safaris avec des clients dont les épouses ont le tempérament... disons... chaviré par les tropiques. Ces malheureuses s'ennuient à mourir dans la brousse. Blix n'a plus qu'à passer et moissonner. Pendant ce temps, la baronne fait tourner leur plantation de café. »

La voix puissante de Delamere couvrit les confidences de Cole. Mine réjouie, le vieux D. volait à la rescousse de la baronne Blixen.

« Allons, Blix ! Vous avez une épouse épatante. Elle nous a tous bluffés. Et je dois dire qu'en dépit de mon expérience je connais peu de femmes lui arrivant à la cheville ! »

Un murmure d'approbation montait des verres. Grand amateur d'exploits, Delamere ne résista pas à raconter celui-là. Il s'installa dans un fauteuil, et attendit que tous les regards convergent vers lui pour commencer.

« Dès août 1914, Blix et moi patrouillions, avec certains d'entre vous d'ailleurs, à la frontière sud. Nous nous sommes vite trouvés à court de nourriture et de munitions. Blix a envoyé un messager à sa femme pour lui demander d'affréter un convoi de quatre chariots chargés à bloc…

– Je voulais qu'elle engage un Blanc pour faire la traversée, continua Bror. Pas de veine, le gars, un Sud-Africain, s'est fait arrêter la veille du départ. Les services de renseignement le soupçonnaient d'espionnage pour le compte des Allemands.

– … La baronne n'a fait ni une ni deux, elle a pris la place du type », enchérit Delamere.

Il s'interrompit pour prendre une gorgée de whisky et laisser au suspense le temps de monter.

« Août 14, rappelez-vous, nous étions au front et les autorités pensaient assurer la sécurité de nos femmes en les regroupant dans un camp étroitement surveillé. La baronne a choisi l'escampette ! La voilà donc à la tête de vingt-cinq Kikuyus et Somalis, lesquels ont généralement le plus grand mal à s'entendre, et de quatre chariots tirés par seize bœufs chacun… Vous imaginez le garde-manger ambulant ? Et les fauves, et les aigles sur le pied de guerre ? Qu'importe, la baronne est partie à travers la réserve massaï. Un endroit à ne pas fourrer un Blanc, alors, une jeune mariée fraîchement débarquée du Danemark... »

Il s'interrompit à nouveau, vérifiant que la foule était bien suspendue à ses lèvres. Bror en profita pour prendre la main :

« Cher D. vous oubliez de dire que, au moment où les autorités mettaient le Sud-Africain aux arrêts, ils en faisaient autant avec son mulet... Ma femme a donc commencé la traversée à pied, avec un bref intermède sur un vélo que Farah avait réussi à lui dégotter. Je crois bien que Dusk, son lévrier, trottait à ses côtés...

– Puis le Somali a réussi à lui trouver un cheval, reprit Delamere. Leur traversée a duré trois mois, dans les conditions épouvantables de sécheresse et de chaleur que vous pouvez imaginer. Mais elle a avancé, un pas après l'autre, sans jamais penser qu'elle n'y arriverait pas. Les Allemands pouvaient surgir à tout moment. Sans compter les Massaïs, qu'on sentait capables de changer d'alliés pour un rien... »

Il jeta un coup d'œil à l'assemblée.

« Parmi vous, quelques-uns étaient au camp ce jour-là. Et aucun n'a oublié son arrivée, pas vrai ? »

Calé dans son fauteuil, Denys Finch Hatton imaginait la femme et son cortège entrant dans le camp militaire. Il voyait les hommes frappés de stupeur qui s'écartaient sur son passage, et elle qui avançait entre la haie d'honneur muette, à l'extrême limite de l'épuisement, tenant à peine sur sa monture. Des cheveux en broussaille, un visage brûlé, silhouette couverte de sueur, de poussière et de sable ; les yeux ouverts sur le vide, elle avançait dans le claquement mou des fouets, ouvrant le chemin à ses hommes et aux bœufs fourbus. Denys souriait. Ah, ça, oui ! Il aurait aimé assister à l'irruption de cette jeune baronne dans leur petit club de machistes !

« Quel cran ! » fit Delamere.

Puis, se tournant vers Blixen :

« Blix, vous rappelez-vous vos premiers mots à votre délicieuse épouse ? »

Le baron avait beau chercher, il ne se souvenait pas...

« Tanne ! Tu as changé de coiffure ? »

Un rire secouait la puissante carcasse de D. « J'imagine que c'était la seule manière convenable que vous aviez de lui exprimer votre admiration en public ! »

Dans le brouhaha appréciateur qui suivit, Delamere proposa de porter un toast à la baronne. Adossé au comptoir du bar, Bror restait pensif, les yeux dans le vague.

« Tanne possède le courage d'un guerrier. Un courage indomptable. De qui le tient-elle... de son père, j'imagine. Un sacré bonhomme. »

Il tira sur sa cigarette, puis en regarda le bout se consumer. « Elle n'en a pas fait toute une affaire ! Elle a même attendu plusieurs mois avant de me raconter son tête-à-tête avec deux lions enragés... J'ai souvent pensé qu'elle comptait un gladiateur parmi ses ancêtres. »

57

Pas question de laisser échapper une bonne histoire de lions. Les buveurs l'exigèrent. Et par le détail, s'il vous plaît. Bror s'exécuta de bonne grâce :

« Pendant l'expédition, un chariot s'est bloqué sur une pierre. Bien sûr, tous les hommes se sont agglutinés autour de la roue, chacun y allant de son conseil, vous savez ce que c'est... des *kakele* à n'en plus finir et rien ne se passe. Bref, deux lions en maraude en ont profité pour bondir sur un des bœufs. Les hommes n'ont rien vu, Tanne, elle, oui. Juste le temps d'attraper un fouet et, d'une main, en frappant de toutes ses forces, au bout d'un temps infini elle a réussi à les éloigner du troupeau. Vous le croyez ça ? »

Il retourna à son verre, éloignant son émotion par une plaisanterie :

« Dire que six mois plus tôt, elle se demandait si elle pourrait se débrouiller sans l'aide d'une chambrière ! »

La salle gloussa, puis les conversations reprirent leur cours.

Le récit avait eu un effet puissant sur Denys. Il connaissait la brousse et ses dangers. Captivé, il avait imaginé la terreur qui avait paralysé le cerveau de la jeune femme. La terre qui volait sous les coups de lanières. Il avait partagé sa rage. Imaginé celle des deux fauves, et leurs yeux jaunes fixés sur leur proie, évaluant sa force, son intelligence, sa résistance, cherchant la faille où ils s'engouffreraient pour labourer la chair, la déchirer.

Mais elle avait empêché les bonds prodigieux, les griffes et les crocs.

Qui était-elle ? Où puisait-elle cette incroyable force vitale ?

Denys scruta l'expression rêveuse qui s'attardait sur les traits de Bror. Il se dit que ce Blixen était peut-être un homme à femmes, mais qu'il était fichtrement amoureux de la sienne.

6

La photo tremble entre les doigts du vieillard.

Elle a été prise à Mombassa le 19 août 1931. Deux hommes et un enfant sur la coursive d'un navire, ils sont un peu compassés face à l'objectif. Celui que j'identifie comme étant Juma esquisse un sourire, alors que Farah présente son visage habituel, sévère et surmonté d'un volumineux turban. L'enfant boude, quelques larmes restent accrochées à ses cils. Tête nue, un veston d'homme sur son corps frêle, il boude.

Karen vient de lui apprendre qu'il n'embarquera pas avec elle, il ne l'accompagnera pas dans sa traversée vers l'Europe.

Quand elle a distribué ses cadeaux d'adieu aux indigènes de sa plantation, elle a laissé le choix du sien à l'enfant :

« Qu'est-ce que tu préfères, Tumbo ? Que je te donne une vache ou venir vivre avec moi au Danemark ? »

Il n'y a pas de plus grand miracle pour un Somali qu'une vache qui tomberait du ciel sans avoir eu à batailler ou marchander pour l'obtenir. Un chameau serait encore mieux.

Tumbo avait choisi Karen.

Cette proposition demeure un mystère pour moi. Une cruauté. Aucune explication ne me convainc. Au moment où sa vie entière se défaisait, a-t-elle éprouvé le besoin de mesurer l'attachement que lui portait l'enfant ? Ou voulait-elle lui montrer la profondeur du sien ? Ou bien, un instant, rien qu'un instant, face au vide qui l'aspirait, a-t-elle cru possible d'emporter avec elle un fragment d'Afrique fait de chair et d'os ?

Moment de folie.

Je refuse de l'imaginer effleurée par l'idée que ce petit être libre courant derrière ses chèvres dans les prairies du Ngong, puisse être plus heureux ailleurs que parmi les siens.

Ultime tentative pour tromper le destin, reprendre la main.

Tumbo déçu, restant à quai, les miettes de son rêve éparpillées à ses pieds, telle est l'image que Karen emporta de son *toto* préféré.

C'est cette image de lui qu'un demi-siècle plus tard il tient entre ses doigts écartés. Ému, il siffle entre ses dents. Peu de dents. Tumbo est un vieil homme à présent, il vit dans les faubourgs de Nairobi chez l'un de ses fils, dans une maison au toit de tôle rouillé et aux murs bleus délavés.

En descendant de la voiture, j'ai entrevu une bousculade de visages curieux derrière les fenêtres grillagées. Les petits cris d'excitation qui fusaient m'ont rappelé ceux des colibris du parc, à Rungstedlund. Une silhouette massive est apparue sur le seuil, ramenant le calme. Le soleil éblouissant m'empêchait de distinguer les traits de l'homme mais d'emblée on voyait l'effort qu'il s'était imposé pour porter une tenue impeccable, pantalon à pli, cravate, veston, gilet, malgré la chaleur épouvantable. Il a levé une main en signe de bienvenue. L'autre tenait une canne. Il a avancé vers nous avec précaution. Je l'ai mieux vu. Sous un chèche rouge, un large sourire et des yeux qui pétillaient de plaisir. Un bon sourire. Celui de Tumbo, l'enfant au chèche et au ventre rond des photos, l'enfant chéri de Mbogani.

L'actrice m'accompagne. J'aurais préféré être seule avec le vieil homme. «Je me ferai toute petite, vous verrez, vous oublierez que je suis là!» Comment résister à une femme dont le métier est de séduire? Elle aussi veut rencontrer un être que Karen, la sienne, celle du film, de l'époque coloniale, a aimé et, peut-être, marqué de son empreinte.

Le temps presse. Les transformations du monde recouvrent peu à peu les traces vivantes du passé. Tumbo est là, rassasié d'années mais bien vivant. Peut-être lirons-nous, imprimée dans l'iris du vieux Somali, une image de Karen connue de lui seul.

Notre hôte nous a guidées jusqu'à une pièce sombre aux volets mi-clos. Un sofa, un fauteuil à bascule, quelques chaises en formica. Le mode de vie occidental a rattrapé les enfants de Tumbo. Mon regard est aimanté par la grande table où l'on a jeté une nappe aux couleurs éclatantes. On dirait que toute la lumière de l'après-midi s'est concentrée dans ses fleurs géantes et ses pétales éblouissants. Une foule de gamins aux crânes crépus ou couverts de tresses nous attendaient, Tumbo les a éparpillés d'un geste de sa canne, en claquant de la langue. « Allez, allez, laissez-nous tranquilles. » Les hommes de la famille sont restés dans la pièce.

Tumbo a pris place dans un rocking-chair dont le bois craque à chaque balancement. Je lui ai tendu la photo. Il l'a gardée dans le creux de ses mains ouvertes, doigts écartés pour ne pas l'abîmer, et maintenant il la contemple en silence. Un soupir le libère du poids qui encombrait sa poitrine, puis il me rend la photo et tire de sa poche un grand mouchoir, s'en tamponne les yeux et tout le visage. Un jeune homme approche, qu'il saisit par la manche. « Uhuru, Uhuru… »

Son arrière-petit-neveu sera notre traducteur, car Tumbo parle un anglais composé à quatre-vingt-dix pour cent de swahili. Uhuru, lui, s'exprime dans un anglais fluide qu'il doit, nous dit-il, à ses études à l'université. Tumbo finit par articuler :

« C'est un grand jour… Ça va aller… ça va aller… nous rassure-t-il. Quand je vous vois, c'est comme si je la voyais devant moi… Et quand je commence à penser à elle, mes yeux pleurent… »

Tout en me sentant misérable d'avoir si peu à lui offrir, je lui tends un petit pot qui a passé la douane sans encombre. La bouture d'un rosier que Karen a planté dans son jardin danois, il y a de cela une éternité. Tumbo la porte à ses narines, la respire, yeux clos.

« Elle était ma mère. Elle a veillé sur moi. »

Il a reposé la fleur avec précaution sur la table, comme on traite une offrande. « Je n'étais pas là pour son enterrement, mais Dieu sait que mon cœur était là-bas avec elle. J'ai prié Dieu pour qu'il l'emmène dans un bel endroit... »

Je lui explique que Karen repose désormais sur une colline de son jardin, sous une simple pierre tombale à l'ombre d'un vieux hêtre. J'en ai apporté une photographie, qu'il regarde longuement. Je lui dis ce que je crois profondément. Elle a fini par rejoindre Farah qui a agit comme il en avait l'habitude au temps de leurs safaris : il est parti en éclaireur vers la région inconnue pour y dresser sa tente et l'attendre.

Tumbo approuve d'un hochement de tête. Cela lui semble conforme à la haute idée qu'il a de ses vieux amis.

J'éprouve le besoin de lui dire ce que, peut-être, il sait au fond de son cœur. Karen n'a cessé de penser à eux, n'osant les oublier une seule seconde de crainte qu'ils s'échappent à jamais. Elle a tout tenté pour venir les retrouver, lui, Farah, Abdullaï. Mille projets. Construire un hôpital au pied du Ngong. Faire un grand reportage pour un magazine et un pélerinage à la Mecque en compagnie de Farah.

« Vous la connaissez, Tumbo ! Rien ne l'arrêtait ! Il a fallu des événements aussi puissants que
la Seconde Guerre mondiale pour l'en empêcher.
Puis la maladie, qui la privait de ses forces.

– Ta, ta, ta... » D'un claquement de langue chagrin, Tumbo exprime sa désapprobation.

Ces coups portés aux rêves de sa maîtresse
devaient être féroces, épouvantables, dit-il, sinon
elle n'aurait jamais renoncé. Il l'a vue lui, Tumbo,
mais aussi Juma, son père, et Kinanjui, le vieux
chef kikuyu, et Ali, et bien d'autres gens, courir
tout droit vers de grands feux qui menaçaient leurs
huttes ou la fabrique de café, en poussant des cris
terribles pour leur dire comment et où les éteindre,
sans se soucier des flammes qui léchaient le bas de
son pantalon.

« *Memsahib* a reçu les lettres ? » demande-t-il.

Celles que son père, mais aussi Kamante,
Abdullaï et Farah faisaient écrire par l'écrivain
public indien qui tenait boutique en plein air,
devant la poste. Et qui prétendait écrire l'anglais.

Karen les a reçues. Elles lui laissaient un
goût amer, ce que je me garde de dire à Tumbo.
Étranges missives, dictées en swahili, traduites
dans un anglais aussi biscornu qu'approximatif
d'où la voix inimitable de ses compagnons africains était absente. Elles restaient muettes. Ou
presque. Karen les entendaient lui chuchoter : « Tu
nous as quittés de ton plein gré, nous avons perdu
ton amitié, alors nous nous taisons, puisque c'est
ce que tu désires. »

Une jeune beauté entre chargée d'un plateau de cuivre qui paraît bien trop lourd pour ses bras frêles. Ses yeux brun mordoré regardent l'actrice blonde à la dérobée. Tout Nairobi parle de cette femme, et la voilà assise dans le salon de son grand-père ! La jeune fille disparaît aussi discrètement qu'elle est arrivée. L'odeur du thé à la cardamome embaume l'atmosphère.

« Elle nous aimait, quelle que soit notre tribu, les Wakambas, les Kawirandos, les Kikuyus, les Somalis... », reprend Tumbo. D'une pichenette, il rectifie l'équilibre de son chèche qui s'obstine à glisser. Les balancements du fauteuil vont de plus belle.

« Les gens qui passaient n'arrivaient pas à croire que la ferme appartenait à une *mzungu* ! Parce que nos vaches et nos moutons broutaient où ils voulaient.

– C'était pareil à Rungstedlund. Elle disait que la terre, les oiseaux et les arbres ne lui appartenaient pas, ils appartenaient à Dieu.

– On l'aimait parce qu'elle pensait que nous étions tous comme elle. Que nous étions pareils. »

Il se tait. Puis ses yeux se mettent à rire.

« Il y avait cette grosse horloge... Tous les vendredis elle sonnait sans que personne la touche... Dong ! Dong ! Un bruit terrifiant. Moi, j'étais tout petit... alors, Karen me disait de ne pas la frapper avec mon bâton, sinon j'aurais affaire à elle... »

Tumbo parle très lentement, parfois il s'interrompt comme pour laisser aux souvenirs une chance de remonter jusqu'à lui. Uhuru reste concentré sur sa traduction, visage tendu, luisant de sueur, il est clair qu'il veut restituer le plus fidèlement possible les pensées du patriarche. Leurs voix se superposent, elles ressuscitent les fous rires de Tumbo et des autres *totos* de la ferme quand ils voyaient Kamante courir de guingois après une chèvre qui s'égarait dans la maison. Kamante avec sa grosse tête plate, son corps de nain sur deux jambes aux lignes brisées. Il m'apparaît avec autant de netteté que s'il était là, sous mes yeux.

Et voici les arrivées en fanfare de Berkeley Cole au volant d'une voiture chargée à ras bord d'oranges, de dindons et de champagne... Et les fragiles pyramides de coupes de cristal qu'il s'amusait à édifier avec Denys. Ça mettait Karen aux cent coups... Et Abdullaï qui manque de la tuer...

« Abdullaï ? » demande l'actrice, un peu perdue.

Elle a écouté la voix de Tumbo si intensément qu'elle a négligé la traduction d'Uhuru. Je l'ai vue, captivée, s'enrouler autour de la voix du vieillard et suivre la mélopée swahilie comme si elle avait le pouvoir d'en déchiffrer les notes. Il est vrai que les artistes possèdent le don merveilleux de lire la signification de choses qui restent obscures aux autres humains.

« Oui, Abdullaï. Vous le connaissez, Meryl. La peinture que Karen a faite de l'enfant au turban, c'est lui ! »

À l'époque, selon Farah, le standing de la ferme exigeait que Karen ait un page à son service. Un

« piccolo » d'un certain rang, pas un des petits Kikuyus qui grouillaient sur la plantation, certainement non ! Question pedigree, étiquette et protocole, Farah en aurait remontré au chambellan de Buckingham. Ce fut donc Abdullaï, son petit frère, qu'il fit venir de Somalie.

Le trésor promis était arrivé par la route, avec une caravane de marchands ambulants.

Un soir, Abudllaï avait apporté à Karen les trois gouttes d'arsenic délayées dans un verre d'eau, qu'elle prenait à chaque repas. Un remède de cheval censé traiter sa syphilis. L'enfant avait oublié l'eau. Absorbée par la lecture d'un roman, Karen avait avalé l'arsenic pur. Elle avait gémi : « Je vais mourir ! » Abdullaï, terrifié, s'était précipité vers la brousse pour y disparaître, y être dévoré par les léopards, ou les lions, ou les *siafu*, ces horribles fourmis carnivores capables de déchiqueter jusqu'à l'os un troupeau de dindons en trois coups de mandibule... Dans tous les cas, pour y trouver un châtiment à la hauteur de son crime.

« Tout s'est bien terminé, Dieu y a veillé », conclut Tumbo.

Je souris. Dieu ? Karen s'apprêtait à mourir. Elle était allongée sur son lit, luttant contre les nausées, sa main arrimée à celle de Farah, quand trois mots avaient surgi, tracés dans l'air comme par magie. *La Reine Margot.*

Dans son roman, Dumas empoisonne lentement Charles IX à l'arsenic. Les ennemis du roi ont enduit de poison les pages d'un ouvrage sur la chasse, obligeant ainsi le malheureux à lécher son index pour les détacher. Dumas avait imaginé un contrepoison à base de lait et de blanc d'œuf. La mixture n'avait pas empêché la mort du roi, mais pour qui agonise dans une ferme isolée d'Afrique, la moindre poudre de perlimpinpin fait l'affaire. Karen avait donc demandé à Kamante de lui préparer le breuvage.

Ce jour-là, pour la première fois, la littérature lui avait sauvé la vie.

Les Massaïs qu'elle avait envoyés à la recherche du gamin le lui avaient ramené trois jours plus tard, sauf et contrit. On l'avait grondé, puis il avait retrouvé sa place dans la vie de la ferme.

« Aujourd'hui, Abdullaï vit en Somalie, dit Tumbo avec une nuance d'admiration dans la voix. Il est devenu un juge respecté. Mais Kamante... Dieu ne va pas tarder à le rappeler à lui. Il est presque aveugle et très très très vieux, à présent. »

À nouveau le « ta, ta, ta » navré et le chèche rebelle qui dérape à chaque hochement de la tête. J'apprends que Kamante vit ses tout derniers jours loin de Nairobi, là-haut, sur la propriété du photographe américain Peter Beard, Africain de cœur lui aussi. Kamante n'y voit plus grand-chose, tout juste s'il distingue son troupeau de vaches d'un sac de patates en mouvement.

Rien ne semble pouvoir arrêter le flot des souvenirs qui s'écoule du vieil homme, comme s'il avait gardé enfouies au fond de lui ces petites histoires, parce que ceux qui les avaient vécues, partagées, n'étaient plus là pour en savourer le goût. Qui ces vieilleries pouvaient-elles intéresser ? Une expression attristée traverse à nouveau la bonne figure de Tumbo.

« J'ai souvent vu Karen pleurer, assise à son bureau quand *bwana* Denys restait trop longtemps en safari. Elle posait la tête comme ça… »

Il montre comment, en mettant sa tête entre les bras. « … Et elle pleurait, pleurait. Alors, nous, les *totos*, on marchait dans la maison sans faire de bruit. Parfois, elle levait la tête et demandait : "Pourquoi *bwana* Bedâr reste parti si longtemps ? Dis, Tumbo, pourquoi ?" Qu'est-ce que je pouvais lui répondre… je filais me réfugier à la cuisine, dans les jambes de Kamante. »

Moi aussi, des décennies plus tard, je l'ai vue souffrir pour un amour malade.

Tumbo s'absorbe dans une longue pause jusqu'à ce qu'un souvenir le ramène vers nous :

« Parfois, elle était *kali*. Très. Quand elle était en colère à cause de nos bêtises, elle attendait le retour de *bwana* Denys et lui demandait de nous corriger. Alors, il nous emmenait dans un coin et nous donnait quelques coups de *kiboko*. Oh, pas très fort… Il disait qu'à Eton aussi on donnait des coups de *kiboko* aux élèves turbulents. Puis tout redevenait comme avant. *Msabu* nous emmenait faire des tours dans son auto, ou vers l'étang à poissons pour pêcher ensemble. »

Tumbo nous entraîne alors dans une très ancienne et heureuse histoire où Karen le considérait comme son fils. Tumbo l'enfant-roi, choisi entre tous. Elle l'avait lavé, habillé, éduqué, s'était inquiétée pour lui, elle l'avait grondé avec l'autorité et la tendresse d'une mère. Il avait été l'enfant qu'elle n'avait pu avoir.

Le vieil homme n'a pas remarqué qu'un changement subtil s'est opéré dans la pièce. L'expression amicale qu'Uhuru affichait jusqu'ici s'est brouillée. Il jette des regards furtifs à un autre jeune homme, assis sur l'une des chaises alignées contre le mur. Celui qui trouble tant Uhuru doit être l'un des nombreux arrière-petits-neveux de Tumbo.

À travers les volets mi-clos, on peut entendre les cris des enfants dehors et le bruit sourd de leurs pieds qui shootent dans un ballon.

Le jeune homme montre des signes d'impatience. Quand Tumbo a parlé des fessées de Denys aux *totos*, j'ai remarqué du coin de l'œil sa nervosité. Ses jambes prises de tremblements, son regard aiguisé. Il a la peau très noire et les lèvres presque bleues. Un legs du sang massaï qui court dans les veines de son aïeul ? La grand-mère maternelle de Tumbo appartenait à la tribu nomade. Les yeux du garçon croisent les miens. Peut-être y lit-il une invitation à intervenir car, en me fixant, il lance en anglais :

« De quel droit la baronne Blixen et son ami nous corrigeaient-ils ? De quelle autorité étaient-ils investis… et par qui ? Battre nos enfants ! Pour des broutilles. »

Le jeune homme exprime une colère froide. Mais son indignation doit être terriblement plus

71

violente et plus sombre pour qu'il rompe la tradition d'accueil qui est due au visiteur. Surpris, Tumbo a cessé de balancer son fauteuil.

« Ismaïl… ne te laisse pas emporter par tes idées politiques. Je te parle d'une autre époque. Dans cette époque-là, sur la plantation, nous étions mieux traités que partout ailleurs. Nous étions heureux, Ismaïl. Tu ne peux pas réécrire nos souvenirs… »

Je me garde bien d'envenimer la discussion en précisant que, si Karen menait ses indigènes à la baguette, c'était avec les meilleures intentions du monde. « *Dans l'espoir de leur permettre de s'améliorer en tant qu'êtres humains* », écrivait-elle à sa mère au cours des années 20. Ses arguments sont consternants à la lumière de notre époque postcoloniale. En outre, je n'ai nulle envie d'abîmer l'image idéalisée que Tumbo garde de son enfance. C'était ainsi, c'est tout.

Je transpire. Un peu de sueur coule au-dessus de ma lèvre. Est-ce à cause de la tournure chaotique que prend la conversation ? Tumbo parlait en swahili, Uhuru traduisait. Maintenant les échanges volent dans leur langue, si inhabituellement vifs qu'Uhuru, captivé par la réaction de son cousin, ne songe plus à nous traduire que quelques bribes.

« Écoute-moi mon fils, insiste Tumbo. Nous étions heureux dans nos maisons. Karen nous traitait bien, tous. Et nous recevions un salaire. Il y avait une ferme, à côté, elle appartenait à des Suédois. La femme menait ses *squatters* au fouet.

Ils l'appelaient "Wangu", comme un de leurs grands chefs kikuyus, un homme redoutable. »

Il pousse un petit grognement, puis il poursuit son entreprise de réhabilitation sur le ton de l'apaisement.

« N'oublie pas que nous étions les seuls à avoir une école, sur ses terres. Parce qu'elle l'a voulu, alors que tous les autres Blancs étaient contre elle. C'est comme ça que j'ai appris à lire et à écrire, et qu'elle a pu m'envoyer au collège… »

Ismaïl l'interrompt, exaspéré :

« Grand-père, souviens-toi du chef Kinanjui. Ce qu'il a dit à ta grande *memsahib* quand elle lui a parlé d'ouvrir une école : "Les Anglais savent lire et écrire, et qu'est-ce que ça donne ?"

– Attends un peu, elle a fait preuve de bravoure ! Tu imagines, avoir tous ces Blancs contre elle ? Toi, aujourd'hui tu es bien content de savoir écrire, lire et parler l'anglais… Comment crois-tu que tu aurais trouvé du travail dans une banque, sinon ? »

Ismaïl reste silencieux, ses yeux se chargeant de dire ce qu'il a à dire. Il lutte contre lui-même mais l'effet qu'a sur lui le nom de Karen Blixen est sans doute plus fort que le respect qu'il porte au vieil homme.

« Que voulait-elle faire de vous ? Des petits Anglais ? Allons grand-père… J'ai lu ses livres, "mes gens", "mes *squatters*", "mes Kikuyus", "mes cristaux", "ma ferme"… Ta *memsahib* Blixen avait un sens aigu de la propriété… Elle vous appelait ses *"black brothers"* ? Laisse-moi rire ! Elle était votre maîtresse, pas votre sœur ! »

La possessivité. Sa ligne de faille. En plein milieu d'elle. Toujours prête à s'ouvrir.

Et combien de fois ai-je entendu reprocher à *La Ferme africaine* le trop beau rôle que s'y donnait l'auteur ? Celui d'un seigneur éclairé, régnant en son domaine féodal.

Je vais leur expliquer. Leur dire qu'elle avait eu conscience du gâchis, de la terrible erreur et de la part qu'elle y avait prise. « *Hélas, trois fois hélas, qu'avons-nous fait et que faisons-nous à ce pays, et qu'est-ce donc que cette "civilisation" que nous y introduisons ?* »

Un coup d'œil à l'assistance, aux hommes en pantalons et chemisettes bariolées, aux pieds nus glissés dans des simili-mocassins, je renonce. J'imagine leurs mobylettes qui attendent, appuyées contre un mur de la maison. Cette « civilisation » leur convient très bien. Ils n'ont pas connu le monde que Karen regrettait, sa beauté sauvage et imparfaite, son équilibre délicat, l'harmonie des ethnies entre elles, tout ce qui s'était fortifié à l'épreuve du temps… En adoptant d'autres valeurs, ils ont oublié la richesse de ce qu'ils ont perdu. Tout est allé si vite. Le sentiment que Karen éprouvait en 1937, lorsqu'elle travaillait à son manuscrit d'*Out of Africa*, ne la trompait pas : il lui semblait qu'elle déroulait un rouleau de papyrus, relatait des souvenirs d'Afrique déjà dépassés par l'histoire en marche.

Le soupir accablé d'Ismaïl semble répondre à mes réflexions.

« Il n'y a pas les bons ou les mauvais colons. Il n'y a que des colons. Des occupants… »

C'est alors qu'une voix nette, claire, précise s'élève. L'actrice. Sa diction parfaite de comédienne, le ton assuré s'imposent au brouhaha qui cesse net.

« Ismaïl, n'oubliez pas que Karen Blixen est arrivée ici pétrie d'idées préconçues. Très vite, elle a compris la richesse et la profondeur de votre culture là où les autres colons ne virent en vous que… excusez-moi… "des métèques incapables de compter leurs chèvres". »

Le jeune homme baisse la tête. Sous sa peau sombre, il rougit. Une star est descendue de l'écran, une star lumineuse et blonde et connue dans le monde entier, pour lui parler à lui, Ismaïl, en le regardant droit dans les yeux, et ça le déstabilise et ça le laisse cloué sur sa chaise, comme un idiot.

L'actrice m'impressionne. Douce, déterminée à rétablir le calme et entièrement habitée par son rôle. Car cette histoire de « métèques » est une réplique du film, je l'ai lue dans le scénario. Elle poursuit, je la soupçonne de partir à la recherche de ses émotions :

« Karen Blixen, comme ses amis les plus proches, pensait que ce que les indigènes disaient avait de l'intérêt, que ce qu'ils ressentaient était intéressant. Elle les prenait au sérieux. Elle n'avait

75

pas l'impression qu'en leur donnant raison elle entamerait son autorité... »

C'est captivant de voir une actrice travailler les contours encore flous de son personnage. Quant à Ismaïl, il ne sait plus quelle contenance adopter. Il choisit de se lever et d'aller griller une cigarette dans la cour. La tension s'éloigne avec le bruit de ses pas.

« Notre famille lui doit tout, reprend Tumbo, l'air navré. Comme toutes les familles qui vivaient sur sa plantation. Elle s'est battue au-delà de ses forces et elle a gagné. Elle a obtenu des terres pour nous tous. Elle nous a envoyé de l'argent... Ismaïl ne voit que le mauvais côté des choses... »

Son cousin éclipsé, Uhuru nous explique qu'Ismaïl a été élevé à rude école. Son grand-père paternel était proche de Dedan Kimathi, le chef historique des Mau-Mau, ces *freedom fighters* qui en 1952 ont prêté serment contre « l'occupant spoliateur » et se sont révoltés contre le gouvernement colonial. Leur mot d'ordre : « Que les Européens retournent en Europe, que les Africains conquièrent leur liberté. » Kimathi a été exécuté. La répression a tué plus de treize mille personnes.

Il y a plus de vingt ans que le Kenya a conquis son indépendance, c'est un pays souverain désormais. La colère intacte d'Ismaïl contre Karen me paraît disproportionnée. Alors, Uhuru baisse la voix, jusqu'à chuchoter, comme si des oreilles malveillantes nous guettaient, cachées dans les murs.

«Ismaïl est aujourd'hui un militant politique très actif, explique-t-il. Il y a deux ans, il a été jeté en prison et torturé, pendant plusieurs semaines, selon les méthodes du président Daniel Arap Moi. Il a eu la chance d'en ressortir vivant, mais la plupart de ses amis y sont restés, et d'autres croupissent encore en prison. Le pouvoir l'a soupçonné d'être lié aux officiers de l'armée de l'air qui ont tenté le putsch contre Moi. Dans la famille, personne ne soutient le Président. Moi. Une main de fer qui se débarrasse de ses opposants en les compromettant ou en les supprimant, un chef kikuyu qui attise les haines tribales, qui étouffe toute opposition... » Uhuru n'est plus le même. C'est à son tour de trembler, ses yeux brillent dangereusement, rappelant à qui l'aurait oublié que les Somalis sont avant tout des guerriers. Il continue, toujours à voix contenue : le Kenya s'achemine vers la parodie de démocratie, vers le pouvoir absolu et corrompu. Le pire est à venir si l'opposition, encore hétéroclite, ne se structure pas. C'est à cela que travaille Ismaïl.

«Nos parents et nos grands-parents ne se sont pas battus pour en arriver là... », conclut-il.

Les hommes alignés contre le mur murmurent entre eux, ils approuvent les explications de leur cadet. Leurs regards vers nous sont amicaux, une manière, j'imagine, de rattraper l'outrage d'Ismaïl.

Lorsque nous prenons enfin congé, le soleil a décliné, les volets ont été repoussés laissant pénétrer une lumière dorée dans cette pièce où il a fait

bon bavarder. Tumbo quitte son fauteuil avec difficulté, et, cette fois, il nous prend dans ses bras.
L'actrice se penche à son oreille et lui chuchote qu'il
sera invité à Copenhague, pour le lancement du
film. Il sera l'hôte d'honneur, les Danois le fêteront
comme une célébrité, il connaîtra enfin la maison
de Karen, il pourra se recueillir sur sa tombe.

Pour lui c'est trop. Il ne cherche plus à lutter
contre ses émotions.

«Je ne crois pas que je vais pouvoir dormir cette
nuit…», dit-il la voix tremblante.

Appuyé sur sa canne, il se redresse pour faire
honneur à l'idée réconfortante qui chemine dans
sa tête :

«Quand je reviendrai de là-bas, les gens diront :
"Cet homme que nous voyons tous les jours est un
grand homme. Il est allé jusque là-bas. C'est un
grand homme… Il n'est pas n'importe qui."»

Mais la fierté dans sa voix est démentie par la
tristesse de ses yeux. Là-bas, il le sait, il n'y aura
que le vide. Le parfum d'un fantôme. Le simulacre
de retrouvailles.

7

Au bout du téléphone, la voix est vive, légèrement rauque. Elle ne marque aucune surprise. Ma
présence à Nairobi est connue de tous.

«Tout se sait ici, non? Comme toujours...»,
soupire la voix ourlée de tabac.

Je souhaite lui parler de Karen Blixen. Sa
réponse m'étonne :

«Oh! Je la connaissais très peu...»

Voyons-nous quand même. Chez elle. Un bungalow qui domine l'hippodrome. Son antre où elle
entraîne deux chevaux de course, probablement les
derniers de sa carrière. À quatre-vingt-deux ans,
ses talents d'éleveuse sont sérieusement cotés à la
baisse, fait-elle d'un ton désinvolte.

De Beryl Markham, je ne connais qu'une photographie. Une fois de plus. Mais celle-ci a fait le
tour du monde. Une jeune beauté en combinaison
de pilote, bandeau sur l'œil. Elle vient de réussir le

premier vol transatlantique en solo jamais effectué d'est en ouest. L'intrépide a rallié la Nouvelle-Écosse depuis l'Angleterre, contre les vents, sans radio et sans escale. L'avion a fini par piquer du nez dans la boue, faute de fuel. Son crâne, lui, a joué au punching-ball avec le tableau de bord.

La presse de Manhattan notait le chic de la tenue blanche, l'élégance désinvolte de l'allure, le casque de cuir bien emboîté qui mettait en valeur les pommettes hautes et le regard limpide. «Divine». Le mot lâché autorisait la comparaison avec la madone de Celluloïd, Garbo, elles partageaient une grâce ambiguë, masculine. Puis New York lui avait fait la fête sous une pluie de serpentins. L'histoire se souvient d'elle paradant sous les flashs, sa beauté de flibustière rehaussée d'un cache-œil de pirate camouflant sa blessure.

C'était en 1936. Elle avait trente-quatre ans.

J'aperçois sa haute silhouette, un peu voûtée. Elle m'attend, appuyée à la clôture du paddock. Cigarette aux lèvres, pieds nus, jean et chemise ample. Une baroudeuse d'une autre ère, échappée d'une story pour magazine américain. D'ailleurs, un enquêteur de *Vanity Fair* vient de s'intéresser à elle. Une légende. Une légende bien vivante.

Quel étrange visage. Minéral. Tout en longueur, il se conclut par un menton proéminent rappelant les statues de l'île de Pâques. J'ai beau le scruter, impossible de deviner en cette vieille femme l'amoureuse du sexe et des hommes qu'elle fut. L'emmerderesse de haut vol. Le genre de femme à qui tout homme sain d'esprit préfère l'abri d'une cage où tournent deux ou trois tigres.

Ça ne l'avait pas empêchée d'être à deux doigts de griller la politesse à Wallis Simpson, car Beryl s'était approchée du trône d'Angleterre plus près qu'aucune roturière ne s'y était encore risquée. Fou d'elle, le duc de Gloucester, frère du prince de Galles, avait envisagé de régulariser. Problème, Beryl n'avait pas le moindre quartier de noblesse. Mieux que ça, elle était déjà divorcée. Cerise sur le muffin, elle était flanquée d'un mari, Mansfield Markham, fils d'un pair d'Angleterre. Scandale à la cour ! Laquelle se débarrassa de l'intruse sous la menace de poursuites légales. Grâce aussi à l'attribution d'une pension, à la condition expresse qu'elle retourne au Kenya. Ou au diable, si ça lui chantait.

De toute façon, aucun palais n'aurait pu retenir celle dont la vie était traversée par une violence silencieuse qui la poussait à tout détruire sur son passage.

Beryl Markham est à jamais l'enfant d'un monde premier dont elle a vécu les derniers instants.

Elle avait trois ans quand son père décida de quitter Londres pour rejoindre les espaces illimités. Une ferme perdue de Njoro, où il élèverait des chevaux. Effrayée à la perspective d'une vie de pionniers dépourvue de *hot tubs* et d'eau courante, sa femme avait demandé le divorce puis épousé un colonel de l'armée britannique. Certains couples se répartissent les meubles au moment de la séparation, les Clutterbuck, eux, se partagèrent les enfants. La mère choisit son fils aîné, sans états d'âme.

Je t'aime ma jolie petite fille, mais j'aime encore mieux ton frère, tant pis pour toi, mon enfant si jolie...

La petite avait suivi Charles B. Clutterbuck en Afrique orientale, dans un rêve qui n'était pas le sien. On l'arracha à la douceur d'une enfance anglaise. Elle s'habitua. Ayant survécu à la cruauté d'une mère qui pouvait vivre sans elle, elle finit par intégrer l'idée que, quelle que soit l'intensité de la souffrance infligée, aussi irréparable que soit la perte, l'être humain est équipé pour faire face ; sa capacité de résistance lui permet de tout supporter. Absolument tout. De quoi développer un égocentrisme farouche. Ce qu'elle fit.

Une grande partie de son enfance, elle avait vécu livrée à elle-même, vêtue d'une peau de bête, montant les chevaux à cru, dans la tribu des Nandi Murani. Tandis que son père s'occupait de sa ferme et dressait les chevaux de lord Delamere, Beryl suivait les rites des indigènes, épousait leurs superstitions, déjouant les sorts en se couvrant de grigris, affûtant son instinct dans la brousse ou la forêt de cèdres de Mau. Puisqu'on la privait de son frère de sang, elle s'en choisit un parmi les Nandi Murani. Ruda. L'enfant qui partageait ses jeux et qui, après qu'elle fut devenue une jeune lady, continua de la suivre comme une ombre.

Mais à l'époque première, Beryl mangeait avec ses doigts, rêvait en swahili et tuait un sanglier d'un seul jet de lance. Puis elle avait grandi, se nourrissant de deux cultures étrangères l'une à

82

l'autre. Drôle de fille, moitié primitive, moitié *flapper* de l'ère du jazz.

Elle s'était mariée sur un coup de tête, gamine, à peine seize ans. Une catastrophe. À quoi ressemblait la vie de couple ? Elle n'en avait pas la moindre idée. Elle fit donc comme elle avait toujours fait, couchant où et quand le désir l'en prenait. Une fois sa fille confiée aux bons soins d'un époux, Charles B. Clutterbuck avait filé au Pérou, faire fortune. En guise de dot, il lui laissa un magnifique cheval, Pégase, et la passion des pur-sang. Avec les deux, elle fit de l'or.

Clutterbuck laissa aussi, gravée dans le cœur de Beryl, l'image d'un père taillé pour l'aventure, qu'aucun autre homme n'égalera jamais.

Et débrouille-toi avec ça, ma fille.

« *Welcome, dear.* Je suis heureuse de rencontrer une amie de Tania. *So long…* »

Elle éteint sa cigarette en l'enfouissant dans le sable du bout du pied. Je remarque le carré de twill noué à la cow-boy, piqué d'une broche dorée en forme d'hélice. J'enregistre la lassitude du regard. On voit souvent cette lueur-là chez ceux qui vivent trop longtemps. Surtout, j'ai distinctement entendu le « Tania ». Un surnom réservé aux intimes de Karen en Afrique.

D'ordinaire, dit-elle, elle vit dans son ranch. Ce bungalow lui sert de camp de base pendant la préparation du Derby. Plutôt sommaire. Aucun trophée pour commémorer ses innombrables victoires hippiques, ses exploits aériens, aucune photo d'un amour ou d'une amitié. Le confort du salon se résume à un vaste sofa recouvert de couvertures massaïs grossièrement tissées et une bergère en chintz. L'élément le plus vivant est un large plateau encombré de bouteilles d'alcool à demi vides.

Je remarque son coup d'œil aux boissons. Il est à peine dix heures! On m'a prévenue: Beryl s'obstine à tester son immortalité à grandes lampées de vodka et de gin tonic. Elle s'est tirée de tant d'aventures qu'elle se pince encore pour y croire. Personne n'a réussi à avoir sa peau. Ni les lions. Ni les huissiers qui la harcèlent. Ni le jeune soldat mort de trouille qui a tiré une rafale sur sa Mercedes hors d'âge deux ans plus tôt. C'était pendant le coup d'État contre le président Moi. Elle avait snobé le couvre-feu pour aller boire un verre au Muthaiga. Elle en fut quitte pour une semaine de vacances forcées au club. Son carrosse était «*kaputt*».

«Vous désirez boire quelque chose, Clara? Vodka?»

Rien sur le plateau qui offrirait une alternative. Inutile de penser à un thé.

«C'est exactement ce dont je rêvais...

– Oh, merci! Merci mille fois!»

Sa voix exprime une réelle gratitude.

Je suis venue jusqu'ici poussée par la curiosité, afin de vérifier certaines rumeurs. Et rencontrer celle qui fut la mascotte du Nairobi d'antan. Une de ses figures les plus flamboyantes dans une ville qui ne manquait pourtant pas de phénomènes. C'est qu'une chose m'intrigue au plus haut point. Une anomalie. Comment se fait-il que, dans ses souvenirs d'Afrique, Karen ne fasse pas une seule fois allusion à Beryl ? Et pourquoi celle-ci, dans ses propres mémoires, *West with the Night*, a-t-elle occulté Karen Blixen ?

Comme si elles n'avaient jamais existé l'une pour l'autre.

J'ignore ce que j'attends de cette rencontre et ce que je ferai une fois la trace remontée. Je ne sais pas où cette quête me mènera. Je sais seulement que j'en ai besoin. Après avoir vécu dans le souffle de Karen tant d'années, la légende ne me suffit plus. La vérité me regarde. Oh! C'est bien présomptueux, de penser ça, «la vérité me regarde». C'est énorme. Mais je me suis laissé embobiner trop souvent. Tant de couleuvres avalées. Cette vérité m'est due.

Beryl est restée admirablement discrète sur les détails de sa vie intime et elle n'a jamais encouragé la spéculation, jusque dans les pages de ses mémoires. Pourtant, j'ai l'intuition qu'il existe un sésame. Bror. Bror von Blixen-Finecke, l'ami que Beryl accompagnait en safaris, qu'elle guidait depuis son avion vers les régions giboyeuses.

«Ah! Blickie...»

Elle lève son verre, esquissant le geste de porter un toast à cette légende de l'Afrique.

«C'était le genre de type capable de tirer pile entre les yeux d'un buffle en pleine charge, tout en se demandant ce qu'il boirait dans la soirée. Gin ou whisky ? Voilà ce qui préoccupait Blix. Vous ne l'auriez jamais vu courir au-devant du danger par plaisir. Et quand ça lui tombait dessus, il injuriait la terre entière… Jouer la tête brûlée ou les héros, ce n'était pas son truc. »

Dans les années 50, Beryl a conseillé les studios américains pour le tournage de leurs films africains. L'image du grand chasseur blanc en version hollywoodienne, elle connaît très bien. Bror, lui, campait en dehors du cliché.

« Je me souviens d'un repérage que nous faisions ensemble, pour des clients de Bror. Nous sommes tombés nez à nez avec un éléphant. Un véritable monstre. Aussi surpris que nous, en vérité. Il a ouvert la gueule à « ça » – elle montre un espace minuscule entre son pouce et son index – de moi ! Vous n'imaginez pas la frousse que peut filer un barrissement pareil dans vos oreilles… »

Ils s'étaient immobilisés. Elle, paralysée, Bror aux aguets. Et ce bruit de tonnerre qui montait des taillis, qu'est-ce que c'était ? Le reste du troupeau qui broutait. Qu'ils chargent, et les deux moustiques finissaient en bouillie.

« Bror attendait sans bouger un muscle. Qu'est-ce qu'il fichait au lieu de tirer ? Eh bien, il estimait que ces éléphants revenaient de droit à ses clients puisqu'ils avaient payé pour ça… Il est vrai que le fusil du meilleur chasseur d'Afrique pointé sur cette montagne aurait été aussi efficace qu'un plumeau ! »

Le barrissement avait alerté le troupeau qui détala en provoquant un séisme de magnitude XXL. Autour d'eux tout se déracina, s'arracha, s'abattit, détala, les grands arbres, les buissons, les fauves, les oiseaux, la terre trembla sous leurs pieds. Le colosse décampa pour rejoindre ses congénères.

« C'était magnifique, il a tourné sur lui-même avec la lenteur irrésistible d'une porte de chambre forte. »

De retour au campement, ils s'effondrèrent, un verre de bourbon à la main. Si la bête avait chargé, qu'auraient-ils fait ? Bror prit l'air inspiré du poète pour citer, selon lui, un vieil adage copte : « La vie est la vie, le plaisir est le plaisir, mais tout est si paisible quand meurt le poisson rouge. »

« Blix tel qu'en lui-même », conclut-elle.

Nous restons silencieuses, le fantôme de Bror flotte entre nous, amical sous son chapeau de brousse délavé et ramolli par les pluies.

C'est la première fois que j'entends parler de lui avec respect et tendresse, sans la moindre restriction. Beryl l'aimait comme un frère d'armes.

« Il avait le chic pour ne jamais en faire des tonnes. Dieu sait qu'il comptait quelques exploits sensationnels, mais il s'arrangeait pour les réduire aux dimensions d'une taupinière... Avez-vous lu son livre, Clara ?

– Non. Mais je dois dire que j'en ai entendu parler. Karen n'a pas décoléré quand elle a appris qu'il publiait ses souvenirs quelques semaines après les siens... »

Elle avait craché des flammes. Elle connaissait Bror mieux que personne, depuis l'enfance, alors pas question de lui faire croire à cette histoire d'un baron Blixen inspiré, devant une machine à écrire. Elle le savait incapable d'aligner trois mots, ne l'avait jamais vu lire le moindre bouquin... «Franchement! disait-elle, Bror est le genre de type à vous demander sans le moindre embarras: "Dis-moi, les croisades, c'est avant ou après la Révolution française?"»

Beryl éclate de rire.

«Je ne les ai pas connus à l'époque où ils vivaient ensemble. J'étais beaucoup plus jeune qu'eux, vous savez. Il y avait bien dix-sept ans d'écart entre nous. Mais Bror admirait sa femme. Et bien après leur divorce il continuait d'en parler avec affection...»

Elle ajoute d'un ton plus grave:

«J'imagine qu'il avait pleinement conscience de ce que Tania lui devait, en termes de malheur...»

Nous restons un moment sans bouger, sans parler. Par la fenêtre ouverte, on peut entendre un cheval s'ébrouer du côté du paddock. Beryl se redresse dans la bergère où elle s'est laissée glisser.

«Quand Tania a publié son premier livre, *Sept contes gothiques*, Bror l'a lu puis il a dit: "Cinq, ça aurait suffi, non?" C'est bien le seul bémol que j'aie entendu dans sa bouche à propos de son ex!»

Elle sourit, amusée, en faisant tourner un reste de glaçons dans le fond de son verre.

« Il était le plus exquis des amis, mais il faisait un mari impossible. Le problème, voyez-vous, c'est que Bror était un homme extrêmement sociable qui avait une peur bleue de la solitude. Alors, il faisait la fête. L'autre problème, c'est qu'il tenait remarquablement l'alcool, lucide et vif quand ses copains commençaient à pleurnicher dans leur verre. Il ne lui restait plus qu'à aller chercher du réconfort ailleurs… dans les bruits de la nuit. Les nuits africaines sont si vivantes, elles sont peuplées de créatures à la peau de soie et aux idées larges. Bror, voyez-vous, avait un goût prononcé pour les femmes massaïs… »

Un coup d'œil à son verre dont la jauge trop basse l'engage à aller refaire le plein.

« Avez-vous entendu parler du docteur Turvy ? dit-elle en changeant de sujet. Il nous accompagnait dans nos expéditions.

– Non, je ne vois pas. En tout cas Karen n'y fait pas allusion dans ses livres.

– Il y a tant de choses dont Karen ne parle pas dans ses livres… », fait-elle en rejoignant son siège.

Elle prend le temps d'allumer une cigarette. Elle laisse deux lentes volutes bleues s'échapper de ses narines et les regarde s'étirer paresseusement dans l'air.

« Turvy est un ami fictif, une invention de Bror, il en avait fait la mascotte de ses safaris. Au moindre pépin, une attaque de malaria ou un chagrin d'amour, nous nous en remettions aux prescriptions de Turvy. Rien à voir avec la pharmacopée habituelle, médocs, piqûres et le toutim, non... Avec lui pas besoin d'ordonnance, de prise de tension, de rendez-vous à caler, de note à régler... La transmission de pensée et hop... Il aurait fait un *bartender* de première au bar du Ritz. Personne ne savait confectionner un cocktail comme lui, il les connaissait tous... créatif, avec ça. Sacré Doc! Il a sauvé du blues la fine fleur des chasseurs d'Afrique.»

Elle s'anime. S'évade du présent. Sous le masque figé, une chose imperceptible commence à frémir, tente de se libérer. Voudrait bien éclore. La Beryl des beaux jours. La gamine de cette époque inégalée où l'espace s'ouvrait grand devant soi, où chaque matin l'avenir se jouait à la roulette russe.

L'attraction magnétique qui fascinait tant les hommes se déploie maintenant sous mes yeux. Une grâce de poulain. La brusquerie d'un garçon manqué alliée à la délicieuse maladresse des débutantes inconscientes de leur charme. Plus troublante encore, c'est l'impression de danger. C'est, sous les paupières lourdes, l'éclat d'acier qui traverse le bleu limpide des yeux et disparaît. Une menace tranchante.

J'en suis sûre, elle était exactement *ça*. Un petit animal sauvage et imprévisible. Tendue vers ses désirs, gouvernée par ses impulsions. J'aime, j'épouse, je divorce, j'épouse encore, je m'éclipse, je rôde sur les territoires occupés par d'autres femelles, j'avance sans regarder derrière moi, tant pis pour les dégâts...

Son premier mariage. Une petite année lui a suffi pour le réduire en charpie. Jock Purves, ex-international de rugby, un type plutôt gentil mais le nez chatouilleux quand elle rentrait l'air vague, confuse, le regardant de biais, lui racontant des fariboles, une odeur de sexe sur la peau. Alors, Purves sortait son couteau et creusait une entaille rageuse sur un pilier de la véranda. Une encoche pour chaque nouvel amant. Puis il lâchait ses coups. Jock le Cogneur.

C'est à cette époque-là que Karen a pris Beryl sous son aile. Elle respectait les filles qui avaient du tempérament. Celle-là, en plus, on avait envie de la protéger. Karen ne résistait pas aux créatures blessées. Lullu l'antilope, la cigogne, le bébé chouette, Kamante... Beryl s'était installée un moment à la ferme, avec ses chevaux. Le temps de récupérer, de monter un élevage de pur-sang, ces pur-sang qui lui ressemblaient.

Ses frasques sexuelles amusaient Karen, qui pulvérisait les rumeurs d'un : « Si toutes les aventures qu'on lui prête étaient vraies, elle n'aurait jamais pu quitter la position allongée entre quatorze et quatre-vingt-quatre ans. » Pour elle, fin du chapitre.

À quoi ressemblait leur attelage, à cette époque-là ? Et leurs tête-à-tête, dans le monde clos de la ferme ? Ça, j'aimerais bien le savoir ! Deux femmes si différentes. La plus jeune, rebelle, frémissante, cheveux couleur de paille, emmêlés, mèches sur les yeux, qui avance par embardées vers un destin indéchiffrable. Elle passait le temps en promenant les chiens de Karen. Que faire d'autre à dix-huit ans, quand on est parachutée au milieu de nulle part, sans argent, et qu'un mari furax cherche à vous récupérer pour vous faire entrer dans la tête que la vie de couple n'est pas une plaisanterie ?

J'imagine qu'elle ouvrait grands les yeux sur la femme et l'homme dont elle partageait l'intimité, alors qu'elle les connaissait à peine. Elle observait Karen et Denys, le regard avide. Peut-être avec admiration. Elle avait cessé d'être une enfant, pourtant elle ne comprenait rien au fonctionnement d'un couple. C'est donc comme ça qu'il faut faire quand on est adulte, et que l'on aime quelqu'un, et que l'on vit ensemble ? Les attentions, les rires, la légèreté, les discussions qui s'emballent à propos de Shakespeare, ou Copernic ou le Tintoret, puis bifurquent vers les fauves que l'on va traquer ensemble, à l'aube. Ces deux-là savaient parler, à en avoir la tête tournée, à ne plus savoir qui écouter ni dans quel train monter. Celui de Karen ou celui de Denys ?

Karen, si accomplie, sophistiquée. Un raffinement que Beryl n'atteindra jamais, elle le devinait, il faut au moins une dizaine de générations pour y parvenir, pour obtenir cet aspect poli, ce grain si fin, non ? Et avec ça, une force vitale qui lui permettait de tenir sa plantation à bout de bras. Un fusil de première, aussi.

La blonde, la brune… dissemblables mais aussi intrépides.

Sept ans plus tard, quand Beryl épousa Mansfield Markham, c'est à Karen qu'elle demanda d'organiser la fête et la cérémonie. Karen encore qu'elle plaçait à sa droite pendant le repas de noce, quand sa mère, la vraie, qui lui avait préféré son frère et les *hot tubs*, se noyait dans la foule indistincte des invités.

Alors, ce «Oh! Je la connaissais à peine»... À quoi Beryl joue-t-elle? Et pourquoi le silence de Karen?

«Vous savez, Beryl, Karen parlait beaucoup de vous dans les lettres qu'elle écrivait à sa mère. Elle suivait vos aventures avec infiniment de sympathie.»

Surprise, la vieille femme plisse les yeux.

«Curieux... J'ai toujours eu l'impression qu'elle me tenait pour quantité négligeable, qu'elle m'estimait trop jeune, ou trop écervelée, pour mériter son attention...»

Elle fixe le contenu de son verre, comme si la résolution de ce mystère devait en surgir. Elle finit par dire:

«Tania maintenait une certaine distance avec les autres. La *middle class* l'assommait. Et, vous le savez sans doute, elle n'avait aucune indulgence pour les Anglais! Elle les tenait pour des ploucs. Sauf ses amis. Elle avait raison, bien sûr... Des ploucs imbus d'eux-mêmes! Vous imaginez, Clara, ces minables ont fait courir des rumeurs sur la nature de ses relations avec Farah... Mais toute cette merde semblait glisser sur elle.»

L'indignation a altéré sa voix, une gorgée d'alcool lui rend son calme. Elle reprend, dans un murmure :

« Peut-être appréciait-elle cela en moi... que je n'en sois pas, que je sois un peu indigène... Mais nous n'en parlions jamais. »

Le temps file, j'ai peur de repartir sans en savoir plus. Je descends mon verre d'un trait, histoire de me donner du courage. Je m'entends juste supplier : « Et Denys ? Vous voulez bien me parler de lui ? » Elle a un geste évasif :

« Hé ! Il est bien trop tôt et puis tout ça remonte à trop loin pour que je m'en souvienne... Je suis une vieille femme à qui sa mémoire joue des tours ! »

Soudain impatiente, elle se lève, donnant le signal du départ. Une paire de rangers traîne dans l'entrée, elle les enfile.

« Il est l'heure de nourrir les chevaux. Vous m'accompagnez ? »

Le temps a changé. Des nuages charbonneux s'amoncellent au-dessus du paddock, plombant la lumière de midi. Beryl scrute le ciel, hume l'air et grommelle quelque chose à propos de la nervosité des chevaux. Ses pensées s'éloignent déjà de moi. Nous arrivons en vue des écuries, je sais qu'une fois là-bas, accaparée par les bêtes, elle s'échappera pour toujours. Je reviens à la charge, fermement cette fois. Elle ralentit le pas.

« Denys... Denys... »

Elle murmure son prénom, le répète, avec une douceur surprenante.

Du menton, elle me désigne une longue pierre plate au bord de la mare, où s'asseoir, sous les branches d'un chêne.

«Denys... Comment vous dire... Il émanait de lui quelque chose de très spécial, quelque chose qui faisait croire en la dignité de la vie. Denys avait le pouvoir de donner une présence au silence.»

Sa voix caresse chaque mot. Un calme de velours nous a enveloppées. Nous sommes assises l'une près de l'autre dans un espace mystérieux, comme des enfants dans une grotte ou sous une tente disparaissent de la réalité et s'abîment dans un monde imaginaire. Il n'y a plus que le frôlement du vent dans le feuillage. Beryl semble faire abstraction de tout ce qui n'est pas le Kenya des années 20. Elle continue sur le même ton:

«Quant au charme, c'est un mot qui semble avoir été inventé pour lui.»

Nouvelle cigarette, nouveau silence. J'ose à peine respirer de peur de rompre l'enchantement.

«Tania l'adorait. Nous l'adorions tous! Lorsqu'il rentrait de safari, à Mbogani tout était prêt pour recevoir un prince. Elle avait veillé au moindre détail. Les alcools, l'argenterie, les menus de gourmet... Je n'ai jamais vu une femme vouloir rendre un homme heureux à ce point!»

Elle me regarde de temps en temps, pour savoir si j'écoute bien.

«Il appartenait à la tribu des bienheureux. Une famille à blason, avec un château, des terres et un siège à la chambre des lords. Depuis le berceau, il était habitué au meilleur. Denys était un être raffiné et exigeant. C'est lui, avec Berkeley Cole, qui a fait l'éducation de Tania en matière de grands vins, de grande vie. »

Un ruban de fumée bleu se déroule dans l'air, c'est à mon tour de suivre du regard ses volutes vers le ciel.

« Quand il était à la ferme, Tania le cherchait tout le temps, elle le poursuivait littéralement ! Elle avait besoin d'être près de lui, d'exister par ses yeux. Comme s'il était un soleil dont sa vie dépendait. Denys était espiègle, il me disait souvent : "Beryl, viens, fais-moi rouler sur le dos, j'ai sacrément mal !" Alors, plutôt que d'assister à ça, Tania filait dans son atelier rejoindre ses pinceaux et sa palette… J'imagine que ça l'énervait… or je n'étais qu'une môme ! Je n'étais vraiment pas en compétition avec une femme de sa trempe… »

Elle secoue la tête, navrée de ces enfantillages.

« Ça se passait bien. Mais elle ne pouvait pas s'empêcher de devenir épouvantablement jalouse et possessive dès qu'il s'agissait de Denys ! »

Je savais trop bien quelle amoureuse Karen pouvait être. Y compris dans son grand âge. Mais quelle amante a-t-elle été pour Denys ? Ma question plonge Beryl dans la perplexité. Elle réfléchit longuement avant de répondre.

« *Well*, Denys adorait la bonne chère, et Karen était très douée pour prendre soin de ça… Mais… pour le reste… le sexe… je ne suis pas sûre que ça soit arrivé. »

Elle réfléchit à nouveau.

« Ou alors, cela comptait peu entre eux. »

Ses doigts triturent une cigarette qui attend d'être allumée, s'arrêtent, reprennent leur danse nerveuse. La voix est catégorique, cette fois :

« À mon avis, il n'y avait rien de charnel entre eux. »

Elle bat son briquet et tire une bouffée de sa cigarette. Elle se met à rire.

« C'est exactement ce que tout Nairobi essayait de savoir ! Finch Hatton était le célibataire le plus convoité de la colonie, toutes les femmes gardaient un œil sur lui. Je pense que la nature de ce qui les unissait, Karen et lui, était d'une essence différente. Et cela a parfaitement marché. Du moins, pendant un temps… »

Pour ce que j'en sais, la situation a basculé dix ans plus tard. Après que Beryl eut divorcé de Mansfield Markham. À vingt-huit ans, elle était libre comme l'air, plus excitante que jamais. Une femme au faîte de sa séduction, passée entre les mains de Coco Chanel qui l'habillait, la chapeautait. Les bas qui gainaient ses jambes musclées, le pied cambré dans les escarpins, et les mains aux ongles laqués laissaient penser que le petit animal sauvage avait capitulé. Erreur. Elle trimballait toujours son potentiel de dangerosité et des griffes prêtes à jaillir de leur fourreau.

À cette époque, Beryl avait loué l'ancien bungalow de Denys au Muthaiga. La rumeur s'était déchaînée. Denys et elle. On les avait vus pique-niquer, dîner, danser ensemble, on les avait croisés dans la *Happy Valley* à l'une de ces fêtes où, au petit matin, on se retrouvait pris dans un pêle-mêle de jambes et de bras que l'on avait du mal à identifier…

Au même moment, Karen, vaincue, perdait la ferme et organisait son retour au Danemark.

Beryl ou la tentation de la vie. Karen, un fantôme aspiré vers un futur dont elle ignorait la teneur.

Est-ce ainsi que le dilemme s'est imposé à Denys ?

Alors, j'ose. La vodka, sans doute, son tourbillon de feu dans mon sang.

« Beryl, avez-vous eu une liaison avec Denys ? »

Elle se fige et le monde qui tourne dans ses yeux aussi. Puis j'entends sa respiration reprendre. Elle me jette un coup d'œil et j'ai l'impression de deviner ses pensées. De pouvoir lire à l'intérieur des os de son crâne.

Elle est la seule à savoir la vérité, à présent. Ceux qui l'ont connue ne sont plus de ce monde. Quand à son tour elle mourra, ce qui ne devrait plus tarder, l'histoire sera perdue. La vérité de l'histoire. Et voilà que le destin m'envoie jusqu'à elle. Lui aurait-on laissé le choix d'un confesseur, elle n'aurait pas désigné quelqu'un dans mon genre ; quelqu'un qui a vécu sa vie par procuration, parmi des souvenirs qui ne lui appartiennent pas, des acteurs qu'il n'a jamais rencontrés. Mes airs de bedeau, mes audaces maladroites de timide ne l'ont pas trompée. Mais je suis là, décidée à l'entendre. Je suis ce qu'elle a de mieux sous la main. Elle me connaît à peine, et c'est bien comme ça. Alors, oui, elle va me confier ce que Denys représentait pour elle. Son pygmalion. Le grand amour de sa vie.

Elle dit seulement:

« Un homme comme Denys valait la peine qu'on sacrifie tout pour avoir une aventure avec lui, mais les aventures ne l'intéressaient pas… »

Nous observons la surface miroitante de l'eau. Beryl fume sans hâte quand, brusquement, elle détourne son attention de la mare et me fixe. À nouveau l'éclair d'acier dans le bleu acéré des pupilles.

« Sa mort a été le tournant décisif pour Tania. À partir de ce moment-là, elle a pu dire partout que Denys lui appartenait. S'il avait continué à vivre, cela n'aurait pas été possible. Voyez-vous, la vie ne lui a pas laissé Denys, mais sa mort le lui a rendu. »

Elle pousse un soupir qui se termine en un rire étranglé.

« Il y a eu ce vol dont Denys n'est pas revenu… Lorsqu'il m'a dit : "S'il te plaît, viens voler avec moi demain", il y avait quelque chose dans sa voix… et j'ai su que je lui plaisais… que je lui plaisais *réellement*. »

Elle continue. Sa voix ne lui appartient plus. Elle est transportée dans une région désaffectée d'elle-même. Le présent n'existe plus.

Quand je la quitte, les nuages ont crevé et noient la colline sous une pluie torrentielle. Je me retourne pour la regarder une dernière fois. L'écurie paraît bien trop vaste pour les deux chevaux dans leur box et cette vieille femme accroupie devant leurs seaux de nourriture. Pour elle, j'ai déjà disparu. Je la vois ouvrir une fiole, en verser le contenu dans les seaux et touiller la mixture à l'aide d'un bâton, en marmonnant ce qui doit être du swahili. J'ai entendu dire que, jadis, Beryl Markham dopait ses chevaux pour en faire des champions.

Je m'éloigne avec la certitude qu'elle a gardé ses pouvoirs de sorcière intacts.

8

Le ciel de Naivasha laisse incrédule. Sommes-nous au septième jour de la Création ? Avant le Déluge et l'arche de Noé ? C'est un ciel de nuages légers où le soleil joue. Il joue même à gogo avec les bleus et les gris qui passent à sa portée, ses rayons chatouillant la crête des volcans, péné-trant les profondeurs du lac pour y fouiller les nuances topaze, turquoise et lapis-lazuli des fonds sableux ; il joue avec son propre reflet dans l'eau puis s'amuse à caresser le pelage tacheté des girafes, ou bien la fine accolade dessinée à l'encre de Chine sur les flancs des impalas venus se désal-térer ; enfin, indolent, il glisse sur le plumage des flamants et le lac brûle soudain dans la lumière du couchant.

Impossible de se retenir de frissonner. Par quels mystères cette innocence a-t-elle résisté à la marche du monde ?

Le jardin d'Éden respire en paix sous nos yeux. À deux pas de la véranda où nous nous reposons du voyage dans de grands fauteuils coloniaux, un couple de girafes nous a jeté des regards curieux avant de reprendre le grignotage d'une cime d'acacia. Elles sont si près, si douces, je meurs d'envie de tendre la main pour les caresser. Une famille de phacochères broute l'herbe épaisse à nos pieds en poussant leurs petits grognements satisfaits. Du coin d'une haie dépasse le bouquet des culs rebondis de zèbres absorbés dans leur déjeuner de verdure.

Au-delà, il y a une petite jungle qui mène jusqu'au lac, une vie sauvage dont la rumeur vient jusqu'à nous, étouffée.

L'actrice a le souffle coupé. Rien à voir avec l'Afrique du tournage, son soleil factice et ses lions dressés en Californie ! Elle dévore des yeux la toute-puissance joyeuse de la nature avec la même avidité que, chez Tumbo, je l'ai vue boire les paroles du vieil homme.

« Serions-nous tombées sur un tournage de Walt Disney ? » plaisante-t-elle.

Je l'ai convaincue sans peine de l'intérêt de cette virée au lac de Naivasha, un paysage parfait né des fractures de la vallée du Rift. Deux jours hors du tournage pour faire connaissance avec une facette méconnue de Karen Blixen.

« La beauté du monde vaut bien trois heures de mauvaise route, n'est-ce pas ? »

J'ai droit à un « Mmmm » d'approbation. Voudrait-elle me dire « S'il vous plaît Clara, si l'on ne parlait pas, si l'on se contentait d'écouter, regarder et rien d'autre…», elle s'y prendrait ainsi, bouche cousue.

Voir Naivasha pour que l'actrice comprenne, ou plutôt que sa sensibilité frémissante lui révèle à quel point la femme qu'elle incarne était douée pour le bonheur. J'aimerais qu'elle s'imprègne de la confiance et de la joie vitale que Karen portait en elle, car ce paysage lui ressemble.

«Savez-vous où nous sommes, Meryl? Devinez-vous pourquoi je tenais à ce que vous veniez ici, avec moi?

– Pas la moindre idée…» Sa réponse se perd dans un bâillement. Elle est épuisée. Son sourire me dit : j'espère que vous mesurez la confiance aveugle que j'ai en vous, Clara… Puis elle se renfonce dans son fauteuil comme une poupée de chiffon. L'air est si doux.

La maison domine le lac. Elle est bâtie à flanc de montagne, enfouie dans les bougainvilliers, les cactus et les oliviers où des petits singes se chamaillent.

«Nous sommes chez Karen. À la *Oloidien farm*. La ferme aux Oliviers. Mais à l'époque elle n'avait pas de nom.»

L'actrice se redresse, aux aguets.

Quelques semaines avant qu'éclate la Première Guerre mondiale, Bror avait choisi ce terrain vierge pour y construire la maison de son oncle, un Suédois grand amateur de safaris, le comte Mogens Krag-Juel-Vind-Frijs, qui était aussi l'oncle de Karen.

C'est ici même, à Naivasha, que Bror et Karen ont passé leur lune de miel. La maison n'existait pas encore, une cabane en rondins leur a suffi pour leurs premiers jours de vie à deux. Une seule pièce, un sol de terre battue, un âtre pour le confort. Pour l'émerveillement, des zèbres et des gazelles à profusion et, la nuit, les rugissements des lions en maraude pareils à des coups de feu dans l'obscurité. Quand la maison du lac sera bâtie, Karen y reviendra souvent pour oublier ses tracas.

L'actrice l'imagine mieux, maintenant.

L'actrice abrite une créature en elle, qui la pousse à piller la vie pour la recréer, à sa façon, avec les seuls outils de l'acteur. Sa voix, son corps. Et cette créature commence à faire son travail. Nuque droite, sourcils froncés, elle voit Karen rejoindre son paradis. Peut-être même sent-elle son parfum, se glisse-t-elle sous sa peau.

Une journée entière de voyage depuis Nairobi sur des routes impraticables, mieux vaut prendre le « Lunatic Express » qui lance son panache de fumée noire à travers la vallée du Rift. Elle embarque avec son cheval, son lévrier anglais, quelques toiles et des pinceaux. Assise sur une banquette de bois, elle endure le voyage parmi les cris, les coups de sifflet, les cageots de légumes, les odeurs de sueur et le vacarme africain. L'actrice est Karen qui aime cet endroit par-dessus tout.

La créature s'évanouit. Ne reste que Meryl et moi sur la véranda. Un bourdon se heurte au verre incandescent d'une lampe à pétrole. La brise tiède nous apporte l'odeur lourde des jasmins et des résédas. Connaîtrons-nous jamais un moment aussi splendide, avant mon retour à Rungstedlund ?

Il est temps, je crois.

J'ai réuni assez de confidences, assez fouillé dans l'amoncellement de leurres et d'omissions dont Karen jouait en virtuose. Ce film est son ultime chance de toucher un grand public, car là-bas, en Amérique, en Angleterre, en France, l'amnésie littéraire a commencé son travail.

Ne dit-on pas que l'âme des morts survit aussi longtemps qu'un être est capable de prononcer leur nom ?

Karen s'interrogeait sur le souvenir que l'Afrique gardait d'elle, inquiète d'être oubliée de ceux qu'elle avait tant aimés.

« Et l'Afrique, sait-elle un chant sur moi ? L'air vibre-t-il jamais d'une couleur que j'ai portée, y a-t-il un jeu d'enfant où mon nom ressurgit, la pleine lune jette-t-elle sur le gravier de l'allée une ombre qui ressemble à la mienne ? Les aigles du Ngong me cherchent-ils parfois du regard ? »

Le visage de l'actrice luit doucement dans la pénombre, il est resté d'une pâleur glacée malgré le soleil implacable du Kenya. Je me penche vers elle.

« Je sais que vous saurez lui rendre son éclat, lui redonner sa place. Alors, elle rayonnera aussi longtemps que le film vivra. Meryl, vous allez lui offrir l'éternité. Le moment est venu que je vous la raconte telle que je l'ai connue, dans sa vérité. Nous avons la nuit devant nous. »

DEUXIÈME PARTIE

LES COULISSES DU PARADIS

Kenya 1930-1931

1

Le destin. Quel bruit fait-il quand il décide de frapper?

Karen se l'était souvent demandé. Elle était pourtant imbattable sur le sujet, mais le destin est plus malin que nous, n'est-ce pas? Il peut fondre sur sa proie dans un fracas de tonnerre ou siffler telle la flèche vers sa cible mouvante... Nous sommes des animaux sauvages, de tendres gibiers dont il connaît la trajectoire. Inratables. C'était un jeu qu'essayer de deviner. La forme. Le moment. Elle en était sûre, le destin frapperait à nouveau. Elle pouvait compter sur lui.

Il prit l'aspect d'une lettre.

Un froissement d'étoffe, le frappement de pieds nus sur le sol. Karen leva les yeux des factures et des livres de compte grands ouverts sur le bureau, et vit Farah approcher un plateau à la main.

Elle repoussa les papiers qui s'étalaient devant elle pour l'étudier à son aise. Le turban de cachemire écarlate, le gilet brodé d'or sur la tenue d'un blanc éblouissant... Ce Farah-là n'avait plus rien à voir avec le jeune majordome qui, seize ans plus tôt, lui souriait et la saluait avec la main sur le front, sur un quai d'Aden, alors qu'un peu perdue elle posait pour la première fois le pied en Afrique. Retenu à Mombassa, Bror avait envoyé le jeune Somali l'accueillir à sa descente de bateau. Elle avait été frappée par la beauté austère de ce jeune Indien aux traits ciselés. Indien! À l'époque, elle ignorait tout de la multitude de races et d'ethnies qui peuplaient le pays. Elle l'avait trouvé « charmant » ce domestique sorti des *Mille et Une Nuits*. Et convenablement vêtu. À quoi donc s'était-elle attendue? À un sauvage en pagne? Il avait prononcé quelques phrases de bienvenue dans un mauvais anglais. Il bégayait affreusement. Les mots se bousculaient, trébuchaient, portés par une voix gutturale. C'était si drôle! Elle avait éclaté de rire, puis s'était reprise, le garçon semblait à l'agonie. Elle ignorait qu'embusqués sous le turban et la timidité il y avait l'orgueil et la sévérité d'un grand d'Espagne. À peine arrivé à la ferme, Farah avait régné sur l'intendance de la maison. À présent, Karen s'amusait de l'entendre dire d'un ton princier « notre plantation », « nos chevaux », « nos écuries »... Ça n'avait rien d'usurpé. Comment aurait-elle fait tourner la ferme, sans lui? Comment aurait-elle pu seulement tenir debout? Bror avait assez vite flanché la laissant se débrouiller seule, mais Farah, inébranlablement loyal, veillait sur elle, obéissant à son destin comme le destin des léopards était de bondir sur les gazelles et celui des poules de pondre leurs œufs. Farah était son bloc de pierre, son code d'Hammurabi, il posait des règles, réglait les conflits entre les tribus de la ferme avant qu'ils ne dégénèrent en guerre tribale.

Karen ne possédait rien. Ni la ferme, ni la plantation, ni les chevaux ; elle n'était que manager. Congédiable sur un claquement de doigts. Mbogani, qu'elle avait créée, façonnée, portée à bout de bras et gouvernée de petit cap en petit cap, de vertiges en insomnies, Mbogani était la propriété de ceux du Danemark. Certains jours, quand le sentiment d'injustice la submergeait, elle pensait à sa famille maternelle en ces termes, « ceux du Danemark », les Westenholz, ses oncles, ses tantes et leurs hommes d'affaires. Mbogani à ceux du Danemark ? À ces petits messieurs en costume trois pièces propriétaires des actions qui, depuis leur conseil d'administration à Copenhague, scrutaient les chiffres en dégringolade des récoltes de café, de maïs, de sisal, ces inspecteurs au petit pied qui patrouillaient dans les salaires et les dépenses, laissant planer le mot « faillite » sur les champs, les huttes et leurs occupants insouciants du lendemain ? Ces faiseurs d'argent ignoraient jusqu'au prénom de la moindre vache qui broutait sur leurs terres. Alors, Mbogani lui appartenait à elle, baronne Blixen, plus qu'à n'importe lequel d'entre eux.

Ses pensées revinrent à Farah, toujours immobile. D'où sortait-il ces atours ? Elle ne les lui avait jamais vus. Depuis que la situation de la ferme périclitait sans espoir de léger mieux, Farah crânait en costume de cérémonie, sans doute était-ce sa manière muette de proclamer à la face du monde que la ferme de la baronne Blixen restait l'une des grandes et honorables maisons du Kenya. Bien que ces temps-ci la vie se montrât modérément espiègle, Karen savourait d'aller à Nairobi quémander un délai de paiement ici, un prêt là, dans ses habits de fermière usés jusqu'à la trame, suivie à un mètre cinquante par l'ombre vigilante et scintillante du grand vizir soi-même ! Un Farah en robe de soie, ses poignards à manche d'argent et d'ivoire glissés dans sa ceinture brodée, tenant fermement une cravache en peau de girafe incrustée d'or. Elle lui cachait qu'elle en était émue.

Sur le petit plateau d'argent, une enveloppe épaisse. Karen reconnut l'écriture et le timbre du royaume du Danemark.

Elle avait appris à se méfier des lettres. Ça ne l'empêchait pas de les attendre en affamée. N'est-ce pas le lot des expatriés, toujours en quête d'un livre ou d'un journal fraîchement livrés de Londres ?

Le courrier était long à arriver jusqu'au Kenya et le temps que les réponses à ses lettres lui parviennent, infini. Il lui semblait discuter avec quelqu'un au débit si lent qu'elle n'arrivait pas à suivre ce qu'il disait.

Elle avait aimé les lettres. Elle les avait aimées légères, bavardes, préludes à la visite de son petit frère Tommy, ou d'Ingeborg, leur mère. Elle les avait aimées qui accompagnaient la livraison d'une Overland commandée en Angleterre et d'une machine à écrire, une solide Corona sur laquelle elle avait l'intention d'écrire les histoires qui lui couraient dans la tête ; ou annonciatrices de la naissance, là-bas, sous le ciel danois, d'un neveu ou d'une nièce. L'écho d'une vie qui avait été la sienne lui parvenait alors, assourdi : les sonates jouées au piano devant les fenêtres ouvertes sur l'Øresund, l'excitation des premières au Théâtre Kongelige, le brouhaha des soirées au château des Frijsenborg... Ces lettres-là, elle les pliait avec soin puis les fourrait dans la poche de sa veste. Ensuite, où qu'elle fût, au jardin, en promenade, le contact du papier suffisait à la réconforter.

Le courrier ne lui apportait plus que des nuits blanches.

Farah gardait le silence, les yeux fixés sur sa maîtresse qui parcourait la lettre. Il vit ses traits se figer. À la petite contraction des lèvres, il sut. Les épaules s'affaissèrent et la lettre trembla entre les mains fines. Farah ressentit une émotion qui le stupéfia : la tristesse de ne pas être une femme, parce qu'une femme l'aurait prise dans ses bras comme toutes les femmes savent si bien le faire, comme il l'avait vue, elle, consoler les *totos* en larmes.

Ils sont devenus fous, là-bas. Ce n'est pas possible... Pas maintenant, pas si tôt. Des émotions contradictoires parcouraient Karen. L'anxiété épouvantable qui lui vrillait les nerfs depuis des mois fit place à une colère dévastatrice qui incendiait son cerveau, parcourait son corps, enflammait chaque atome de son être. Sa vue se brouillait.

Elle se dressa d'un bond. Il fallait sortir d'ici. Se dégager du piège.

« Fais seller Rouge, Farah. »

Elle retomba dans son siège aussi soudainement qu'elle l'avait quitté.

Le Somali restait impassible. Mais il avait compris. La ferme était vendue. Ils allaient devoir partir, tous. L'oncle Aage, comme elle appelait le vieil homme aux cheveux blancs qui était venu la tracasser, et Ingeborg, et tous ceux qui finançaient ce mirage depuis seize longues années s'étaient fatigués de perdre leur argent. Car Mbogani était un mirage. S'ils avaient songé à l'interroger, lui, ou n'importe qui d'autre ici, quelle que fût sa race ou sa tribu, tous auraient dit depuis le tout début, depuis le tout premier jour où germa l'idée de cultiver les jeunes plants, que personne n'avait réussi à faire pousser du café à mille huit cent mètres d'altitude.

Sa voix rauque sortit Karen de sa transe.

– Dieu joue avec nous, *msabu*.

La fatalité faisait partie intégrante de la culture de Farah, qu'il l'accepte, rien de plus naturel, mais elle était étrangère à celle de Karen. Elle plongea dans les yeux sombres, luisants comme deux amandes parfaitement polies, et promit en swahili :

« Je me battrai. Ça n'arrivera pas. Jamais ! »

La présence de Farah à ses côtés la fortifiait. Rien ne changerait tant qu'il resterait. Si l'on s'aventurait à fouiller sous ses habits de majordome, on découvrirait une créature sauvage. Irréductiblement sauvage. Comme tous ceux de sa tribu, Farah restait un nomade, un guerrier. Rien ne pourrait s'interposer entre lui et Dieu. Accès direct. Les banquiers, les actionnaires infichus de gouverner les nuages avaient encore moins de pouvoirs sur Farah !

Perplexe, le Somali se dirigea vers les écuries. La volonté de cette femme blanche donnerait du fil à retordre à Dieu qui, pourtant, décidait de tout.

Sur la pelouse, les *totos* faisaient rentrer leurs vaches qui broutaient là depuis le matin. L'heure bleue ne tarderait plus à tomber. Karen jeta un regard vers l'ouest. La chaîne du Ngong déployait ses quatre sommets dressés, pareils à des phalanges repliées. Son sanctuaire. Depuis la véranda, elle appela :

« David ! Dinah ! »

Les deux jeunes lévriers arrivèrent à fond de train, dans un tournoiement de poussière. Leur apparition éparpilla les *totos,* qui les redoutaient presque autant que les léopards.

Farah aida Karen à enfiler ses bottes de cavalière. Elles rutilaient, comme sorties d'une vitrine de Bond Street. Côté semelles, c'était une autre histoire. Rafistolées avec les moyens du bord mais accordées au pantalon déformé et maculé de boue, de graisse, de crottes de poules qu'elle ne quittait pas.

«Je prie pour qu'elles tiennent jusqu'à ce que tes nouvelles bottes arrivent de Londres, *memsahib*.»

Londres! Avec quoi allait-on les payer, celles-là? Karen soupira.

«Je te rappelle que tu as toi-même insisté pour les commander à Londres. La *dukha* d'à côté aurait fait l'affaire…

– Le pantalon, nous n'avions pas les moyens ce mois-ci, *memsahib*, mais tu ne peux pas te promener dans des bottes fabriquées par les Indiens.»

Elle choisit de rire. Quel snob ce Farah! Il lui avait refusé les cinq roupies qu'elle réclamait pour l'achat d'un pantalon neuf à Nairobi, mais il n'hésitait pas à signaler, mine lugubre, que le stock de champagne était à sec. Pareil pour les bottes. Il n'y avait pas plus intraitable que Farah sur le chapitre du style. Disette ou non, la maison Blixen devait tenir son rang, prête à recevoir à l'improviste. Mets de choix, vins d'exception… Pour les vins, Denys s'en chargeait, mais Denys était absent depuis des mois.

Elle se mit en selle, siffla les chiens et partit au petit trot vers l'ouest jusqu'à la piste de terre qui menait aux collines. La forêt franchie, elle longea les plantations de bananiers puis pénétra dans le labyrinthe des champs de maïs, dernier obstacle avant l'immensité de la plaine et le Ngong. Les longues feuilles coupantes lui cinglaient le visage, elle ne sentait ni la douleur de sa peau déchirée, ni les picotements de la sueur sur les petites plaies, seulement la violence de sa colère qui repartait à l'assaut.

C'était fichu. Les Westenholz jetaient l'éponge. Ils vendaient. Les terres seraient démembrées, les *squatters* expulsés. Cent cinquante-trois familles prendraient leur baluchon et chercheraient un autre toit, un autre travail et d'autres lopins où faire brouter leurs maigres troupeaux. La plupart d'entre eux étaient nés sur ces terres des hauts plateaux avant même qu'elle et Bror aient entendu parler du Kenya. Sa rage se retourna contre Aage Westenholz. Une rage d'impuissance.

En tant que président de la Karen Coffee Company Ltd., oncle Aage, qui l'avait fait sauter sur ses genoux enfant, avait le pouvoir de changer le cours des choses. Lui obtenir un énième délai. Au moins prêter l'oreille aux plans qu'elle ne cessait d'échafauder pour sauver la plantation. Il n'avait pas levé le petit doigt. Aage, bien qu'il fût plein aux as, n'avait que le mot «économies» à la bouche. Karen l'avait accueilli avec chaleur quand il avait séjourné à la ferme – trois mois, tout de même! –, tiraillée entre son affection pour l'oncle aux yeux malicieux, d'un bleu si transparent qu'ils lui rappelaient ceux de sa mère, et sa méfiance pour le président. Le second furetait partout. Fabrique, champs et même la maison raffinée – Karen lui avait signifié qu'il s'agissait de son domicile privé –, rien n'avait échappé à son regard comptable.

Cet air réprobateur pour dire: «Est-il néces-saire de servir du champagne au dîner, Tanne?»

Au moment de rentrer au Danemark, il lui avait suggéré de déménager dans une «hutte» – Karen ne se résignait pas à appeler autrement la maison plus modeste qu'il lui souhaitait voir habiter. Elle l'avait envoyé au diable. Le vieil homme avait soudain rétréci sous le regard courroucé de sa nièce.

Elle savait bien ce qu'il pensait. « Tu nous coûtes plus d'argent que tu ne nous en rapporteras jamais. »

D'une pression de la cuisse, elle mit Rouge au galop, droit sur la plaine. David et Dinah suivaient, heureux d'épuiser leur énergie de jeunes champions dans un espace à leur mesure. La course prit de la vitesse. Ils croisèrent un troupeau d'impalas au pelage soyeux. Timides et vives, les bêtes s'éclipsèrent comme par magie. Tout autour, tapi dans la forêt, le monde sauvage bruissait. Le splendide et mystérieux monde sauvage, sa liberté infinie. Et ils voulaient la priver de *ça* ?

Elle imagina la ronde des léopards et des hyènes qui commencerait dans la fraîcheur de la nuit pour encercler les antilopes et les zèbres. Opulence, férocité. Ces derniers temps, la région connaissait plus barbares que les fauves : des touristes surarmés exigeaient leur quota de trophées avant même d'avoir pénétré dans la forêt. Ils en ressortaient en brandissant des peaux de bébés. Petits de léopards, petits de lions et de girafes, massacres pour descentes de lit ou épatants sacs à main. Ça la désolait. Ces types n'étaient même pas fichus d'affronter des ennemis dignes de ce nom. Les éléphants furent les premiers à comprendre. Ils avaient quitté le Ngong pour s'enfoncer en majesté dans des forêts plus impénétrables.

Quitter cette beauté ? Autant mourir. Plus jamais le parfum puissant des lys après la pluie, ou la forêt mouillée qui fume sous le soleil, les silhouettes tourmentées des acacias sur la toile tendue de cieux noirs éblouissants. Plus jamais Farah, Kamante, Tumbo. Toute sa vie, en somme.

Les sabots de Rouge foulaient les herbes ondoyantes. Elle accéléra la cadence, filait, couchée sur le col du cheval, leurs deux corps ne faisant qu'un, leurs muscles vibrant à l'unisson, centaure sans âge, sans destination, qui fendait la douceur de la brise. Une pression du mollet, plus vite encore, Rouge réagissait magnifiquement. Une joie sauvage s'empara d'elle. Ils pourraient galoper ainsi, soudés l'un à l'autre, vers l'infini, sans ralentir jamais ni s'arrêter, pas même au bord d'un précipice. Elle prendrait le Ngong entre ses bras, avec ses forêts, ses fauves, ses rivières bleues, puis elle disparaîtrait, pleine de gratitude. Elle n'aurait plus à se soucier du lendemain.

Denys dit que c'est pour ça que la Terre est ronde ; pour qu'on ne puisse voir le lointain trop à l'avance.

La pensée de Denys l'apaisa. Sur le chemin du retour, elle se laissa porter au gré de sa monture.

Une ombre l'attendait. Les lanternes suspendues à la porte accrochèrent l'éclat métallique d'une lance, les contours d'une silhouette longiligne. Le jeune Massaï, debout sur une seule jambe, indifférent au temps qui s'écoulait, lui transmit un message :

« *Bedâr* est sur le chemin du retour. Il sera là dans deux ou trois jours. Avec Gipsy Moth. »

2

La nouvelle avait couru d'un groupe de huttes à l'autre. « *Bedâr* revient ! » En son honneur, les *totos* lavèrent les chiens et la journée s'écoula dans les jappements et les éclats de rire. Jomo, un enfant kikuyu, intercepta Karen du côté de la fabrique, en la tirant par le bas de sa veste. Il avait remarqué une volée de pintades près d'un repli du fleuve.

« *Msabu*, si tu veux en tuer une pour *Bedâr*, je viens te chercher au coucher du soleil et je te les montrerai… »

Karen sourit. Une fois de plus, l'arrivée de Finch Hatton provoquait le même phénomène. La ferme sortait de sa torpeur, elle s'ouvrait, respirait comme si chacun des éléments qui la composaient vivait enfin au grand jour… Ou bien était-ce elle qui émergeait des longs enchantements où la plongeaient les départs de son amant ?

Denys. Ils n'étaient jamais restés éloignés aussi longtemps. Dix mois interminables. Il lui avait manqué douloureusement.

En début d'après-midi, les grondements d'un moteur envahirent le ciel.

Une génération spontanée d'enfants surgit des huttes, de l'ombre des manguiers, des champs, ils poussaient des cris aigus, trottant vers la petite piste d'atterrissage improvisée derrière la maison. On accourait de loin pour voir l'avion. Le *nedge* de *Bedâr*. L'oiseau de Denys.

«Oohh...» Yeux écarquillés sur l'inimaginable, bouche arrondie d'admiration, le petit Somali suivait les boucles que le pilote dessinait dans les airs pour amuser la galerie. L'enfant au calot blanc se demandait par quel tour de magie l'oiseau d'acier restait accroché là-haut au lieu de tomber à ses pieds comme une vieille oie fatiguée. L'idée que *Bedâr* puisse l'embarquer pour une balade dans le ciel le terrorisait et le faisait trembler d'excitation tout à la fois. C'était délicieux. Alors, il rajusta le calot sur son crâne et partit à toutes jambes vers la piste, tirant sur la corde au bout de laquelle une chèvre tentait de brouter.

Karen surveillait les grains de café qui tournaient dans un énorme séchoir. Derrière le vacarme, elle perçut les vrombissements. Elle les guettait depuis l'aube. Laissant la suite des opérations à Dickens, le contremaître, elle bondit hors de la fabrique, arrachant le foulard qui protégeait ses cheveux de la poussière, et se jeta dans le calme de sa chambre. Soudain, une autre civilisation. Avec ses murs pastel, les rideaux en dentelle de Calais qui tombaient gracieusement sur le parquet de cèdre, les oreillers et le couvre-lit finement brodés, les meubles gustaviens, la pièce était comme un havre de grâce au cœur du Far West.

Campée devant le miroir en pied, Karen examina son image. Une fermière aux vêtements crottés. Dans une vie antérieure, elle avait accordé à ce qu'elle portait une importance extravagante. Elle se souvenait de cette Karen, plus jeune, pétillante, terriblement flirt, si peu satisfaite de son physique qu'elle avait décidé de charmer avec sa tête et son imagination fantasque, un pari qu'elle ne regrettait pas. Vite, elle passa une blouse légère et un cardigan sur la jupe-culotte. En deux coups de houppette elle gomma les traits tirés, la peau pâle cireuse. Une goutte de belladone pour allumer le regard, une touche de khôl pour l'effet spectaculaire. Trois torsades au turban de soie sur les cheveux fatigués. Elle scruta le miroir, y vit le reflet trompeur d'une femme sereine. La championne du camouflage!

Quand Karen arriva sur l'aire d'atterrissage, Denys dépliait déjà sa haute silhouette et sautait à terre.

Son cœur s'affola. Elle aurait voulu garder son calme, un peu de sa dignité devant toute la maisonnée, au lieu de quoi elle débula sur la pelouse, des ailes aux pieds. Denys la prit dans les bras, la souleva.

«Tania... Titania... Tu m'as manqué, tu sais...»

Il la pressait contre lui. En fermant les yeux, elle respira l'odeur de sa peau fouettée par l'air vif de la traversée et retrouva, imperceptibles, les traces de l'eau de toilette qu'il rapportait de ses voyages à Londres. Un sanglot montait le long de sa gorge, elle l'étouffa. Ne jamais embarrasser Denys avec ses émotions intenses, ravageuses. Lui cacher son besoin de lui, vital. Sinon, il profiterait de la moindre brèche pour s'envoler.

Denys la reposa à terre et la tint à bout de bras pour l'admirer. Le teint diaphane sous le turban de soie indigo, les pommettes hautes et les yeux noirs brûlant d'une fièvre magnifique. Il nota l'éventail de fines rides sur les tempes. Étaient-elles là, l'année dernière ? Elle lui parut amaigrie. Mais son large sourire le rassura.

Ils restaient immobiles, prisonniers de la même émotion. Une petite foule se pressait autour d'eux, jacassante ; ils ne la voyaient pas. Le gamin au calot blanc avait réussi non sans mal à traîner sa chèvre jusque-là et à se faufiler au plus près du couple. Revenant à la réalité le premier, Denys lui pinça la joue.

« Alors, bonhomme, toujours heureux à Eton ? »

C'était une blague. Tumbo allait au pensionnat à Nairobi, et Karen payait la note de bon cœur. Elle adorait le petit, son esprit ouvert, sa facilité à vivre avec les autres, son espièglerie. Il y avait peu de choses aussi tordantes que de voir Tumbo se tenir les côtes de rire, se trémoussant des pieds à la tête, et Dieu sait si les bêtises des autres *totos* lui en donnaient l'occasion.

« Tania, je t'ai apporté de la musique et quelques caisses de Gevrey-Chambertin ! » lui lança Denys.

Son domestique débarquait les vivres, Karen remarqua ses jambes maigres tremblantes. Kamau détestait voler. Il mourait de peur. Avant même que l'avion ait décollé, ses dents claquaient, une fois là-haut, ses yeux sortaient de leur orbite comme s'ils voyaient le diable en personne. Mais comment ne pas se sentir léché par les flammes de l'enfer quand on vole tête dans les nuages, sans capot, dans une carlingue qui tremble et gronde si fort qu'on la croirait prête à se disloquer ? Kamau avait l'habitude d'affronter les pires dangers dans la jungle aux côtés de Denys, aucun ne lui paraissait aussi terrifiant que l'avion jaune.

Denys tendit à Karen un paquet enveloppé de papier kraft. Elle s'en saisit, il faillit lui échapper.

« Laisse-moi deviner… du granit… Les authentiques Tables de la Loi ?

– Mieux que ça, ma chère ! Tout Stravinsky. *L'Oiseau de feu*, *Petrouchka* et *Le Sacre du printemps*. Les derniers enregistrements… Tu verras, c'est aussi flamboyant que Wagner et autrement plus entraînant ! Connaissant tes goûts, je t'ai quand même apporté la *Sonate à Kreutzer*… »

Elle eut un rire léger. Le meilleur fusil d'Afrique avait beau porter aux nues sa liberté dans la brousse, lorsque le gentleman d'Eton et d'Oxford, fils du treizième comte de Winchilsea et huitième comte de Nottingham, retournait à la civilisation il exigeait des nourritures intellectuelles, des draps frais et une table d'exception. D'où le Gevrey-Chambertin, son péché mignon.

Sur le chemin de la maison, Karen se laissa distancer pour mieux le saisir du regard. Denys se déplaçait avec une nonchalance de félin. Le régisseur d'une ferme voisine le comparait à un puma. Un puma flegmatique étendu dans une flaque de soleil jusqu'au moment où l'action le pousse à se déployer et bondir. Ce qui frappait en Denys, qui le constituait et la fascinait, était ce cocktail unique et explosif d'une érudition raffinée et d'un instinct sauvage parfaitement aiguisé. Devant son long visage à l'ossature énergique, devant le front haut, les yeux bruns pénétrants, on ne pouvait s'empêcher de penser aux portraits de Byron et de Shelley. Il chantait Mozart et Haendel avec une sensibilité merveilleuse, sa voix de ténor léger s'envolant vers la nuit étoilée, mais son corps possédait la puissance d'un athlète de haut niveau. Il suffisait que Denys pénètre dans une pièce, pour y faire entrer le ciel immense et la tragédie sombre du monde sauvage.

La brise soufflait par les baies entrouvertes du salon, gonflant doucement les voilages de mousseline. Denys posa un disque sur le Gramophone. Les notes aériennes de la sonate coururent sous la véranda jusqu'aux oreilles de *totos* assis sur la pelouse, qui écoutaient, ravis, les trilles de ces oiseaux invisibles.

Une fois calée dans une bergère, Karen alluma une cigarette et ferma les yeux.

La vie, telle qu'elle devrait être.

Elle aimait Denys. Elle aimait cette maison. Les deux réunis lui procuraient une sérénité inouïe. Mbogani avait été faite à l'image de son amant, à une époque où Karen ignorait qu'il existait. Le vent y circulait librement, d'une véranda à l'autre, une atmosphère subtile régnait dans chaque pièce, les chambres aux tons pastel, le salon avec son paravent français peint à la main, la salle à manger tapissée de palissandre. Mbogani possédait un avantage incomparable aux yeux d'un être aussi insaisissable que Denys : elle disposait de différents accès pour y pénétrer et, mieux, pour s'en échapper sans être vu.

La maison était de construction récente, mais elle dégageait un charme romantique intemporel. Elle avait été construite en 1911 par un homme de goût, aux idées arrêtées, Åke Sjögren, un ingénieur suédois qui, lui aussi, avait cédé au mirage d'une fortune bâtie sur le café. Il avait dessiné les plans, imaginé les détails, puis dépensé sans compter pour obtenir les meilleurs matériaux disponibles en Afrique. Mbogani était une très belle maison de pierres grises, si intelligemment conçue que l'air y restait frais sous toutes les températures, très vite on l'avait considérée comme l'une des plus belles demeures de l'Afrique orientale. Avant que Karen et Bror n'en fissent l'acquisition, Sjögren invitait le prince Wilhelm de Suède à y séjourner, lors de ses chasses africaines. Karen n'avait eu qu'à y poser ses meubles et la décorer à son goût. Une maison pareille méritait un nom enchanteur. Elle avait songé à « Bosquet du plaisir ». Bror avait éclaté de rire : « Aurais-je épousé Marie-Antoinette ? Certes, nous élevons quelques moutons, ma chérie, mais enfin… » Bror avait raison, il eût été ridicule d'introduire une mignardise XVIIIe là où le moindre crottin datait de l'an mille. Elle s'était rabattue sur « Le chant des oiseaux », dont les bataillons cernaient la maison, puis avait renoncé. Le nom que lui donnaient les indigènes était parfait : Mbogani. « Dans la forêt ». Qui le contesterait ?

Elle appela : « Kamante ! »

Le garçon se tenait en embuscade, il apparut, les mains gantées de blanc, portant un plateau de vermeil qui l'obligeait à avancer avec précaution. Karen suivit chacun de ses gestes avec appréhension. Apprendre à Kamante à monter les blancs en neige, à confectionner des éclairs ou préparer un poulet marengo lui avait valu bien des nuits blanches à la veille d'une réception. De la roupie de sansonnet en comparaison de l'angoisse qui la saisissait quand Kamante s'approchait de sa vaisselle. Ses cristaux de Bohême et les porcelaines de la Fabrique royale de Copenhague avaient bravé mille périls, dont un périple à dos de mules, pour arriver intacts jusqu'ici. Karen donc tremblait.

C'était les gants. Les gants blancs en coton. Les objets glissaient de là, plus vifs qu'une anguille, avait plaidé Kamante. Il est vrai qu'on aurait dit un lapin à qui on a passé des chaussettes, Karen en convenait mais s'obstinait. Un boy digne de ce nom porte des gants blancs pendant son service.

Denys s'était débarrassé de son chapeau et arpentait la pièce de ses longues jambes, comme s'il en prenait les mesures. Dinah et David excités tournaient autour de lui en jappant. Perdu dans ses pensées, il caressait son crâne d'une main. Karen constatait qu'en moins d'une année le front de Denys avait prospéré. Sa chevelure n'avait jamais été de celles qu'on attendait d'un bel homme. Vigoureuse, voire luxuriante. Karen l'avait toujours connu le front exagérément dégagé. Denys contournait l'obstacle en ne quittant plus son chapeau, au point que c'était devenu sa marque de fabrique. Denys et son chapeau. La ruse ne trompait personne, les Noirs moins que quiconque, qui l'appelaient « *Bedâr* ». Le chauve. À quarante-trois ans. Cela le tourmentait considérablement, d'autant que, sous le couvre-chef, la saignée continuait.

Son amant vulnérable.

Un brusque élan de tendresse parcourut Karen. Cet homme dépourvu de toute fatuité était pourtant prêt à tout pour dissimuler l'objet de sa honte. Son serviteur, Billea Issa avait raconté à Karen qu'au retour d'une chasse, au début de la saison des pluies, la voiture avait dérapé, dévalé un ravin de boue pour finir par plonger dans les eaux grondantes d'une rivière. Billea s'était évanoui sous le choc. Denys avait mobilisé toute sa puissance physique pour dégager le véhicule à mains nues et

128

en extirper le jeune homme. Ensuite, il avait couru jusqu'à la ferme la plus proche pour y emprunter un couvre-chef. Son cher bob bleu avait disparu dans les flots. On lui avait prêté un large galurin pour dame qui l'avait pleinement satisfait. C'était tout Denys, faire son entrée à Nairobi coiffé d'une capeline, plutôt que crâne au vent!

«Comment s'est passé ton séjour au Danemark, Tania?»

Comme elle retardait le moment de répondre, Denys approcha un siège du sien et lui prit les mains. Il insistait:

«Dis-moi où en est la ferme. Dans quelle situation te trouves-tu?»

Karen lui passa sous silence sa déprime durant les six mois qu'elle avait passés en famille, loin du Kenya, incapable d'entrevoir l'avenir. Restait la ferme, un gros morceau.

«Oh, Denys... Par quelle catastrophe commencer? Au début, Dickens m'envoyait des nouvelles rassurantes, la récolte promettait bien... Dès qu'il m'a câblé que les gelées avaient détruit les premiers fruits, je n'ai plus voulu savoir. Comme si ignorer les problèmes les empêcherait d'exister réellement! Ils se sont rappelés à mon bon souvenir sur le bateau du retour. À quoi penser d'autre? Au départ de Marseille, je pariais sur quatre-vingts tonnes de café. Au passage de la mer Rouge, je n'en espérais plus que soixante...»

Sa voix se brisa. Elle détestait le sentimentalisme. D'une pression de la main, Denys l'encouragea à poursuivre.

Farah l'attendait à Mombassa. Elle avait joué l'autruche quelques heures de plus puis, n'y tenant pas : « Combien, Farah ? » Le Somali avait retenu sa respiration, avant de chuchoter : « Quarante tonnes, *msabu*. »

La vie s'était retirée d'elle et du monde. Seuls existaient l'épouvantable moiteur de Mombassa et le poids sur sa poitrine qui l'empêchait de respirer et la poussière collée à sa peau.

« Quarante tonnes, Denys ! »

Elle se leva, chercha nerveusement un paquet de cigarettes dans les poches de son cardigan. En allumant la cigarette elle vit que ses mains tremblaient. Ses émotions la rattrapaient. Pas devant Denys. Pas maintenant !

Il y avait si longtemps qu'elle se battait contre le cours des choses. Le gel, les sauterelles, la sécheresse, les pluies torrentielles. L'imagination diabolique de la nature. Celle des hommes avait fait le reste. En octobre dernier, krach mondial, les cours de Wall Street s'effondraient, emportant celui des céréales dans leur maelström.

Denys s'était adossé à la cheminée, elle s'approcha de lui et le regarda dans les yeux.

« J'ai reçu une lettre la semaine dernière. Ils vendent la plantation.

– Je suis désolé, Tania. »

130

Je suis désolé Tania. Karen devait son ouïe extrêmement développée à Denys. Dans leurs longs safaris en tête à tête, il lui avait appris à s'agenouiller sans bruit sur le sol et à poser son oreille contre l'herbe si délicatement qu'elle pouvait suivre la progression d'une fourmi entre les brins. Son ouïe ne la trompait pas. Elle avait perçu dans la voix habituellement chaude de Denys une note métallique. L'absence d'affect. Comme s'il se rangeait à l'avis des Westenholz. Il la laissait tomber.

Elle insista, peut-être pour impressionner le sort.

« Enfin, Denys ! Je suis persuadée qu'il reste quelque chose à tenter... »

Le silence se dressait entre eux. Denys affichait une expression qu'elle avait vue maintes fois sur le visage de Bror, à l'époque. Celle d'un homme qui cherche à échapper à la situation où on veut le fourrer de force. Denys se trompait. Elle n'avait pas l'intention de lui demander son aide. Par le passé, il avait été généreux, elle avait pu compter sur lui et encore tout récemment quand, de passage à Londres, il avait demandé à ses hommes d'affaires de voir s'il était possible de la soulager un peu.

« Sais-tu que tes avocats m'ont prise de haut, quand ils m'ont écrit ? »

Elle n'avait pu retenir sa langue. Mais ce « *M. Finch Hatton ne me saurait pas gré de l'avoir amené à une dépense inutile...* », lui restait dans la gorge. Elle avait imaginé l'homme en complet sombre, songeant au déjeuner qui l'attendait dans son club de la City, au cigare qu'il fumerait à la fin du repas, tout en dictant la phrase qui irait anéantir la baronne Blixen dans son recoin du monde : « *M. Finch Hatton ne me saurait pas gré de l'avoir amené à une dépense inutile.* »

Les mots franchissaient ses lèvres malgré elle. Impossible de les contrôler, d'arrêter sa diatribe furieuse contre les financiers, l'égoïsme de ses oncles, leur cœur de pierre. Denys, une expression indéchiffrable sur le visage, écoutait l'avalanche de mots. Il attendit qu'elle aille au bout de sa colère.

« Tania, ta famille veut ton bien, crois-moi, ils ne cherchent qu'à te tirer de ce guêpier. Quant à moi, mes finances ne sont pas extensibles. Le comte de Winchilsea, avec ses domaines et sa fortune, ce n'est pas moi mais Toby, mon frère. Je suis prêt à t'avancer de quoi tenir quelques mois, bien que tes dettes soient au-dessus de mes moyens… Je ne suis même pas sûr de pouvoir régler la première hypothèque. Mais je te promets, si tu étais obligée de quitter l'Afrique, de me battre pour que la maison et les terres ne tombent pas entre des mains indignes.

– Oh ! Je sais bien… », souffla-t-elle.

La veille encore, elle avait forcé la porte du consul du Danemark à Nairobi, un infâme salaud, qui s'occupait de la liquidation de la ferme et du sort des *squatters*. Cet Andersen s'était montré à la hauteur de sa réputation, pas mécontent de lui annoncer qu'ils devaient tous partir, et sur-le-champ. Suffoquée, elle avait bataillé : ses *squatters* avaient des contrats qui prévoyaient six mois de préavis. Pas question, avait répondu le salaud. Elle s'était précipitée au département des Affaires indigènes, où on l'avait rassurée. Il n'y aurait pas d'expulsions avant six mois.

« Il me reste six mois pour ne pas en arriver là. Je vais me battre.

– Tania, tu n'es plus en mesure de juger. La ferme te dévore, elle t'obsède... Il est temps que tu fasses des projets, que tu envisages un nouveau départ... »

Décidée à éviter le sujet, elle tenta une pirouette.

« Tu le sais bien, les conventions n'ont pour moi aucune importance. Je me lancerais volontiers dans la traite des Blanches s'il y avait la moindre chance de ce côté-là... »

Ils rirent. Mais Denys s'entêtait. Du menton, il désigna les portraits de la jeune fille kikuyu et du petit Abdullaï accrochés au mur. Karen les avait peints avec une vivacité de trait qui les rendait incroyablement vivants. Ils respiraient.

« Tu es douée, Tania. Tu es la femme la plus douée que je connaisse. Tu devrais te lancer dans la peinture, ou l'écriture... »

Elle n'aimait pas la tournure prise par leur conversation. Denys lui entrouvrait un peu trop facilement les portes de l'exil et ça la dévastait.

La sonate de Beethoven s'était tue depuis longtemps. Un bruit de moteur ronfla dans la cour. Un escogriffe roux fit irruption, dissipant les dernières particules de tension qui planaient dans la pièce.

Gustav Mohr! Il tombait à pic. Karen se leva d'un bond pour l'embrasser.

«Bonjour Karen, salut mon vieux! J'ignorais que vous étiez de retour, Denys! Alors, ce safari au Tanganyika?

— Côté gibier, rien à dire! Des éléphants en pagaille et environ soixante-dix lions en maraude. Mais les clients étaient imbuvables!

— Quel genre? Un mauvais bordeaux rouge?» demanda Karen.

En tête à tête, ils s'amusaient à comparer le caractère des gens à celui des vins. En son temps, leur vieil ami Berkeley Cole avait été immensément flatté de son titre de «grand champagne rosé millésimé». Ses conversations étaient un enchantement pour l'esprit. C'était l'époque bénie. Depuis, l'Afrique avait changé et Berkeley Cole, l'ami le plus proche qu'ait jamais eu Denys, n'était plus.

«Pire! Une véritable piquette! poursuivait Denys. Les milliardaires américains qu'on nous envoie depuis quelque temps n'ont aucune idée de ce que doit être une chasse. Ils avancent le doigt sur la gâchette, prêts à tout massacre pour aligner les trophées. Bon, au final, cinq peaux de lions seulement. Mais il a fallu abattre deux femelles pour avoir un des mâles. J'imagine qu'on s'en est bien sortis. D'autres auraient tiré sans même descendre de voiture et exterminé la moitié du gibier!»

Une nuit, exaspéré par la grossièreté de ses clients, Denys les avait débarqués chez son amie d'enfance, Rose Cartwright. Rose était non seulement un excellent fusil mais elle avait accouché de sa fille par ses propres moyens, dans une cabane coupée du monde au bord d'un lac. Une femme de cette trempe saurait mater le couple. En effet, il les avait récupérés plus doux que des agneaux.

« Vous restez un peu, Finch Hatton ? demanda Gustav. Ça fait un bail qu'on ne vous a pas vu par ici !

– Je suis seulement de passage, fit Denys en coulant un regard désolé vers Karen. J'attends une pièce de rechange pour mon van, d'ici deux jours je rejoindrai la réserve massaï. Safari-photo, cette fois. Photographier plutôt que tuer, me paraît infiniment plus sage. »

Depuis la dérive des néo-safaris, Denys se passionnait pour les chasses photographiques. Il militait auprès du gouvernement britannique depuis deux ans pour que les safaris soient réglementés. En vain. Karen elle-même, qui avait cédé à l'ivresse de l'hécatombe à son arrivée au Kenya, ne chassait plus que pour nourrir ses *squatters*.

Deux jours ! Denys n'était là que pour deux minuscules jours ! Karen fit bonne figure. La présence de Gustav Mohr devenait soudain encombrante, qui lui volait de précieuses heures avec Denys. Inconscient de son changement de statut, Gustav s'effondra dans un fauteuil qui se réduisit aussitôt aux proportions d'un siège pour enfant. Gustav Mohr était la réplique exacte de ses ancêtres vikings. Le gigantisme en tout : sa taille,

135

ses emportements, ses appétits. Sans compter le poil roux. Karen le considérait comme le plus délicieux des voisins – si le terme pouvait être appliqué à quelqu'un qui vit à plusieurs centaines de kilomètres de chez vous –, de surcroît, Gustav était le seul Norvégien cultivé de la communauté.

« Je deviens fou dans ce pays où les gens s'imaginent qu'on ne peut vivre qu'en parlant de bœufs ou de sisal ! Vous avez un peu de nourriture spirituelle pour moi ? »

Le jeune homme vouait une admiration béate à Denys depuis qu'il l'avait surpris lisant Proust dans le texte en fumant des Players. Très vite, pendant les absences de Denys, Karen était devenue sa compagne de conversation. Ils se retrouvaient chaque lundi au Stanley, pour le lunch. Débat sur Dieu, la prostitution ou Ibsen, tout y passait. C'est que Gustav bouillonnait d'idées et d'opinions que son isolement dans une ferme, au pied du Kilimandjaro, l'obligeait à garder pour lui. Karen regretta d'avoir un peu négligé ces déjeuners depuis son retour du Danemark.

À sa consternation, Gustav sortit sa blague à tabac et entreprit de rouler une cigarette. Le tabac de Gustav était connu pour puer épouvantablement, le Tout-Nairobi se pinçait le nez mais gardait son affection au Norvégien.

Ses pognes de géant manipulaient délicatement papier et brins de tabac tandis qu'il demandait :

« Karen, où sont vos bandits ?

– En villégiature sur ma ferme, paraît-il ! »

Denys haussa les sourcils.

« De quoi s'agit-il ?

— Oh ! D'une affaire qui fouette le sang des hautes terres ! fit-elle. Une bande de Kikuyus a fichu la pagaille. Il y a trois jours, ils auraient trucidé un Indien et un Noir à Limoru. La police est à leurs trousses, elle fouille partout et même chez moi !

— Ça rend les gens nerveux, grommela Gustav. La population soutient la bande et s'oppose à la police. Il se pourrait que ça dégénère...

— La police joue de malchance, c'est le moins que l'on puisse dire... s'amusa Karen. Le chef des bandits, qu'elle poursuit en faisant un raffut de tous les diables, a réussi à s'infiltrer dans une grande *ngoma* et à danser devant un millier de personnes sans être inquiété. C'est un danseur épatant, à ce qu'il paraît. »

La veille, alors qu'elle rentrait de sa visite chez le consul, un policier l'attendait. Il jouait l'intéressant devant les *totos* en faisant tournoyer une paire de menottes au bout de ses doigts. Le type lui avait demandé vingt shillings pour payer un informateur qui localiserait la bande.

« Alors, baronne, vous avez craché au bassinet ? demanda Gustav.

— J'aurais plutôt envoyé quelqu'un les prévenir, si j'avais su où les trouver ! »

Elle réfléchit, yeux mi-clos.

« Si j'étais sûre qu'ils ne me tuent pas, j'aimerais les rencontrer... Il y a toujours quelque chose d'intéressant chez les êtres aux abois... »

Ça n'amusait pas du tout Gustav. L'anticonformisme de Karen, sa sympathie pour les êtres à la marge pourraient lui coûter cher.

«Vous feriez bien d'ouvrir l'œil! Vos six mille acres de plantation constituent un refuge de première pour ces types... Deux fillettes ont été étranglées dans un de vos champs de maïs il n'y a pas si longtemps que ça. Ces crétins de la police sont incapables d'assurer votre sécurité, vous devriez demander à Farah de s'équiper d'un sabre quand il vous accompagne... Pas vrai, Finch Hatton?»

Denys eut un sourire énigmatique en bourrant sa pipe. Karen n'avait pas froid aux yeux. C'était un de ses traits de caractère qui la lui rendaient particulièrement précieuse. Il l'avait vue faire face à des fauves, il l'avait vue traquer une proie, affronter un incendie, aussi, s'inquiéter pour sa sécurité n'était pas une priorité. Denys secoua la tête:

«À quoi sert d'avoir peur? La frousse n'empêchera pas le danger, alors autant se l'épargner!

– C'est comme la peur du noir, embraya Karen. Il suffit d'allumer la lumière pour voir qu'il ne dissimule rien de bien terrifiant!

Ils tombèrent d'accord: toute situation comportait ses risques. De même qu'on ne décide pas de s'installer sur la grande faille du Rift si l'on souffre de vertiges, la vie qu'ils avaient délibérément choisie renvoyait la peur au rang des fardeaux superflus.

3

Je l'ai acheté pour toi. Pour que tu retrouves tes rires.

Karen entendait la voix de Denys lui dire ces mots lorsque, pour la toute première fois, il avait posé son Gipsy Moth dans la prairie, à l'arrière de la maison.

Pour que tu retrouves tes rires.

C'était réussi. Aucune joie n'égalait celle qui s'emparait d'elle en survolant l'Afrique avec Denys. Il avait acheté le petit biplan jaune citron avant qu'elle ne parte pour le Danemark, quelques mois après avoir obtenu son brevet de pilote. Au début, ses loopings au-dessus de la ferme paniquaient Karen. Elle courait se réfugier dans la maison, mains sur le visage pour ne pas voir ça. « Il va se tuer ! Je vous jure qu'il va se tuer ! *Na kufa...* » Une fois les loopings apprivoisés, ils étaient devenus le signal pour qu'elle coure à sa rencontre.

Ils partirent à l'aube. Le ciel vibrait de mille promesses d'azur. Des fantômes émergeaient des brumes de la plantation, étranges silhouettes enveloppées de longues fourrures de singe ou drapées de châles, ils leur firent escorte jusqu'à l'avion. Le départ du Gipsy Moth suscitait une effervescence particulière chez les indigènes de la plantation, comme si ses passagers s'envolaient chargés de messages pour un autre monde, un monde mystérieux avec lequel ils communiqueraient au nom de tous ceux qui restaient cloués au sol. Karen avait beau connaître ses Kikuyus, l'intérêt circonspect que les vieillards portaient à l'engin lui restait indéchiffrable. Ils le considéraient à distance respectueuse, tournaient autour, le disséquaient de leurs regards avisés tout en échangeant de brèves remarques, un peu comme ils le faisaient pour une vache au marché. Karen était à peu près certaine qu'à leurs yeux le Gipsy n'arrivait pas à la cheville d'une vache ou d'un chameau.

Elle se glissa sur le siège avant, protégée du froid par un bonnet en peau de mouton qu'elle avait enfoncé jusqu'aux sourcils. Denys s'installa aux commandes, derrière elle. Très vite, ils atteignirent les immenses plaines vertes giboyeuses.

Sous son flegme, Denys cachait un goût pour les espiègleries. Elle pouvait deviner la lueur amusée de son regard posé sur sa nuque, son sourire de chat à l'instant où il mettait les gaz et que l'avion montait, virait sur l'aile puis piquait sur les gnous, les antilopes, les troupeaux entiers de zèbres qui s'égaillaient comme des dératés vers le grand nulle part.

L'Afrique sens dessus dessous. Où était le haut, où était le bas ? Peu importait. Cette fois encore elle rit, à gorge déployée, des cascades de rire libérateur, les rires de la petite fille émerveillée qu'elle avait été et qui hurlait de terreur, de plaisir, sur les montagnes russes des jardins de Tivoli.

Denys continua de régler les voltiges, il imaginait des surprises, alternait les rythmes jusqu'à ce que, contaminé par la gaieté de Karen, il y cédât. Leurs rires aussi légers que l'air se perdaient dans les pirouettes. Karen aimait penser que dans les temps obscurs les hommes avaient été des oiseaux, cela expliquerait leur bonheur à se mouvoir dans la troisième dimension. Si on lui avait demandé quel serait son vœu le plus fou, elle aurait commandé une paire d'ailes. Elle aurait aimé être un ange.

L'avion se remit sur le ventre, reprit de l'altitude et l'Afrique livra tranquillement ses merveilles, ses jeux de clair-obscur, ses arcs-en-ciel, ses orages noirs.

Tant de beauté.

Un souvenir la rattrapa. C'était absurde qu'il jaillisse ainsi alors qu'elle était si profondément émue ! Elle partit d'un autre grand rire en pensant à cette histoire qu'un voyageur de passage à la ferme lui avait racontée. Dans les montagnes du Mexique, il avait rendu visite à une vieille Espagnole qui vivait isolée dans son hacienda. La dame lui avait demandé des nouvelles du monde.

141

Le voyageur lui en avait donné tant et plus, dont celle-ci : désormais, les hommes pouvaient voler. « Je sais, je sais », dit la vieille, d'ailleurs elle s'était disputée avec son curé sur un point technique. Peut-être cet habitué du monde moderne pourrait-il les départager ? « Les hommes volent-ils les jambes repliées, comme le font les moineaux, ou allongées en arrière à la manière des cigognes ? »

À chaque fois, cette confiance dans les capacités humaines mettait Karen en joie.

Une fois son calme revenu, elle renversa la tête et tendit sa main en arrière, vers Denys. Il la prit et la garda un long moment dans la sienne.

Là-haut, plus rien d'autre ne comptait.

Nous, Toi ou Moi... ces mots si simples, savait-on vraiment ce qu'ils voulaient dire ? Malgré ce qui parfois la séparait de Denys et qui les déchirait, au cœur de cette grandeur où les aigles volaient, seul existait le « Je ». La voix unique. Elle se dit qu'il lui fallait inscrire cet instant dans sa mémoire, en noter les couleurs et les odeurs qui les enveloppaient, oui, elle devait les consigner avec la dévotion de l'amante, pour s'en souvenir plus tard. Bientôt il n'y aurait plus de moment magique.

L'éclair aveuglant l'obligea à fermer les yeux. Le bleu intense du lac Natron. Un saphir posé sur un morceau d'écaille. Les colonies de flamants formaient une rivière de gouttes éblouissantes abandonnées sur l'eau fraîche. Denys se posa sur une rive de sable brûlant, coupa le moteur. Le silence tomba.

Karen sauta à terre. Un mur de chaleur la heurta avec la force d'un coup de poing. Nulle ombre où s'abriter. Ils s'installèrent sous l'aile de l'avion. Elle tendit une main vers la fournaise et la retira aussitôt, comme blessée.

Farah leur avait fait préparer une collation. Ils savouraient les petits sandwichs et la bière frigorifiée par son séjour dans l'éther qui tiédissait déjà, quand elle vit Denys se figer.

« Nous avons de la visite », fit-il calmement.

À l'horizon, une ligne de pointillés avançait vers eux en sautillant. Elle plissa les yeux. Des formes humaines. D'où sortaient-elles ? Depuis le ciel ils n'avaient pas remarqué de silhouette humaine dans le désert de pierres. L'œil de Denys était plus absolu que le sien, affûté par la vie dans la brousse.

« Des Moranes, dit-il. Ils ont vu l'avion, ils viennent faire leur tournée d'inspection. Ne t'inquiète pas. »

Pourquoi se serait-elle inquiétée ? Il y avait longtemps que les Massaïs ne représentaient plus un danger. On n'était plus à l'époque de la guerre, quand les autorités britanniques avaient refusé l'aide armée des guerriers-nomades, qui avaient pris ça comme une gifle. En conséquence, tout au long des quatre années de conflit, on s'était demandé s'ils basculeraient du côté des Allemands.

Les guerriers approchaient, dressés sur une seule ligne. Karen en compta sept. Elle avait l'habitude de les côtoyer, le territoire massaï commençait au pied de sa ferme, mais ceux-là l'hypnotisaient. Ils surgissaient de ce désert géologique plat comme la main comme enfantés par la chaleur miroitante qui montait du sol. Elle resta bouche entrouverte, oublieuse des miettes de pain accrochées à sa lèvre.

Deux jeunes Moranes arboraient une somptueuse coiffe en plumes, les autres crânaient sous leurs crinières de lion ou les cornes de buffle. À leur vue, l'ennemi était supposé se changer en pierre. Les boucliers tendus de peau de buffle, les lances étincelantes complétaient l'arsenal qu'ils portaient comme une part intégrante d'eux-mêmes.

Karen leur trouvait un chic fou. Les parures, la sublime harmonie des épaules, les cuisses fuselées et la taille fine… son regard effleurait les corps à la peau de soie nourris de lait et de sang de bœuf, dont chaque millimètre était entraîné à la férocité, pour survivre. Leurs yeux d'onyx ne laissaient filtrer aucune émotion, mais quand ils se posaient sur elle, ils lançaient une lumière particulière. Les siens s'élargirent, rivés aux cous puissants aux muscles hypertrophiés. Elle revit en pensée la queue d'un léopard en colère. Et se rappela ce que l'on disait des Massaïs : ce sont des amants prodigieux, certaines dames de Nairobi peuvent en témoigner.

Ils s'étaient arrêtés à quelques mètres et chuchotaient entre eux. Ni Denys ni elle n'existaient. Ces êtres hautains scrutaient l'avion avec la même perplexité que les vieux Kikuyus, le matin même.

Denys se comporta avec naturel. Il se leva, les salua dans leur langue, amical, Karen resta assise à l'ombre. Le plus âgé des Moranes s'avança et parla. Denys lui répondit, la conversation s'étiola assez vite faute de vocabulaire. Les jeunes gens continuaient à se parler, parfaitement immobiles, tandis que Karen, captivée, les regardait de la même manière que dans la brousse elle observait un lion inconscient de la présence humaine. Mais cette fois... un désir naissant, impalpable, la troublait. Soudain les statues s'animèrent, et d'un même mouvement leur tournèrent le dos, partant au petit trot vers l'autre bout de l'éternité.

Denys s'approchait d'elle. Il souriait. Il avait lu dans ses pensées, comme toujours. D'une pichenette, il chassa les miettes collées sur ses lèvres, y déposa un baiser. Elle comprit qu'elle était restée ainsi, bouche entrouverte, le souffle suspendu.

Le fantôme de Berkeley Cole surgit à point pour faire écran à l'embarras de Karen. Elle raconta l'anecdote à Denys, tandis qu'ils reprenaient leur déjeuner. Après la guerre, le gouvernement britannique avait tenu à faire un geste envers les Massaïs pour les remercier d'avoir participé à des opérations d'espionnage. Berkeley était l'ami des Massaïs, il les avait connus avant que la civilisation occidentale ne les exile au nord, loin de leurs terres favorites. Berkeley parlait leur langue, le gouvernement l'avait donc désigné pour leur remettre des décorations. La ferme de Karen était sa villégiature préférée, il l'avait donc choisie pour lieu de cérémonie. Comme toujours avec Berkeley, ce raout bricolé à la hâte avait pris l'envergure d'un événement de portée universelle. On eut juste à regretter un léger flottement au moment d'épingler les médailles. Les Massaïs vivent quasi nus. Finalement, Berkeley les leur avait fourrées dans le creux de la main.

Karen revoyait les visages sculptés dans le granit des vieux Massaïs pendant le discours de Berkeley, un Berkeley plus roux que jamais et merveilleusement sanglé dans son uniforme de jeune officier de l'armée britannique. Et, leurs rires, car Berkeley était sans doute le seul être au monde capable de faire pouffer un Massaï.

« J'ignore ce qu'il leur a dit dans son petit speech, peut-être les préparait-il à l'immense honneur qui leur était fait. En tout cas, ils avaient espéré un peu mieux. L'une de mes vaches, par exemple ! »

Un vieux guerrier s'était approché d'elle. Il avait beau tourner son trophée de bronze dans tous les sens, il n'arrivait pas à comprendre les mots gravés.

« Je me suis penchée, et j'ai lu à haute voix : *La Grande Guerre pour la Civilisation*. Aujourd'hui encore, j'en meurs de honte. »

Denys hocha la tête, l'air songeur.

« L'Afrique a toujours eu un esprit sarcastique ! »

Au retour, il vola à quatre mille mètres d'altitude, si haut qu'il n'y avait plus rien à regarder.

Ils empruntaient la route que le majestueux Rok, l'oiseau du cinq cent vingt-cinquième conte des *Mille et Une Nuits*, parcourait mille ans plus tôt, un éléphant prisonnier dans chacune de ses serres. Le Gipsy avançait obstinément, tel un martinet des nuages.

Ils arrivèrent à Mbogani avec les premières ombres du soir.

Les fantômes du matin les attendaient autour d'un feu. De temps en temps, ils y jetaient quelques brindilles pour le maintenir en vie. Le bûcher les protégeait autant des léopards que de la fraîcheur nocturne qui mordait la peau. À peine Karen avait-elle mis pied à terre qu'un vieillard emmitouflé dans une couverture de cuir huilé s'était levé et la fixait, interrogateur. Elle s'approcha pour réchauffer ses mains au-dessus du brasier.

« Tu as volé très haut, *msabu*, on ne te voyait plus. Est-ce que tu as vu Dieu ? »

Le vieil homme parlait gravement, Karen lui répondit sur le même ton :

« Non, Enduhibi, je ne l'ai pas vu...

– Alors, tu n'es pas montée assez haut avec l'oiseau. »

Il marqua une pause.

« Si tu volais plus haut, crois-tu que tu pourrais voir Dieu ? »

Elle prit son temps, répondit qu'elle ne savait pas. Alors que Denys les rejoignait, le vieux se tourna vers lui.

« Et toi, *Bedâr*, qu'en penses-tu ? Un jour tu iras assez haut pour le voir ? »

Denys n'avait pas envie de doucher les espoirs du vieil homme :

« Je ne sais pas, Enduhibi… »

Le vieux restait là, engoncé dans sa peau huilée, à réfléchir. Enfin il les regarda, comme on regarde deux incorrigibles *totos*.

« Alors je ne sais pas pourquoi vous continuez à monter dans l'oiseau. »

Ils n'avaient pas vu Dieu, bien sûr. Eût-elle été moins fatiguée et la chose plus simple à expliquer en swahili, Karen aurait dit à Enduhibi que sa présence les avait accompagnés tout au long du voyage ; que, oui, d'une certaine manière elle avait vu Dieu, dans la mosaïque splendide du monde, dans l'emboîtement parfait de ses éléments, dans leur harmonie. Tant de perfection ingénieuse, tant de complexité, ne pouvaient être qu'au service d'un dessein.

Sinon, qui aurait été capable d'inventer l'Afrique ?

Et d'inventer Denys.

En ce moment, elle avait besoin de croire qu'il y avait un dessein derrière toute vie humaine.

Quant à la preuve tangible de l'existence de Dieu, n'était-elle pas cet avion qui ne tombait pas ? Qui ne tomberait pas. Les oiseaux ne tombaient jamais.

Après le dîner, ils savourèrent la fraîcheur du soir sur la terrasse en fumant une dernière cigarette. Karen s'était enroulée dans un châle somali pourpre, Denys, lui, avait enfilé une robe de chambre chamarrée sur sa veste de velours brun. La masse sombre du Ngong se confondait avec le bleu de la nuit. Dans les buissons, une hyène glapit, elle devait être sur les traces d'une charogne, ou d'un animal blessé. Les étoiles s'allumaient l'une après l'autre dans le ciel lumineux. Denys désigna la constellation du Taureau où brillait une étoile plus rouge que les autres. « Aldébaran... » Leur trait d'union. Qu'ils soient éloignés l'un de l'autre, lui dans la brousse, elle ici, à la ferme, il leur suffisait de contempler Aldébaran pour savoir que leurs pensées se rejoignaient.

Chassés par le froid, ils s'installèrent au salon où Farah avait préparé un feu. Denys dispersa des coussins sur le sol et s'allongea, paumes croisées sous la nuque, un verre de bordeaux à portée de main. Un puma au repos, songea Karen. C'était le signal qu'elle attendait. Elle s'assit sur le sol, jambes croisées, son regard parcourut les scènes délicates peintes sur le paravent, qui chatoyaient et prenaient vie à la lueur des flammes, le dais de soie, la voile d'une pirogue semblaient gonfler sous un vent imaginaire. Les yeux fixés sur une vision connue d'elle seule, Karen fit tourner sur son annulaire la bague en or d'Abyssinie que Denys lui avait offerte. Il lui vint l'idée d'un petit singe.

« *La chaste prieure du couvent de Seven, sous l'autorité de laquelle ce dernier prospéra de 1818 à 1845, avait un petit singe gris qu'elle idolâtrait...* »

Denys s'abandonna à la voix étoilée. L'ouïe très fine qu'il avait développée dans la savane se concentrait sur la beauté fluide du rythme, sur le souffle retenu puis savamment relâché afin de porter la phrase ou l'idée jusqu'au bout. Des sonorités inattendues venaient chahuter l'anglais élégant que la conteuse maniait avec adresse. Leur rugosité rappelait à Denys que cette femme exquise, raffinée, venait de là, elle venait des étendues de tourbe griffées par le vent, des nuits de glace et des jours qui se déguisaient en nuits sans fin ; que ses ancêtres avaient navigué sur des drakkars portés par des mers écumantes. Les tragédies d'Erik le Rouge et de Njall le Brûlé l'avaient bercée dans son enfance, il ne devait pas l'oublier, jamais, elles étaient inscrites en elle. Sans qu'elle en eût conscience, l'écho des sagas nordiques se mêlait au conte oriental pour former un seul univers qui ne ressemblait à rien de ce qui existait. Son imagination sans limite s'emparait de Denys. Karen pouvait inventer une sorcière aux yeux jaunes qui se métamorphose en faucon ; une chanoinesse qui, soudain, prend les traits d'une guenon facétieuse, à moins que ce ne fût l'inverse, une guenon assez folle pour devenir chanoinesse… Ses personnages créés dans l'instant surgissaient dans le récit le plus naturellement du monde.

Karen appréciait la qualité d'attention de Denys. Aujourd'hui, les hommes ne savaient plus faire confiance à une voix, le savoir s'en était perdu.

Les Noirs savaient. Magnifiquement. Denys la reprenait:

«Tania! Celui-là tu lui as réglé son compte il y a une heure, au moins!»

Il était un «écouteur» exceptionnel. Elle poursuivit son récit, et Denys retourna à ses songes. Les chiens ronflotaient à leurs pieds, devant la cheminée. La maison entière écoutait.

Puis Karen se tut. Denys la regarda, silencieux, comme un enfant qui s'éveille. Il avait l'air heureux.

Il s'étira comme un chat et disparut dans sa chambre, qui avait été celle de Bror, du temps où Karen et lui étaient mariés. Denys revint en tenant un coffret. D'un geste délicat il l'ouvrit, découvrant une pipe à opium, une lampe brûloir et la petite louche de bambou.

De ses voyages, il rapportait les précieuses boulettes, la cocaïne aussi, qu'ils aimaient prendre ensemble. La cérémonie de l'opium en clôture d'une soirée de contes faisait partie de leurs rites secrets, tandis qu'à deux pas, dans la *happy valley* près de Gilgil, la gentry s'adonnait sans complexe et en plein vent à toutes les drogues.

Karen s'allongea sur les coussins, Denys l'attira contre lui. Ensemble ils suivirent les volutes magiques et s'enfoncèrent dans le même voyage silencieux vers l'oubli.

Le lendemain, Denys était parti.

Au plus froid de la nuit, Karen l'avait accompagné jusqu'à l'avion, un manteau léger jeté sur sa chemise de nuit. Elle était revenue à la maison en frissonnant. Déjà misérable. Elle fit un tour dans la chambre de Denys. Ses chapeaux formaient une pile parfaite sur l'étagère.

Au moins, tant qu'ils restent là, je sais qu'il reviendra.

4

Le salaud ! Impossible d'imaginer un plus grand salaud... Bror et sa jovialité, Bror et son charme, Bror et ses récits d'aventures, Bror et son tableau de chasse amoureux, Bror le chic type...

Tout le monde s'y laissait prendre. Même Denys. Il n'y avait donc qu'elle pour connaître le vrai visage de son ex-mari ?

Agenouillée devant ses plates-bandes de delphiniums et de pavots, Karen grattait furieusement la terre, la fouillait à pleines mains. La belle terre lourde et humide dégageait des exhalaisons tièdes qui lui montaient doucement à la tête. La veille, la pluie avait cessé de bouder, il en était tombé six pouces sur le Ngong. Enfin !

Descendre s'occuper de son jardin avant que la ferme ne s'éveillât tout à fait, avec pour seuls compagnons les sons portés par l'air, l'entrechoquement léger des calebasses dans les huttes, l'écho lointain de voix et quelques notes lancées par un rossignol dans la forêt; ces moments de paix soustraits aux soucis de la journée, cette symphonie délicate de bruits et d'odeurs lui étaient nécessaires. Sans eux, les forces lui auraient manqué.

D'ordinaire, dressée dans la fraîcheur de l'air, abritée sous la capeline qui la protégeait des premiers rayons, Karen retouchait la tenue d'un glaïeul ou replantait, pour la vingtième fois, ses cinéraires, leur choisissant une exposition qu'elle espérait toujours plus bénéfique. Car enfin, au nom de quelle injustice cette fleur banale serait-elle traitée avec moins d'égards que les créations les plus accomplies de la nature ? Et pendant que Karen exécutait ces gestes simples, biner, planter, bouturer, des gestes qu'elle avait toujours aimés, chaque chose restait solidement arrimée à sa place et le monde filait droit. Cette parenthèse matinale lui donnait l'illusion d'avoir la maîtrise des événements, une fois refermée, ils lui échappaient en courant.

Mais ce matin, ses humeurs remontaient acides et violentes. Mieux valait ne pas penser à Bror quand elle jardinait.

Elle suspendit son geste et reposa le plant de pivoine qu'elle s'apprêtait à mettre en terre.

Toute la nuit, elle avait ruminé les sombres pensées qui, au matin, s'étaient muées en certitude : Bror n'avait jamais voulu qu'elle ait quoi que ce soit à elle. Rien qu'elle puisse chérir et développer hors de sa portée.

Et maintenant, il lui prenait Denys ?

Pauvre Finch Hatton. Elle s'en voulait à présent. Hier, il avait fait son apparition à la ferme, heureux de la retrouver après deux mois passés en safari avec le prince de Galles, sans imaginer qu'il déchaînerait une tempête ! Mais ce manque de sensibilité dont il avait fait preuve, ça lui ressemblait si peu !

Il était arrivé au volant de sa Hudson dans une forme épatante. « Je ne fais que passer, Tania. » Il avait déposé l'héritier du trône et sa cour à Government House et retournait à Nairobi pour assister au dîner que le prince Edward organisait en son honneur et en celui de Bror pour les remercier de ce safari particulièrement réussi.

Deux mois plus tôt, lorsque Denys avait été choisi comme premier chasseur blanc par le prince de Galles pour diriger le safari qui les conduirait du Kenya au Tanganyika, en Ouganda, au Congo puis au Soudan, il avait annoncé qu'il se ferait seconder par Blix, dont il appréciait le sang-froid et la science de la chasse. Karen l'avait très mal pris. Elle n'aimait pas que Bror s'immisce dans l'intimité de Denys, cela donnait une touche de triolisme à leur relation qui, déjà, défiait les conventions. L'Ex-mari, l'Amant et la Maîtresse, on jasait chez les petits Blancs de Nairobi. Elle avait suggéré : « Et pourquoi pas ton ami J.A. Hunter ? » Mais Hunter était retenu par deux clients américains. Karen avait contre-attaqué : « Et Philip Percival ? Sa réputation est fabuleuse... » Sans rien perdre de son flegme, Denys avait coupé court en précisant qu'il n'y avait pas deux chasseurs comme Blix dans toute l'Afrique, sans compter qu'il était un compagnon délicieux.

Il était clair que Denys trouvait sa jalousie – car qu'était-ce d'autre ? – inappropriée. Du point de vue de Karen, l'idée qu'il partage avec d'autres des aventures exaltantes qui la privaient de lui la rendait folle. L'incident les avait un peu éloignés.

Et voilà qu'à présent, à son aise, il faisait valdinguer son chapeau sur le sofa, les chiens à ses pieds, heureux d'être de retour au port, bien qu'elle le soupçonnât d'avoir déjà la tête occupée par sa prochaine chasse avec Marshall Field, le milliardaire américain. Ou par un prochain voyage à Londres.

Ils se verraient donc toujours entre deux portes ? Les jours de grande sinistrose, Karen mettait bout à bout les semaines, les jours ou même les heures passés ensemble depuis qu'ils s'aimaient : sur quatorze années chaotiques, elle atteignait péniblement quatre ans pleins. Cela représentait dix années à attendre, à se morfondre, à pleurer et espérer. Dix années de solitude.

Le safari avait été somptueux, disait Denys, « bien plus réussi que celui de 1928 », écourté en raison des problèmes de santé du roi George V, là-bas, à Buckingham. « Cette fois, Edward a eu sa ration d'émotions fortes. » Car, encombré de trépieds et de chambres noires lourdes et complexes à manier, le futur monarque – qui cédait à la fureur naissante des safaris-photos – faisait un mets de choix pour des animaux sauvages plus vifs que l'éclair. Denys, plutôt à cran, assurait la sécurité de cet homme délicieux à vivre mais impossible à raisonner. Un matin, un rhinocéros inconscient de sa photogénie avait chargé Edward qui s'obstinait à saisir son sujet au plus près. Denys épaula et tira. Une seule cartouche et les trois tonnes de chair et de muscles s'effondrèrent à cinq mètres du prince héritier, furieux.

« *Coitus regalis interruptus!* fit Denys en riant. Son Altesse s'est montrée glaciale jusqu'à l'heure du thé. »

Puis, Cockie les avait rejoints brièvement au Tanganyika...

Cockie! Cockie von Blixen-Finecke.

Karen suffoquait. Comment... Comment Denys avait-il pu... Cockie, infichue de manier un fusil, Cockie qui pleurnichait sur les dépouilles des bêtes, mais Cockie invitée au safari royal! C'était elle l'épouse de Bror à présent et l'unique baronne Blixen qui vaille aux yeux du protocole. Détrônée par cette dinde, Karen n'était plus que la maîtresse de Denys Finch Hatton. Autant dire rien de présentable! Elle en tremblait. Personne ne lui avait fait prendre conscience de son statut de paria aussi cruellement, et c'était Denys qui, sans y penser – c'est bien ce qu'elle lui reprochait, cette absence d'empathie, cette désinvolture inhabituelle à son égard –, avait enclenché le mécanisme qui la radiait de la vie mondaine en présence du prince de Galles.

Ni Denys ni leurs amis n'avaient compris que le remariage de Bror avec Cockie deux ans plus

tôt l'ait rendue si fébrile, ni pourquoi elle atta-
chait autant d'importance à son titre de baronne.
Qu'aurait-elle répondu, si elle avait pu trahir
son secret ? Qu'elle avait gagné son titre de haute
lutte. Qu'il était gravé dans sa chair, à jamais, et
qu'il portait un nom abominable qui aurait fait
frissonner de dégoût tout ce joli monde, s'il en
avait eu connaissance.

Syphilis.

Cela valait bien de rester baronne à vie, non ?

Elle allait et venait dans le salon, le feu aux
joues. Denys commençait à entrevoir que quelque
chose ne tournait pas rond, il s'était interrompu
mais il aurait été incapable d'imaginer l'incendie
qui se propageait dans le cerveau de Karen.

Elle voulait le soutien et l'amour de son amant.
Elle les méritait. Puisque c'était trop demander,
elle resterait cloîtrée à la ferme, elle s'obligerait à
lire les journaux qui ne manqueraient pas de se
répandre sur les bals, dîners, réceptions, pique-
niques où Cockie, la haute société et le prince
s'amuseraient sans elle.

En la circonstance, la seule attitude honorable
consistait à prétendre s'en ficher complètement.

Il ne lui restait plus qu'à se réjouir d'échapper à
la conduite inqualifiable de lady Delamere, ce qui
n'avait pas été le cas lors de la première visite du
prince de Galles, deux ans plus tôt. Au Muthaiga,
la jeune poupée bariolée, probablement sous l'emprise d'une substance indéterminée, avait bombardé Edward de quignons de pain. L'un d'eux

percuta l'œil de Karen. Puis cette Gladys s'était jetée sur Edward, le renversant de sa chaise avant de rouler avec lui sur le sol. Outrée, Karen avait quitté la soirée ornée d'un coquard. De même, elle n'entendrait pas Kiki Preston proposer entre deux plats «une ligne de coke?» à l'héritier du trône. Ni n'écouterait un tas de types n'ayant jamais rien fait dans la vie, expliquer qu'ils soignaient leur gueule de bois à coups de journées d'équitation ou de parties de polo...

S'en ficher. Complètement. Au lieu de cela:

«Denys, c'est moi que tu aurais dû inviter sur le safari...»

Il avait l'air las, un air qu'elle ne lui avait jamais vu, tandis qu'elle continuait, que sa voix grondait, infatigable.

«Vous, les Anglais, vous êtes tous pareils. Rien ne vous touche. Aucune perte ne vous affecte réellement. Vous n'aimez personne, ni mère, ni maîtresse, ni enfants! Oh! peut-être... *Pardon me*, vos chiens.»

Elle avait eu envie de le frapper de ses poings. Elle était à bout. D'abord stupéfait, Denys avait eu du mal à la regarder, comme si le spectacle qu'elle offrait atteignait une indécence insupportable. Karen ne s'était jamais exposée ainsi, devant lui, sans la protection de sa personnalité brillante. Elle était à nu, vulnérable, telle que sa passion pour lui l'avait faite, transformée, et il détournait les yeux?

Elle ne se souvenait plus. Est-ce que j'ai crié? Dit des choses abominables? Denys était resté

159

muet, le visage tendu et livide. Puis il avait quitté la pièce.

Alors, pour le retenir, qu'il se retourne, la regarde enfin, elle avait planté le harpon droit dans sa nuque :

« Ton amitié avec Bror est contre nature ! »

De vieux soupçons. Denys sensible aux deux sexes. Ils n'en avaient jamais parlé ensemble. Son instinct très sûr interdisait à Karen de pousser cette porte close. Mais très tôt, elle avait compris que Denys ne lui appartiendrait jamais complètement.

Il avait continué son chemin sans lui jeter un regard.

Puis le grondement du moteur de la Hudson dans la cour.

Le souffle court, elle se demanda pourquoi ses choix se portaient obstinément sur des hommes impossibles à s'attacher.

Son mariage avec Bror avait été une tragédie.

Quelle idée, aussi, d'épouser un homme dont on aime passionnément le frère ! Le frère jumeau.

Hans.

Elle n'avait pas pensé à lui depuis des siècles.

Elle poussa un long soupir. Le jardin était éclaboussé de soleil à présent et, malgré l'heure matinale, la journée menaçait d'être une fournaise. Un filet de sueur coulait le long de son cou. Délaissant son transplantoir et sa bêche, Karen ôta ses épais gants de jardinage, s'assit à même le sol puis alluma une cigarette. L'odeur âcre du tabac alla se mêler à celle des roses.

Hans. L'aîné, d'une poignée de minutes seulement. Hans pressé de sortir le premier du ventre de leur mère, comme pour rafler les grâces dont son cadet serait dépourvu. Elle ferma les yeux. Hans était irrésistible. Plus élancé que Bror, élégant, doué, taillé pour les conquêtes. Il disputait les concours hippiques pour les remporter haut la main, il volait en aéroplane pour battre des records. Meilleur cavalier de Suède, fils d'une famille prestigieuse, là où il allait, Hans captait la lumière. Et tant pis pour Bror, dont l'allure pataude existait tant bien que mal dans l'ombre de son frère.

L'image solaire de Hans apaisa sa colère. Il avait été son premier amour.

C'était en 1909. Elle avait vingt-quatre ans, les jumeaux Blixen vingt-deux. Depuis la mort de son père, Tanne – puisqu'on l'appelait ainsi depuis l'enfance – passait ses vacances d'été chez sa famille paternelle, les Frijs, dans leur château du Jutland. Ses cousins suédois, les jumeaux, étaient de la partie. Karen vénérait ses parents paternels, si différents des frigides Westenholz. Les Frijs, eux, cajolaient le temps, le supposant immobile et docile, figé dans les exquises manières du XIXᵉ siècle. Frijsenborg vivait selon les rites des riches oisifs du passé : parties de chasse, de cartes, jeux de devinettes, danses et bals. Le soir, la jeunesse interprétait les pièces que Tanne écrivait dans la journée. Elle pouvait compter sur sa meilleure amie, Daisy Frijs, même âge qu'elle même goût de la fête et du raffinement. Les étés enchanteurs se seraient succédé à l'infini si Karen n'était tombée amoureuse de Hans Blixen.

Hans ne lui prêtait aucune attention. Trop provinciale. Il préférait s'entourer de filles assez délurées pour boire de l'alcool en douce et faire la fête. Trop de ferveur dans les yeux noirs. Celle de ses chiens suffisait à Hans. L'été avait tourné au calvaire. Tanne le traversa le visage décomposé, sans que personne sût pourquoi. À la fin de la saison, elle était retournée à Rungstedlund avec la ferme intention de se tuer. Sa vie était fichue. Et puis, un jour qu'elle errait sur les rives de l'Øresund en proie à ses tourments l'évidence l'avait frappée : à quoi bon mourir pour un homme qui ne sait même pas que vous existez ?

Décidée à rompre tout lien avec Hans, elle avait fui à Paris, vers les cours de peinture de Simon et Ménard, rue de la Chaussée-d'Antin, vers un flirt poussé avec un jeune aristocrate danois, déjà fiancé, hélas. Autant de garde-fous qui l'éloignaient des cercles de la jeunesse dorée scandinave où elle aurait croisé Hans. Mais en se coupant de Frijsenborg, elle s'était coupé un bras.

Soudain, parmi les roses, elle entendit un rire. Le sien. Un rire amer. Lorsque les choses doivent arriver aucune ruse ne peut les arrêter… Car Bror veillait. Sans doute la guettait-il depuis leurs étés dans le Jutland. Il l'avait demandée en mariage. Bror ! Karen l'aimait bien, elle trouvait chic qu'il n'éprouvât aucune rancœur à l'égard de ce frère qui l'éclipsait en tout. À se demander s'il avait de l'amour-propre! Bror, si brave qu'il ne lui tenait même pas rigueur du traitement qu'elle lui avait réservé à Frijsenborg. Un supplice analogue à celui que Hans lui infligeait: pas le moindre regard, aucun signe d'intérêt. Mais, quelle fille aurait remarqué Bror en présence de Hans?

Elle s'en mordait les doigts: se serait-elle interrogée davantage, elle en aurait conclu que Bror était dépourvu d'émotions. Ça lui aurait épargné bien des ennuis plus tard.

Bror la voulait. À l'époque, elle avait déjà vingt-huit ans et le statut de vieille fille, tel un iceberg, se dirigeait droit sur la petite embarcation où elle avait entassé ses rêves d'artiste peintre et d'aventure. Qu'elle n'y prenne garde et sa vie s'amenuiserait, l'univers confiné de Rungstedlund se refermerait sur elle, elle vieillirait, se fanerait, sans avoir eu le courage d'intervenir sur le cours de sa propre vie.

Elle lui avait dit non. Deux fois.

Bror dirigeait une des propriétés familiales à Skåne, or Karen n'avait pas l'intention de passer sa vie dans une ferme laitière en Suède.

À la troisième tentative, elle avait capitulé, convaincue qu'épouser un homme qu'elle n'aimait pas la mettrait à l'abri de la souffrance. Surtout, elle avait reconnu en Bror le besoin d'autres horizons que ceux, liquides et stagnants, que lui renvoyaient les côtes suédoises. Elle s'habitua à lui, amadouée par le titre de baronne déposé dans la corbeille de mariage, où, de son côté, Bror trouverait la fortune des Westenholz. Ils avaient fait grise mine : Bror était un type adorable, mais bon à rien sinon à faire la fête. Son propre père l'appelait « Mon maître de plaisir ». Ingeborg l'avait prise à part : « Ma chérie, tu es sûre de ton choix ? » Elle s'était mariée par amour, il lui semblait naturel que sa fille exaltée, fantasque, fît de même. Leurs réticences avaient conforté sa décision.

De retour d'un safari, leur oncle suédois, le comte Mogens Krag-Juel-Vind-Frijs, avait conseillé aux fiancés : « Une ferme bien dirigée en Afrique, et vous deviendrez millionnaires. » Millionnaires ? Depuis ses étés à Frijsenborg Karen se savait mieux armée pour vivre avec une jambe de bois que privée d'argent.

Bror avait cinglé en direction du Kenya avec une année d'avance sur elle et, en poche, l'argent des Westenholz à investir dans une ferme... laitière. Karen s'était dit qu'en Afrique les vaches et les bœufs prendraient des couleurs chatoyantes.

Ce devait être un bon mariage entre deux camarades qui parlaient la même langue, deux associés en marche vers le même but, loyaux l'un envers l'autre, c'est ainsi qu'elle avait imaginé les choses. Elle ouvrirait la voie aux projets par son imagination débridée et Bror les concrétiserait avec son goût de l'action.

Ils s'étaient vite retrouvés dans le même lit. La camaraderie n'avait empêché ni l'attirance sexuelle ni, sous les draps, la fièvre. Il était difficile de résister à l'attraction exercée par les jumeaux Blixen. À vrai dire, elle s'était fourrée dans une situation diabolique. Bror était le sosie de l'homme qu'elle cherchait à oublier. À l'exception d'une animalité plus prononcée chez Bror et d'une silhouette plus élancée chez Hans, les jumeaux possédaient les mêmes traits : les yeux étirés, fascinants, bleus, pareils à ceux des huskies, un visage puissant aux lèvres pleines. Souvent, trop souvent, lorsque Bror penchait son visage vers elle, que sa bouche prenait la sienne, le fantôme de Hans s'immisçait entre leurs peaux pour s'emparer d'elle. À d'autres moments, elle le convoquait, et les deux frères se confondaient derrière ses paupières closes. Pas vraiment loyal, mais puissamment aphrodisiaque ! Nuit après nuit, elle perpétuait ce mensonge intime et chaque nuit ravivait le manque de ce premier amour. Il avait fallu plusieurs années pour que Hans ne soit plus cet éclat de verre fiché dans son cœur, impossible à ôter.

Que devait-elle à Blix ? Les mauvais jours, et aujourd'hui était un jour pourri, elle répondait : l'enfer. Il l'avait trompée, infectée. Il avait piqué dans la caisse et mis au clou son argenterie et ses meubles quand elle avait le dos tourné. D'humeur clémente, Karen lui était reconnaissante des premiers jours radieux de sa vie de femme. Main dans la main, émergeant ensemble des eaux primordiales – c'était ainsi qu'elle pensait à sa vie d'avant, en Scandinavie – ils s'étaient tenus au bord d'une existence extravagante à laquelle rien ne les avait préparés.

Bror l'attendait à Mombassa, le visage hâlé, tout habillé de blanc. Ils ne s'étaient pas vus depuis un an et elle avait trouvé magnifique d'être à nouveau auprès d'un homme avec qui elle avait tant en commun.

C'était le 14 janvier 1914, songea-t-elle. Ces seize années qui la séparaient de la Karen qu'elle était devenue lui semblaient appartenir à un autre siècle. Le ciel d'Afrique était alors le royaume exclusif des oiseaux et des nuages. Elle débarquait de quatre semaines de traversée sur *L'Admiral*. Dans l'heure qui suivait, ils étaient mariés. Mariés dans la fournaise africaine, avec le prince de Suède pour témoin. Ces « madame la baronne » qui pleuvaient, c'était à elle, un peu étourdie, qu'ils s'adressaient. Le soir même, la noce avait embarqué sur le « Lunatic Express », le train à vapeur qui taillait la route entre Mombassa et l'Ouganda. Bror avait affrété un convoi spécial : le gouverneur britannique Belfield mettait à leur disposition son wagon-restaurant personnel, le milliardaire américain, Northrup Macmillan, prêtait son cuisinier.

Ce fut merveilleux, Bror n'avait pas usurpé son titre de « Maître de plaisir ». Quel dîner de noces ! Toute la compagnie en pyjama, tant on crevait de chaud. Dans le wagon-restaurant cahotant, les toasts s'étaient succédé portés par un prince de Suède qui, à cause des secousses, buvait son champagne par le nez.

Nuit de noces à l'avenant. Un wagon étroit propice à l'intimité. Ni couchettes, ni ventilateurs, seulement deux banquettes en bois et le vacarme assourdissant des roues en fer sur les rails. Les cahots sans fin et leurs deux corps moites emboîtés l'un dans l'autre. Bror s'était montré un amant passionné et inventif. Cela, elle le savait déjà.

Au matin, en miettes, elle avait repoussé les persiennes du wagon. Une vague brûlante avait frappé son visage. La brousse à perte de vue, des troupeaux d'animaux qui, jusque-là, n'existaient que sur les planches de dessins. Gnous, zèbres, antilopes... quelle ménagerie invraisemblable ! Le train les frôlait sans les déranger. L'Afrique, l'immense et somptueuse Afrique, lui ouvrait ses bras. Une petite voix avait bourdonné au fond de sa tête : « L'Afrique aura raison de tes lunes noires. » Alors, elle sut. Elle était arrivée quelque part, il lui serait enfin possible d'appartenir à un endroit, d'y posséder une maison à elle. Une poignée de minutes avait suffi pour savoir qu'entre elle et ce pays totalement inconnu des liens se tisseraient dont il lui avait été impossible d'imaginer la force.

Puis le destin planta son dard dans le ciel bleu.

Six mois après l'esquisse du bonheur, le médecin de Nairobi diagnostiquait la syphilis. « Aussi sévère que celle d'un soldat. »

Puis Daisy. La délicate Ann Margrethe Frijs s'était suicidée, à Londres. Quelle faille, quel désespoir, se cachaient derrière ses sourires et ses conversations exquises ? Tanne n'avait rien deviné.

Aux premiers jours de la guerre, l'avion de Hans s'était écrasé au cours d'un vol d'entraînement pour l'armée suédoise. Bror s'était effondré. Karen avait gardé sa propre souffrance secrète.

Égarée par le chagrin, la jeune veuve de Hans avait écrit à son beau-frère pour le supplier de l'épouser. Karen avait retrouvé chez sa rivale le besoin si humain de prolonger la vie de l'un grâce à l'autre, de remplacer l'un par l'autre, dans l'illusion de s'en contenter. Et Bror une nouvelle fois distribué dans le rôle de doublure.

Enfin, Ea, sa sœur, son aînée de deux ans, était morte après avoir accouché d'un enfant mort-né.

Son père, Daisy, Hans, Ea... Les êtres qui lui étaient les plus chers étaient-ils condamnés à lui être arrachés ? À mourir de mort violente ? Était-ce leur sort ? Ou bien sa faute ?

Tumbo avait dû libérer les chiens. Ils arrivaient en trombe sur elle agenouillée devant ses plates-bandes. En agitant la queue, Dinah s'amusa à donner des petits coups de museau contre sa cuisse, manquant de lui faire perdre l'équilibre. Ça la fit rire. Les idées sombres s'éparpillèrent. David fourrageait dans le massif, grattait la terre, qui volait dans tous les sens ; elle le chassa, mi-furieuse, mi-amusée. La chienne lui lançait des regards humides en gémissant doucement, elle la prit contre elle, caressa son pelage, si doux, si beau, d'un subtil gris argenté, y fourra son nez, puis la repoussa gentiment. Que deviendraient-ils s'il lui fallait quitter le Kenya ?

Elle reprit sa tâche qui consistait à creuser six trous à distance régulière pour y planter ses pivoines, des « Duchesse de Nemours » qu'une vieille dame de Copenhague lui avait fait parvenir. Elle les plantait, sachant qu'elle ne les verrait pas fleurir. Quand ce fut fait, elle déposa délicatement les petites mottes dans les trous et tassa la terre à main nue, tout autour. Mais la scène d'anthologie de la veille s'imposa à nouveau. Scène absurde, disproportionnée. Elle s'en voulait. Est-ce qu'elle était allée trop loin ? Bah ! Elle s'excuserait auprès de Denys à son retour, il comprendrait qu'elle était à bout de nerfs.

Farah surgit devant elle, sans qu'elle l'ait entendu approcher. Il tenait une lettre, encore.

« *Bwana* Denys. »

Il souriait.

Karen considéra ses plants qui triomphaient dans le massif et donna l'ordre au jardinier de rassembler les outils, puis elle remonta à la maison, suivie par les chiens. Elle lut, confiante, dans la fraîcheur de son bureau. Sa lecture la laissa perplexe. Denys expliquait que ses propos de la veille l'avaient terriblement perturbé, mais qu'il avait entendu ses arguments. Il regrettait qu'elle fût dans un état qui lui laissait voir exclusivement l'aspect noir des situations. Il ajoutait qu'il passerait à la ferme avant de partir pour Londres, où il avait des affaires à régler, et qu'il s'emploierait à organiser une rencontre entre elle et le prince.

En attendant, il s'installait au Muthaiga et lui enverrait Kamau dans la journée pour prendre quelques papiers et sa robe de chambre.

Elle comprit qu'elle avait dépassé les bornes.

5

Elle avait arraché un sursis au promoteur. À la mâchoire de ce chien.

Elle resterait jusqu'à la prochaine récolte, et même au-delà, jusqu'à la mise en sacs du café.

Six mois gagnés.

Le 9 juin 1931, elle partirait.

La ferme avait été vendue, vente forcée, aux enchères. Du fond de la brousse, Denys s'était démené pour essayer d'acheter la maison et les bois qui l'entouraient, en vain. Au moins, il avait essayé. Les actionnaires perdraient de l'argent. Deux années d'hypothèques non payées, et des intérêts qui ne cessaient de courir...

L'agent immobilier, avait fait main basse sur cette beauté. Les parcelles soigneusement entretenues par les *squatters*, la maison qui respirait au rythme des départs et des retours de Denys et des dîners aux chandelles inoubliables, les champs, la plantation... bientôt transformés en zone résidentielle. Pavillons luxueux, terrain de golf, club house et tout le tralala... Karen était passée à son bureau pour négocier des délais. L'agent immobilier avait cru lui faire une fleur : «Nous baptiserons l'ensemble "Karen".» Elle s'était retenue de lui cracher au visage.

À présent la jaunisse s'en mêlait. Karen était au bout du rouleau, là, allongée sur son lit, le visage cireux enfoui dans les oreillers de dentelle. Encore une ou deux calamités et elle ne parviendrait plus à se relever, à se mettre en marche.

Chaque soir, elle s'étonnait de contenir la série de problèmes qui avait surgi le matin. Il y avait bien longtemps de cela, après une éprouvante journée de charité parrainée par la non moins éprouvante lady Grigg, Karen avait entendu son vieux cuisinier Esa soupirer : «Avec l'aide miséricordieuse de Dieu, nous en avons vu la fin !» C'était tout à fait ça, désormais, sa vie à Mbogani. Une succession de journées sous le patronage de lady Grigg.

Seule, elle n'y arriverait pas.

Hier, Dickens avait fondu sur elle. Il étincelait de fureur. «Vous savez parfaitement que la loi interdit ces rassemblements de sauvages !» Le contremaître parlait de sa bête noire, les *ngoma*. Les petits Blancs, Dickens et son épouse en tête, détestaient ces danses kikuyus qui offensaient leur sacro-saint respect de la décence. Car la décence anglo-saxonne voulait imposer ses règles au reste de l'humanité. À force d'intrigues, ils avaient obtenu gain de cause. Karen ne comprenait pas ce que ces gens effrayés par ce qui ne leur ressemblait pas étaient venus faire au Kenya.

Elle avait stoppé Dickens : « Tant que je serai sur mes terres, tant que je resterai la maîtresse de Mbogani, personne ne m'empêchera d'autoriser une *ngoma* nocturne. »

À ses yeux, il n'existait pas de rite africain dont la beauté égalât ces danses qui célébraient la pleine lune. Elles emplissaient les nuits de magie, l'air prenait un parfum de fête et l'esplanade devenait une scène avec la forêt endormie pour toile de fond. À la tombée du jour, des centaines de Kikuyus arrivaient des villages alentour et prenaient place sur la pelouse. Celle-ci chatoyait de petits brasiers dont les lumières vacillantes joueraient sur les corps et les visages des danseurs presque entièrement nus. Les jeunes gens avaient passé la journée entière dans une extrême concentration, à se métamorphoser en sculptures vivantes. Ils enduisaient leurs corps de la racine des cheveux aux pieds, d'un mélange d'huile et de craie rouge. À l'exception des guerriers massaïs, Karen ne connaissait pas de spectacle plus renversant. Les seins nus des filles, dissimulés sous les lourds colliers et les parures de perles de verre, leurs fesses prises dans un pagne de peau et leur petit crâne couvert de boue répondaient à la nudité des garçons, qui portaient pour seul vêtement leur épaisse chevelure tressée de lacets de cuir et trempée dans la glaise. Lorsque les anciens et les vieilles femmes formaient un cercle autour des couples, la danse commençait.

Il y en avait une que Karen préférait à toutes les autres. Les jeunes filles plaçaient leurs pieds sur ceux des jeunes guerriers, dont elles serraient la taille de leurs bras tendus tandis que les garçons bougeaient, une lance dans chaque main, en frappant le sol de toutes leurs forces. C'était extrêmement osé et pudique à la fois. Les corps ne devaient pas se toucher. Au moindre geste inconvenant, un gardien de la vertu bondissait muni d'un long bâton qui se terminait par une braise rougeoyante, et l'enfonçait dans la chair du garçon, qui, c'était la tradition, acceptait le châtiment. Les flûtes et les tambours rythmaient la joie et le désir, parfois la voix claire d'un chanteur s'élevait, et son chant monotone s'étirait jusqu'au bout de la nuit.

Karen voyait en ces *ngoma* le cordon ombilical qui reliait les indigènes à la nature, un cordon si solide qu'aucune culture étrangère n'avait pu le trancher encore. Que les esprits étroits des Dickens et consorts puissent concevoir la joie et la sensualité comme des insultes à Dieu, cela la scandalisait.

Dickens avait pourtant toutes les raisons d'être furieux, cette fois. Un homme avait été tué et trois autres à demi décapités.

Douze guerriers massaïs attirés par les grondements irrésistibles des tambours s'étaient invités dans le rite kikuyu. Ils étaient nus, à l'exception de leurs bijoux et de leurs armes. Le maquillage peint sur leurs cuisses imitait de longues blessures sanglantes. À leur passage, le cercle des vieillards s'était ouvert, laissant pénétrer les arrogants à l'intérieur de la piste de feu. La danse s'était figée un instant. Celui d'après, les guerriers massaïs dansaient, comme captifs d'un sortilège. L'un d'eux avait osé le geste de trop, les couteaux avaient croisé les lances. L'état des trois Kikuyus aux cous à demi tranchés laissant de l'espoir, Ereri, le jardinier, avait proposé à Karen de les recoudre à gros points. Elle avait donc fait chercher son nécessaire à couture dans sa commode. Par chance, dans une autre vie, Ereri avait exercé le métier de tailleur.

Hier, elle avait réglé l'affaire avec les autorités, mais Dickens lui fichait sa démission. « Débrouillez-vous avec votre récolte. »

Depuis ses safaris, Denys ne cessait de lui écrire des lettres et d'envoyer des télégrammes de réconfort. Des propositions de cash aussi. Karen le devinait terriblement anxieux pour elle. Après avoir épuisé tous les recours pour sauver Mbogani, il essayait maintenant de louer la maison pour une année. Il l'habiterait entre deux expéditions, elle pourrait y rester aussi longtemps qu'elle le voudrait. Karen avait souri. Ce n'était pas tout à fait une demande en mariage, mais c'était amical. L'idée que des étrangers puissent un jour vivre dans « leur » maison les révulsait tous les deux.

Dire oui, dire non. Elle ne savait plus. Un jour, elle voulait tout envoyer au diable et rentrer au Danemark, défaite. Le lendemain, elle refusait l'idée de quitter l'Afrique. Tout se dérobait.

Ses angoisses avaient contaminé Farah. L'inébranlable Farah affichait une mine lugubre et jetait des regards soupçonneux par-dessus son épaule. « On a tenté de m'assassiner, *msabu.* » Elle connaissait trop l'état de guerre permanent qui sommeillait en tout Somali pour s'inquiéter. Jusqu'à ce qu'elle entrevît deux hommes qui s'éloignaient furtivement de la maison de Farah. Elle lui avait prêté son fusil. Deux nuits plus tard, il tirait. On n'avait retrouvé aucun cadavre, seulement des empreintes de pieds autour de la maison. Ça n'allégeait pas l'atmosphère.

Elle ferma les yeux, s'enfonça davantage dans ses oreillers, prise de torpeur.

Kinanjui, le vieux chef kikuyu, son allié des premiers jours, venait de mourir.

Une dernière pensée la traversa. Denys avait tenu parole. Le prince de Galles était passé prendre le thé avec sa cour. Elle lui avait organisé une *ngoma* monstre.

Puis elle sombra dans le sommeil, à la poursuite des tracas du lendemain.

6

Un point minuscule avançait dans l'immensité de sable. Une voiture étincelante, un éclat de mica. Au volant, un homme pressé défiait la chaleur qui avait vidé de sa sève une vie désormais réduite à l'état minéral.

L'homme conduisait pied au plancher, provoquant des bourrasques de poussière qui retombait mollement sur la piste de Mbogani.

« Juste le temps d'un détour », s'était-il dit en quittant Nairobi.

Mais dans l'intimité de sa Hudson, Denys Finch Hatton, quarante-quatre ans, en pleine force de l'âge, vivait un moment déconcertant.

À l'instant où il tournait dans Karen Road, entre les allées de manguiers, les huttes fumantes et les bois, Denys songea « c'est fini ». Un vide se fit en lui, aspirant brutalement une partie de lui-même. Il niait la réalité depuis des mois, mais c'est ainsi, la réalité existe à la seconde où elle vous touche, où *vous* la ressentez, pas avant.

Pour la dernière fois cette route au bout de laquelle Tania l'attendait, dans le poudroiement de lumière.

Quelle raison aurait-il d'emprunter ce chemin, après ?

Dans un mois, Tania aurait quitté l'Afrique. Elle emporterait leur jeunesse, leur amour. Leur relation avait été la plus poétique, la plus dense et féconde dont Denys ait pu rêver. Cela resterait gravé en lui. Mais il avait commencé à écrire la suite de sa propre histoire, et Karen n'y figurait pas.

« *La Terre est ronde pour nous éviter de voir trop loin vers l'avenir* », répétait-il à qui le pressait de s'engager. Tania avait été de ceux-là, mais elle avait eu l'intelligence de comprendre assez tôt. La liberté, l'imprévisible, la nécessité de vivre dans l'instant, au gré de ses désirs, c'était à prendre ou à laisser si on voulait le garder.

Des projets, mais pas de chaînes.

Rien qui alourdisse ou entrave.

Il avait supprimé le trait d'union de son nom, Finch Hatton. Pas de fil à la patte.

Ses amis avaient pour instruction de détruire les lettres qu'il leur écrivait. Ni traces ni passé qui figent à jamais ce que l'on a été.

Un animal solitaire, voilà ce qu'il était vraiment, un animal vagabondant en lisière de la société.

Il avait fui la vie de famille, évité le mariage, refusé de faire des enfants, Dieu sait si la famille Winchilsea, qui trônait au sommet de l'aristocratie britannique, aurait souhaité des rejetons de sa part ! Il n'avait eu de cesse d'échapper aux clans et aux conventions étouffantes des gens de sa caste. Il voulait aller où ses instincts le poussaient, sans rendre de comptes. Il n'était jamais plus heureux que seul dans la brousse avec ses boys. Longtemps, la compagnie de Tania en safari avait été la chose la plus merveilleuse au monde.

L'esprit de possession. Cette saleté avait fini par l'éloigner d'elle. Rien, sinon, n'aurait pu les séparer.

Cette scène pathétique à propos de la visite du prince de Galles... Elle remontait à un an, mais Denys ne pouvait y penser sans ressentir à nouveau les frissons de dégoût. L'hystérie, dans les yeux de cette femme qu'il avait adorée et qu'il ne reconnaissait plus ! Ce jour-là, Tania s'était muée en ogresse résolue à l'engloutir. La puissance stupéfiante dans ce corps menu l'avait fasciné, la théâtralité indécente qui semblait tout à la fois amuser Tania et exciter sa colère lui avait soulevé le cœur. Il avait été près de rompre.

Depuis, quelque chose s'était cadenassé en lui.

Il se demandait si la furie qu'il avait fuie existait dans la femme qu'il avait aimée. Celle d'avant les déchaînements de la jalousie.

Les yeux triangulaires. Des yeux de pharaonne. Il en était tombé amoureux à la première seconde. Elle les avait barbouillés de khôl, d'une main maladroite. Ou distraite. «Un Van Dongen», avait-il pensé. Aucune femme ne se maquillait comme ça. Les yeux lui souriaient. Elle parla. Denys la trouva irrésistible. Dans la salle de restaurant enfumée du Muthaiga, ce visage lui rappelait celui de Kitty. Catherine Bechet de Balan, une Française aux airs de gitane plus âgée que lui dont il avait été fou amoureux à dix-neuf ans, à Oxford. Kitty avait traversé le Maroc, seule, vêtue d'un caftan. Ça demandait un sacré cran, en 1900 et des poussières.

Les femmes l'intéressaient si elles éveillaient en lui la conscience d'un danger tout proche.

C'était en avril 1918, et personne ne savait quand cette guerre, qui devait être éclair, finirait. Denys allait partir pour Le Caire où il était affecté. Un copain qui attendait d'être envoyé sur le front de Mésopotamie avait organisé un dîner à quatre au Muthaiga. Bruyant, enfumé, exaspérant de tapage, le Muthaiga restait inébranlablement lui-même, alors que, dehors, la sécheresse et la famine ravageaient le pays. Pas de pluie, pas d'herbe, pas de lait pour les nourrissons. Pas de maïs, donc pas de *posho*, la bouillie de base des Kenyans. La population crevait de faim ? Le Muthaiga swinguait. Comme si les cérémonies païennes que les soldats en permission et de jeunes épouses solitaires y célébraient avaient le pouvoir de faire tomber la pluie.

Le copain avait dit : « J'ai invité une Danoise. La baronne Blixen-Finecke, épatante, tu verras… » Blixen ? Denys avait cherché dans sa mémoire… Bien sûr ! L'enthousiasme de lord Delamere pour la femme qui avait convoyé le ravitaillement des troupes à travers la réserve massaï… La femme qui domptait les lions, au fouet. Denys ne se souvenait plus de l'autre invitée.

Cette Blixen n'était pas particulièrement belle. Bien moins sexy que la plupart des créatures qui fréquentaient le club. Pourtant, il avait suffi à Denys de quelques phrases échangées pour qu'il devienne extrêmement sensible à la charge érotique que la jeune femme portait en elle. La voix, peut-être. Ou la trace du numéro de duettistes que Delamere et Bror lui avaient offert ici-même, quelques années plus tôt. Denys la savait capable d'affronter les pires dangers, yeux grands ouverts. Quand la jeune femme tourna son visage vers son voisin de table, Denys remarqua le profil hautain, le nez fin et busqué. Le profil des grands oiseaux.

Il avait diverti la compagnie en racontant ses expériences de négoce et de chasse en Somalie, ce pays extraordinaire sous la coupe d'un mullah fou. Et sa traversée du désert où il avait failli mourir de soif.

Les yeux noirs, immenses, fixés sur lui, s'étaient encore agrandis. D'un noir étrange – une pointe de violet ? – ils miroitaient. Sous le coup de la concentration, les lèvres de la jeune femme étaient entrouvertes, révélant des dents d'animal en pleine santé. Elle se projetait tout entière dans le récit de Denys. Elle le vivait, en respirait les parfums aussi intensément qu'il l'avait fait. Denys eut la certitude qu'elle avait le pouvoir d'imaginer les choses qu'il taisait. Il avait été agréablement surpris. Il était las des femmes qui se préoccupaient de l'effet qu'elles produisaient sur lui.

Les autres conquêtes n'existèrent plus. La baronne venait de siffler la fin de la compétition.

Un mois plus tard, ils chassaient le chevreuil ensemble sur les terres des Blixen. Une plume d'autruche blanche qu'elle avait piquée dans le ruban de son feutre lui donnait l'allure fringante d'un mousquetaire du roi. «Finch Hatton, si vous laissiez tomber ce "baronne" empesé? Faites-moi l'amitié de m'appeler Karen.» Le lendemain, ils déjeunaient en tête à tête à Nairobi.

Ils avaient attendu un an avant de devenir amants. Le temps que la guerre prenne fin, que Denys soit démobilisé. Souriante, elle avait prévenu: «Je ne pense pas être apte à prendre très au sérieux une relation sexuelle.» Elle avait avoué la syphilis, sans embarras, plutôt comme un défi à surmonter. Aux cajoleries, elle préférait la chasse, les ballets, les voyages auprès de quelqu'un dont elle serait amoureuse: «Au fond, je déteste être l'objet.» Elle l'avait dit, une lueur de malice dans le regard. Il lui avait prouvé qu'elle se trompait.

Très vite, aux yeux de tous, ils n'avaient fait qu'un. Dans l'imaginaire de la petite ville, ils formaient une entité indéfinissable, Finch Hatton &

la baronne Blixen, Denys & Tania. Si en public ils affichaient un délicat détachement, on pouvait sentir l'harmonie profonde qui les unissait. L'un comme l'autre avaient une personnalité si singulière que les familiarités des colons s'arrêtaient à leur porte. «Croyez-vous qu'ils soient *vraiment* amants?» demandait-on en ville. Ce voile de brouillard leur convenait, ils aimaient y dissimuler leur intimité.

«Je vous présente Denys Finch Hatton, mon ami et l'amant de ma femme.»

Bror Blixen était fair-play. Il est vrai que voir sa femme jouir des mêmes libertés que les siennes l'exonérait de ses innombrables infidélités. Denys avait appris à le connaître, il appréciait les qualités de chasseur du baron. Et le chic type. Bror était un vagabond lui aussi, à l'époque on le trouvait partout sauf à la ferme. Denys avait le champ libre.

Il sourit. Il n'y avait que cette société disparate, perdue dans une civilisation qu'elle ne comprenait pas, pour autoriser un homme à vivre ouvertement avec l'épouse d'un autre.

Aux côtés de Tania, Denys s'était senti léger, longtemps. Il l'avait éduquée, façonnée, elle était une élève merveilleusement douée. Il aimait que, derrière la réserve soigneusement calculée qu'elle affichait en public, grondent le mystère des latitudes nord, les tempêtes rageuses, les glaces qui cinglent et brûlent et, soudain, le bruit de la neige. Si doux.

Elle lui rappelait la Reine des fées de Shakespeare. L'amoureuse, la charmeuse jalouse de son pouvoir. Il lui murmurait «Titania» entre les draps, le reste du temps elle était «Tania».

La chasse les avait soudés. Si Bror avait fait de Karen un as de la gâchette, Denys pensait avoir fait d'elle une chasseuse.

Avant de le connaître, elle cédait à l'ivresse de tuer. Quarante-quatre bêtes abattues avec moins de cent cartouches et elle était aux anges!

Denys l'avait obligée à observer le rythme du monde sauvage. Il lui avait appris à libérer ses instincts domestiqués par des siècles de civilisation. Tania sut rester immobile et silencieuse tout comme les bêtes qui la guettaient, elle sut se fondre dans les couleurs du paysage et les odeurs du vent, se déplacer et s'agenouiller sans bruit.

Elle était la seule femme qu'il ait jamais accepté d'avoir à ses côtés pour chasser. Jusque-là.

Elle possédait une botte secrète qui l'enchantait. De retour au campement, fourbus, tandis que Hamissi mettait les filets d'impala à mariner et que Kamau arrangeait un feu pour faire chauffer l'eau du bain, Karen s'installait dans un fauteuil et revivait leur journée. La façon dont elle parvenait à faire vibrer les émotions de la chasse, dont elle traduisait le frémissement d'une biche ou la beauté tragique de la brousse, transportait Denys vers des cimes poétiques. Moments magiques où la femme aimée devenait la réverbération même de l'Afrique.

Mais ils n'avaient pas chassé ensemble depuis des années.

En tout point, Tania était celle qu'il lui fallait. Pourtant l'idée de l'épouser ne l'effleurait pas, sinon brièvement, dans le but de satisfaire aux conventions qui la tourmentaient. Denys évacuait la question aussitôt. Il aurait pu, quand elle avait divorcé de Bror, en 1925. Eût-il vécu en Angleterre, il lui eût passé la bague au doigt sans trop réfléchir. «Mais si tu étais resté en Angleterre, tu ne serais pas vraiment Denys Finch Hatton», murmura-t-il pour lui-même.

Il n'avait pas été dupe de la scène mémorable. Le prince de Galles et les problèmes de protocole étaient des prétextes. La vérité, c'est qu'elle lui reprochait une chose sur laquelle Denys se montrait intraitable : il refusait de la mettre au centre de sa vie.

Sait-on jamais à quel moment précis un couple commence à se désagréger ? Quel élément, fût-il infime, a enclenché le processus ? Dans leur cas, Denys n'avait aucun doute, le délitement avait commencé six ans plus tôt, quand il avait décidé de passer l'année entière à Londres. Tania lui avait télégraphié de Nairobi : «*Attends visite de Daniel.*» Daniel, le nom de code pour un enfant à venir. À quarante et un ans, Tania était enfin enceinte. La malédiction de la syphilis qui la condamnait à la stérilité était soudain levée, transgressant les diagnostics médicaux. Denys comprenait sa joie. Une vie chaude et vibrante en elle ! Néanmoins, il lui avait câblé : «*Te conseille fermement annuler visite Daniel. Partenariat impossible.*» Tania n'avait pas répondu à ses lettres inquiètes. Voué aux limbes dès l'origine, Daniel n'était jamais venu au monde.

Cela aurait pu les briser, mais ils s'en étaient remis. Ou bien l'amertume dissimulée avait-elle fait son travail ?

Rien qui alourdisse ou entrave...

Il n'était pas retourné vivre à Mbogani. Il louait une chambre chez Hugh Martin, dont la maison était devenue trop grande depuis son divorce, et passait voir Tania à la ferme. Le mot *séparation* n'avait pas été prononcé.

Depuis quelques semaines, il la sentait capable de se fiche en l'air. L'angoisse du départ l'exaspérait. Un jour, elle voulait tuer ses chiens et ses chevaux. Le lendemain, elle refusait de voir quiconque. Ses safaris en brousse – et le nombre de ses clients ne cessait de grossir – empêchaient Denys de la surveiller de près. Il avait dressé un cordon sanitaire autour d'elle avec la complicité de Gustav Mohr, de Rose Cartwright, d'Ingrid Lindström, qui abandonnaient leur ferme à tour de rôle pour la distraire de ses idées noires.

À sa dernière visite, il l'avait trouvée qui tournait dans la cour. Droite. Indomptable. Les vêtements de soie flottaient sur son corps, des angles pointaient aux épaules, aux coudes, sous la jupe. Ça l'avait bouleversé. Autour d'elle, la pelouse jonchée de meubles. Tania errait, fantomatique, au milieu d'une brocante géante, sa vie entière offerte à tous les vents. Sur le parquet du salon, Farah avait disposé avec goût les trésors accumulés au fil des ans et des voyages.

Tout devait disparaître. Tout Nairobi se précipitait.

La voracité des épouses de colons sur le Limoges, les délicats services de Chine, les tableaux, les dentelles d'une femme dont elles admiraient l'originalité, avait effaré Denys.

Elles débarquaient quelle que fût l'heure, reluquaient, soupesaient, faisant tinter le cristal contre leur oreille, puis osaient marchander. En voyant certaines d'entre elles repartir les mains vides, Denys avait compris qu'elles s'étaient imposé deux heures d'une route impraticable, dans une chaleur de bain turc, sans autre but que d'assister à la chute d'une reine.

Elles en furent pour leurs frais. Au centre de la curée aux allures de garden-party, Tania conservait une maîtrise de soi héroïque. Silhouette dressée, manières exquises. Il fallait l'œil exercé de Denys pour déceler le grain d'ironie dont elle les saupoudrait.

Il avait applaudi en silence. C'était bien le panache de son petit mousquetaire.

Les dernières visiteuses parties, Tania lui avait désigné la pelouse piétinée et les voiles de poussière que leurs voitures soulevaient en quittant la ferme. Elle eut un sanglot :

« Oh, Denys... tout aurait pu se terminer différemment... ou ne jamais finir. »

Il la serra contre lui, la berçait doucement quand elle chuchota d'un ton plus calme, posé même : « Épouse-moi, c'est la seule solution honorable. »

L'honorable Mrs Denys Finch Hatton.

Elle avait dit : « Épouse-moi », Denys entendait : « Sauve-moi. »

Sauve-moi du retour à Rungstedlund, de la prison qui se refermera sur moi, sauve-moi du vide sous mes pieds, de l'engloutissement.

Il avait lu dans ses yeux une souffrance d'une intensité dont, jusque-là, il n'avait eu aucune idée.

Tania lui demandait la seule chose qu'il ne pouvait lui donner. Il mesurait à quel point elle avait entretenu l'espoir qu'au prix d'un effort surhumain leur vie pourrait reprendre comme avant. Il comprit qu'il fallait frapper vite et fort. Comme à la chasse, face à un fauve, tout se jouait au millième de seconde. Il devait lui reprendre l'anneau d'Abyssinie. La seule « alliance » qu'il ait jamais su lui offrir. C'était une bague spéciale qui se vissait pour s'adapter à tous les doigts. Il la lui avait donnée au temps des jours heureux.

« Rends-moi la bague, Tania. »

Elle avait mis ses mains dans son dos, comme une enfant effrayée. Un gémissement sortait de sa gorge. Denys agit comme dans le bush, devant un animal à terre d'autant plus dangereux qu'on le croit dompté. Il s'était approché prudemment, puis il avait dénoué les mains fines qu'il avait forcées à s'ouvrir. La bague avait glissé d'elle-même du doigt glacé.

Il était parti avec une certitude : « Je suis un parfait salaud. »

Ses longues mains brunes serrèrent le volant, un rayon de soleil fit scintiller l'anneau glissé à son medium.

Il étouffait. Baissa la vitre de sa portière. Un vent brûlant chargé de poussière le frappa, s'engouffrant dans l'habitacle pour le chauffer à blanc. Bon sang ! À quand un engin qui évitera de rouler dans la fournaise toutes vitres baissées ? Il s'en voulut d'être aussi irritable. Il était pressé. Son temps était compté.

Il lui restait moins d'une semaine pour repérer du gibier dans la réserve massaï. Il profiterait du Gipsy Moth pour faire un saut jusqu'à Takaunga.

Takaunga, son ermitage au pied des vagues. Sa maison loin de tout, éclaboussée de blancheur, veillée par les ruines d'un village d'esclaves.

Beryl l'accompagnerait.

Beryl Markham. La beauté intrépide. Elle non plus n'avait pas peur de grand-chose. Dire qu'il la connaissait depuis qu'elle était gamine ! À l'époque, on l'appelait Beryl Clutterbuck. Il y avait des années de cela, Denys l'avait revue chez Tania. Elle portait alors le nom d'un pauvre type qu'elle rendait maboul, Purves. Puis Beryl s'était éloignée du Kenya quelques années. Il y avait six mois de cela, Denys était tombé sur elle chez lord Delamere. Cette fois, elle était affublée d'un nouveau nom et d'un énième mari. Le garçon manqué aux cheveux

189

de paille avait sacrément changé. C'est une fille sophistiquée et abondamment parfumée qui s'était jetée à son cou chez le vieux « D. ». Denys avait perçu, cachée sous l'odeur de la poudre de riz et des cosmétiques, celle du petit être sauvage qu'elle avait été. Une odeur exaspérante de terre, de sexe et d'épices mêlés. L'odeur de l'Afrique.

La Hudson arrivait en vue de la longue allée qui menait à la maison. Cette fois, la pelouse brûlée par la sécheresse était d'un calme absolu. Aucun *toto* n'y gambadait avec ses chèvres. Une immobilité étrange, de celle qui précède un tremblement de terre.

Tania se tenait debout, à l'ombre de la véranda. Elle attendait bras croisés sur sa poitrine, comme si elle tentait de réprimer des frissons bien qu'aucun souffle ne traversât la chaleur suffocante. Denys entrevit la silhouette de Farah, l'éclat doré de sa veste brodée, derrière Tania.

Combien de kilos avait-elle encore perdus ? Denys sentit sa gorge se serrer. Elle était vêtue de lin clair. Sous un large chapeau de paille, une paire d'yeux lumineux le dardait, et, dessous encore, la tache blême du petit visage abondamment poudré, barré de la ligne écarlate des lèvres.

Un Pierrot tragique.

Le tableau s'anima soudain, Tania s'avançait, son sourire d'amitié rayonnait jusqu'au fond des yeux. Elle se laissa aller contre lui de tout son poids d'enfant. Denys songea que s'il l'étreignait trop fort ses os se briseraient.

« Ça va ? fit-il, inquiet.

– Dysenterie amibienne », répondit-elle la voix lasse.

Aussi triviale qu'elle fût, la nouvelle rassurait Denys. On ne se suicide pas quand on souffre d'un truc pareil. Déjà Tania s'écartait, l'entraînait sous la véranda.

« Viens à l'intérieur. Il n'y a plus de sièges mais il reste un peu de fraîcheur. Tu vas voir, dépouillée de son tralala, cette maison a la noblesse d'un crâne ! » Elle eut une moue. « J'aurais dû l'arranger comme ça dès le départ ! »

Leurs pas et leurs voix résonnaient comme dans une cathédrale. Plus rien ne faisait obstacle à la course du vent dans les pièces béantes. *Leur* salle à manger, aux meubles d'acajou et aux rideaux de dentelle, n'était plus qu'un vaste espace dénudé. Denys jeta un regard au salon. Quelques caisses bourrées d'objets à expédier faisaient office de mobilier.

« Ton paravent français, tu l'as vendu aussi ?

– Impossible, il est ma source d'inspiration, j'y tiens trop... Non, il est en route pour Copenhague. »

Le souvenir des nuits qu'il avait passées devant le feu tandis qu'elle tissait ses contes fluides lui revint avec une acuité qui le surprit.

Tania regardait bravement par la fenêtre. On aurait dit qu'elle fixait au loin l'échafaud dressé pour elle. Denys hésita. Les circonstances vou-

laient qu'il demande : « Comment puis-je t'aider ? »
Tous deux savaient. La seule aide qu'elle attendait
de lui, il la lui refuserait. Alors, il se tut.

Seul élément encore familier, la bibliothèque
remplie des livres de Denys continuait d'occuper
un mur du salon, donnant le sentiment trompeur
qu'il allait passer à l'improviste afin d'en extraire
un de ses chers bouquins dont il ferait son compagnon dans le bush, piochant au hasard parmi
ses Proust, ses Swinburne, ses Whitman, les sept
volumes d'Anatole France, en français, et les seize
tomes de l'œuvre de Voltaire, ou sa bible minuscule. Chaque livre avait une âme et aussi un peu
de la sienne, tant il les avait lus, aimés, caressés,
nettoyés, recollés, recousus... À son départ, il avait
choisi de les laisser ici, puisqu'il n'avait nulle part
où les ranger. Il était étrange que ce meuble, dont,
pendant des années, ils avaient discuté les dimensions, le dessin, la réalisation, l'emplacement, ait
fini par arriver au moment où ils se séparaient...

Denys s'assit avec précaution sur l'une des
caisses.

« Quand embarques-tu ?

– Dans un mois, le 9 juin.

– J'aurais aimé t'accompagner à Mombassa,
mais je serai reparti en safari. J'attends un couple
d'Anglais d'ici une quinzaine.

– Ne t'inquiète pas... ça ira. »

Elle virevolta, à la recherche de son paquet de
cigarettes, qu'elle trouva sur le manteau de la cheminée. Elle inhala la fumée à fond, tête légèrement

renversée, paupières baissées, s'abandonnant. Denys aimait la voir comme ça, il avait toujours aimé la voir comme ça.

«Je survivrai, tu le sais bien...»

Elle s'interrompit pour ôter un morceau de tabac collé sur le bout de sa langue et poursuivit sur le mode désinvolte.

«Thomas est mort d'inquiétude! Le pauvre garçon a proposé de venir me chercher ici... Bien sûr, j'ai refusé, il me retrouvera à Marseille, comme prévu. Bref, la famille est aux cent coups...»

Obéissant à un mystérieux signal, Kamante fit son apparition chargé du lourd plateau de vermeil pour le rituel du thé, comme si la fatalité n'était pas en train d'accomplir son minutieux travail, comme si le faste d'antan conservait ses droits sur le royaume clos de la ferme et que ce qui devait advenir n'adviendrait jamais. Denys vit qu'un détail clochait... Le garçon ne portait plus ses gants blancs. Tania avait donc accepté d'assouplir le protocole? Il est vrai que dans cette débâcle, il n'avait plus aucun sens. Kamante posa le plateau sur une caisse et, pour la première fois, Denys le vit servir le thé sans hésitation. Le garçon, fier de son sans-faute, repartit sous le regard sévère de Farah.

Tania indiqua la cuisine où Kamante venait de disparaître:

«C'est lui qui m'inquiète... Les autres sauront se débrouiller. Mais Kamante est si étrange... si doué... C'était un enfant martyrisé... une petite chose complètement verrouillée de l'intérieur. Tu n'imagines pas ce qu'il nous a fallu de patience et de confiance pour nous comprendre… Jour après jour, je l'ai vu s'entrouvrir au monde.»

Elle eut un soupir lourd.

«Denys, qu'adviendra-t-il après mon départ, une fois qu'il sera placé chez des colons bornés ? C'est ce qui lui pend au nez, des petits colons à l'esprit étroit. Tu sais ce qu'a dit Nietzsche ? *"La nature a jeté au loin les clés, et la porte de la connaissance de nous-même est fermée…"* Je suis sûre que ces sagouins balanceront la clé qui donne accès à Kamante quelque part où personne ne pourra la retrouver.»

Denys approuva sans s'appesantir. Il avait pris sa décision: au départ de Tania il garderait un œil sur Kamante et les autres. Mais parler du sort de ses *squatters* touchait à quelque chose de trop intime et douloureux en elle. Denys avait beau aimer l'Afrique par-dessus tout, et sans doute la connaissait-il mieux que personne, il ne partageait pas l'attachement viscéral qui liait Tania à ses indigènes. Une question de sensibilité différente. Les Danois, les Scandinaves en général, n'avaient jamais possédé d'empire, ils admiraient la façon dont la société africaine fonctionnait alors que les Anglais avaient une perception coloniale des Africains.

Denys préféra s'intéresser au sort des lévriers. Les traits de Tania se détendirent aussitôt.

«J'ai trouvé de bons maîtres pour Dinah, du côté de Gilgil. Quant à David, il est mort pendant que tu étais en safari… de sa belle mort, rassure-toi! Et mon merveilleux Rouge finira ses jours chez Bob, à Naivasha. Je n'aurais pu envisager de meilleure solution pour lui, en tout cas je le garde jusqu'à mon départ... Tout est bien qui finit bien, tu vois... »

L'atmosphère de la maison parut aérienne à Denys. La belle lumière de l'après-midi faisait chatoyer les parquets polis, sous sa caresse les lambris d'acajou prenaient des reflets de miel sombre. Dépossédée de ses trésors, Mbogani chantait plus haut et plus clair, il se dit que c'était là sa manière de souhaiter une dernière fois la bienvenue à ses visiteurs et d'adoucir leur peine.

Tania demanda faiblement:

«Est-ce que je te reverrai avant que tu ne partes dans le bush?»

Il craignait que non. Il comptait prendre le Gipsy Moth dès le surlendemain pour faire un saut à Takaunga... Au mot Takaunga, le visage de Tania s'éclaira.

«Denys! Emmène-moi là-bas! C'est le remède idéal pour me changer les idées.»

Bon Dieu! Ça lui était impossible. Beryl l'accompagnerait, et bien sûr il n'était pas question de dire ça à Tania. Il était incapable d'infliger une humiliation pareille à une femme qui semblait à deux doigts de l'anéantissement.

Il mentit et n'aima pas cela.

Il lui opposa son état de faiblesse, le climat accablant de la côte est en cette saison, les conditions rudimentaires du voyage, sans compter les deux nuits sous une tente, dans la brousse. Elle balaya l'argument en riant. Voyons, ce ne serait pas la première fois qu'ils dormiraient ensemble à la belle étoile, et si Denys voulait bien se le rappeler, cela faisait partie des joies les plus intenses qu'ils aient partagées ! Il s'embrouilla, expliqua, en évitant son regard, qu'il avait absolument besoin d'emmener un domestique, pour bricoler dans la maison, l'assister dans la brousse.

« Tania, tu sais bien que le Moth ne contient que deux passagers...

– Oh, Denys ! Tu m'avais dit que tu l'avais acheté pour me faire visiter l'Afrique... C'est le moment ou jamais ! »

Elle s'interrompit. Quelque chose l'avait alertée dans le regard de Denys. Une gêne inhabituelle. Elle cligna des yeux, comme blessée par la lumière soudain trop vive. La rumeur, la sale rumeur. Elle avait refusé d'y prêter attention, mais cette saleté revenait bombarder ses tempes. Denys était amoureux, paraît-il. Ne pas souffrir. Ne rien savoir. Trop tard.

« Qui ? Qui est-ce ? » demanda-t-elle.

Elle fumait, appuyée contre le chambranle de la porte, surplombant Denys de toute sa hauteur.

« Allons, allons, Denys... nous sommes de vieux amis, à moi, tu peux le dire... Il s'agit d'une femme, n'est-ce pas ? »

Il se redressa, en condamné. Peut-être fallait-il lui dire la vérité, sans doute la lui devait-il. Ils avaient souvent joué ensemble à des jeux érotiques, s'inventant des amours imaginaires qui les ravissaient, mais cette fois ils se heurteraient à l'arête tranchante de la réalité.

Denys gardait le silence, dans le mince espoir d'éviter une scène d'anthologie. Elle lança l'attaque, égrenant le nom de jeunes femmes et ponctuant chacune de ses trouvailles d'un : « C'est elle, hein ? » Il ne bronchait pas, faisait non de la tête, l'air désolé. Vint celui de Beryl. Tania perçut-elle une hésitation dans ce « non » qui espérait se fondre dans ceux qui l'avaient précédé ? Denys vit deux yeux stupéfaits, puis la bouche ironique qui s'entrouvrait sur l'étonnement...

« Beryl ! »

Oui, Beryl. Comment pourrait-il expliquer à la femme vaincue que Beryl incarnait une liberté qui se confondait avec la splendeur de l'Afrique. Qu'elle était à la fois le danger, le sexe et la vie. La femme qui redonnerait naissance à l'homme entre deux âges qu'il était. Cette fille lui plaisait terriblement. Beryl prenait des cours de pilotage. Beryl voulait devenir chasseuse professionnelle, entraîner des chevaux de course... Beryl était le devenir.

Karen ne sut comment, mais elle réussit à rester maîtresse d'elle-même. On aurait pu la croire indifférente, s'il n'y avait eu le tremblement de la cigarette entre ses doigts, la respiration plus rapide et bruyante.

La nuit tombait, les bruits de la vie alentour avaient repris, ils se fondaient les uns dans les autres.

Leur dernier soir, leurs derniers instants ensemble à Mbogani. Dans l'obscurité naissante, Denys distinguait à peine le visage de Tania. Il la prit par les épaules et lui dit la seule chose qu'elle était en état d'entendre.

« Ne t'inquiète pas pour tes *squatters*. Aussi longtemps que je vivrai en Afrique, je veillerai sur eux. Ils viendront me voir si quelque chose ne va pas... Nous nous connaissons depuis si longtemps eux et moi, je suis un peu leur *bwana*, non ? »

Les yeux de Tania scintillaient dans l'ombre. Il devina plus qu'il ne le vit son sourire reconnaissant. Ils s'étreignirent une fois encore, mais elle n'eut pas la force d'accompagner Denys jusqu'à sa voiture.

7

Si Beryl, qui bricolait des moteurs ce matin-là sous le hangar de l'aérodrome, n'avait pas cédé à Tom Campbell Black, elle aurait embarqué comme prévu sur le Gipsy.

« Tu voles tout à l'heure avec Finch Hatton ? fit l'instructeur.

– Oui, nous partons quelques jours à Takaunga puis à Voï. Denys veut essayer quelque chose de nouveau : voir si les éléphants peuvent être repérés par avion. Tu te rends compte, si ça marche, le temps qu'on gagnera pour informer les groupes de chasseurs ? Il y a de l'argent à se faire. »

Tom opina : « C'est faisable », puis sortit du hangar. Il resta un instant immobile, face au terrain d'aviation qui ouvrait sur les plaines et la toile parfaitement bleue du ciel, puis il revint sur ses pas.

« Tu peux repousser le vol à demain ? »

Beryl fit signe au mécanicien qui écoutait le ronronnement des pistons de couper le moteur.

«Pourquoi ? La météo ?

– Non, le temps est parfait. Mais j'aimerais que tu attendes demain. S'il te plaît... Et je te rappelle que nous avons une leçon de pilotage prévue cet après-midi.»

Sous le calme, sa voix, l'expression de son regard contenaient un appel impérieux qui n'était pas dans les habitudes de Tom.

«OK, puisque tu y tiens. Mais je ne vois pas pourquoi.

– Moi non plus. Mais c'est comme ça.»

Beryl expliqua à Denys qu'elle avait oublié sa leçon de pilotage avec Tom. Il décida de partir sans elle. Il lui était impossible de repousser leur escapade d'une seule journée.

Kamau fut commis d'office pour remplacer Beryl. Le domestique kikuyu trembla de la tête aux pieds, comme toujours, devant l'oiseau jaune.

Il arrive que la force du destin se nourrisse d'une succession de faits et de contretemps microscopiques, lesquels finissent par tisser un dessein occulte qui prend la forme d'un enchaînement logique et implacable.

Denys s'attarda plus longtemps que prévu dans sa maison de Takaunga, au sud de Mombassa.

Au moment de décoller, l'hélice du Gipsy Moth heurta un bloc de corail. Ça n'empêcha pas Denys d'atterrir sans problème à Voï. Il télégraphia à Tom

Campbell de lui envoyer une hélice. Tom fit partir la pièce de rechange accompagnée d'un mécanicien. L'avion réparé, Denys survola la réserve et repéra un troupeau d'éléphants. Mais il était trop tard pour rejoindre Nairobi avant la nuit. Il dormit à Voï, chez les Cole.

Beryl avait son opinion sur Voï: «On dit que c'est une ville, c'est seulement un nom sous un toit de tôle!» Il y avait si peu de distractions dans ce trou, que les Cole improvisèrent une soirée autour de Denys. Des voisins rappliquèrent, ainsi que J.A. Hunter. Avec Finch Hatton, ils avaient été les premiers chasseurs blancs à ouvrir la route des Massaïs.

Le lendemain matin, une petite foule d'amis se réunit pour assister au décollage. Le Gipsy Moth était un spectacle à lui seul. D'un jaune étincelant, il se détachait comme un gros bourdon sur le fond sombre des collines de granit. Il scintillait telle une promesse de plaisir. Tandis que Denys chargeait un cageot d'oranges – il adorait les oranges – dans le cockpit, Kamau se glissa à l'avant. Denys, casqué de cuir, solaire, s'installa aux commandes.

L'avion s'éleva en ronronnant sous les hourras et les *cheerios*.

Il monta doucement vers des hauteurs inaccessibles. Tout alla très vite. Au sol les rires s'étranglèrent. L'appareil fut pris de hoquets, il vacilla, puis piqua derrière les collines.

Hunter montait dans son véhicule de chasse quand il vit des flammes, puis des nuages noirs obscurcir le ciel, de l'autre côté de l'aérodrome, où trois oranges roulaient hors du brasier, entièrement calcinées.

Ce fut le tout premier d'une série de trente-neuf crashs à Voï.

Si le trafic aérien dans la région avait été moins balbutiant et la science aéronautique plus performante, on aurait su qu'à l'emplacement de l'aérodrome de Voï, les collines abritaient des colonnes d'air extrêmement instables. En ce matin du jeudi 14 mai 1931, étaient-elles plus perturbées que la veille, date initialement prévue par Denys pour quitter Voï ? Nul ne le sait.

8

La Hudson disparut dans un virage de l'allée. L'idée ne lui traversa pas l'esprit qu'elle voyait Denys pour la toute dernière fois.

Karen pensa seulement : jamais plus.

Jamais plus sa voiture remontant l'allée.

Jamais plus sa longue silhouette sur le seuil de la véranda.

Jamais plus ses chapeaux accrochés à la patère...

Jamais plus les notes mélancoliques d'un concerto pour clarinette sous l'aiguille émoussée du Gramophone. Les départs dans le soir bleu pâle pour chasser la perdrix, les chiens bondissant dans leurs jambes, Kamau et Hamissi sur leurs pas, portant les fusils. Terminée, la complicité de leurs discussions à propos de l'univers, de la poésie ou de n'importe quelle idée leur passant par la tête, et leurs joutes verbales dans les crépuscules violets du Ngong.

Jamais plus Takaunga, leurs balades pieds dans l'eau, pantalons retroussés sur les chevilles, main dans la main; jamais plus Denys ramassant un coquillage, leurs têtes se touchant pour y lire, souffles mêlés, la trace nacrée des océans parcourus.

Denys ne lui laissait que la douleur. Aiguë. Insupportable.

Le savoir avec une autre. L'imaginer avec l'Autre.

Karen se demanda s'il y avait un mot pour dire ce qui n'existait plus. Ex-amant? Ex-âme sœur? À l'avenir, ils se retrouveraient dans des lieux inconnus, et ils bavarderaient comme de vieux amis. Parfois, au détour d'une conversation, d'une phrase prononcée d'une même voix, ce qui les ferait rire, leur intimité ancienne surgirait, telle une petite flamme. Elle tremblerait entre eux quelques secondes et s'éteindrait doucement, les laissant confus, vaguement nostalgiques, puis ils redeviendraient des étrangers bienveillants l'un pour l'autre.

La nuit approchait, infranchissable. «Farah, tu voudrais bien que Sofe dorme avec moi cette nuit?» Le dernier-né de Farah lui servait d'épouvantail contre les cauchemars. Tumbo n'avait plus l'âge des câlins réparateurs, mais Sofe était encore une boule de joie de vivre, ses mimiques arrachaient à Karen ses derniers rires. Tout était rond et gai en lui. La bouille, le ventre, les yeux, les fesses grassouillettes. Il fut englouti par le grand lit blanc, au centre de la chambre vide. Elle se blottit contre lui et commença à lui raconter une histoire, l'histoire des grenouilles qui vivaient heureuses en liberté, mais qui voulaient absolument que Dieu leur envoie un roi. À peine entamait-elle le premier vœu des grenouilles, que Sofe dormait déjà, suçotant son pouce, le front couvert de fines gouttes de sueur. Elle continua pourtant, car raconter lui permettait de rester en vie, elle raconta, jusqu'à la sentence du Dieu, furieux d'avoir été dérangé : « Celui qui jouit de la liberté doit la protéger et éviter de faire des vœux stupides. »

Le silence recouvrait la maison. Au milieu de la nuit, une pluie violente tambourina contre le toit. La pluie, enfin ! La pluie consolante. Karen l'écouta ruisseler jusqu'à l'aube.

Demain, l'Afrique exploserait de couleurs et d'odeurs délicates, le *shamba* tout entier serait en fleurs. Demain, la pelouse plus sèche qu'un paillasson étendrait son épais tapis couleur émeraude, les chèvres viendraient y brouter à nouveau. Demain n'avait plus d'importance.

Quant elle ouvrit les yeux, Sofe dormait et demain était là. Pourquoi se lever ? Pourquoi fallait-il choisir la vie ? Le cœur lui manqua devant la longue journée, le vide à traverser, les ruses pour rester vivante jusqu'au soir.

Soudain, elle sentit que quelque chose n'était plus à sa place, en elle. Le sentiment d'insécurité que lui inspirait l'avenir s'était volatilisé. Elle comprit qu'elle n'avait plus à avoir peur puisqu'elle avait déjà tout perdu. Y avait-il une chose qu'elle puisse encore perdre ? Absolument aucune. Y avait-il encore une chose qu'elle puisse désirer ? Absolument aucune.

Les mauvaises nouvelles ont des ailes. La mort de Denys atteignit Nairobi instantanément. Le téléphone d'abord, puis le train de Voï dont, à chaque station, un passager descendait et propageait le sinistre message. *Bedâr* est mort.

Mbogani n'avait ni téléphone ni gare voisine.

Ce jeudi 14 mai, Karen partit régler des affaires dans la capitale. Elle avançait en somnambule, comme si le monde marchait sans elle. Elle s'approcha des Warwick pour les saluer, ils firent démarrer leur automobile et déguerpirent. L'épicier écossais sursauta quand elle pénétra dans sa boutique. Le policeman du grand carrefour, qui ne manquait jamais de lui sourire, détourna la tête. C'était étrange. Elle misa sur le déjeuner chez Lucy MacMillan pour dissiper son malaise. Là encore, malgré la dizaine de vieux amis réunis, la conversation semblait frappée de paralysie. Jusqu'à son voisin de droite, le délicieux Charles Bulpett, d'ordinaire volubile à propos de sa liaison de jeunesse avec la Belle Otero. Dans ses mémoires, la courtisane assurait que son amant avait dépensé pour elle cent mille livres en six mois... mais qu'il en avait eu pour son argent ! D'ordinaire, Bulpett confirmait d'un hochement de tête appréciateur ; c'était simple, une allusion et il démarrait. Eh bien, le cher vieux semblait avoir perdu la mémoire quand Karen le taquina dans l'espoir d'alléger l'atmosphère. Qu'avaient-ils, tous ?

Le déjeuner de plomb s'éternisait. Deux heures ! Personne ne semblait vouloir quitter la table. Enfin, Lucy MacMillan lui fit un signe et l'entraîna jusqu'au petit salon, dont elle referma la porte sur elles avec une lenteur qui intrigua Karen.

Lucy était veuve depuis six ans, mais il lui arrivait encore de ressentir les attaques du chagrin. Avec William, son époux, ils avaient navigué tant et plus sur le Nil, l'Afrique avait été la grande aventure de leur vie. Une vie de milliardaires audacieux et heureux. Ils s'étaient offert leur vaste demeure avec l'argent de Denys, quand en 1913 celui-ci avait acheté leur propriété de Grandparks, avant de la revendre. À Nairobi, tout était dans tout. Les colons étroitement liés entre eux constituaient une grande famille disparate, parfois incestueuse. Tout le monde y était plus ou moins l'ex de quelqu'un. Les membres de la famille regrettaient que Denys ait rompu avec Tania, même si à leurs yeux ils restaient indissolublement soudés. Quant à Beryl, ils avaient fait sauter cette mangeuse d'hommes sur leurs genoux quand elle était gamine, elle avait droit à leur indulgence.

À cet instant précis, le souci de Lucy MacMillan consistait à trouver la meilleure manière d'asséner la nouvelle à Tania. Lui faire mal très vite et après plus jamais ? Karen se demanda pourquoi Lucy faisait cette tête épouvantable. Mais dès qu'elle entendit «Denys...», elle sut. Le soleil s'éteignit et le plancher se mit à tanguer sous ses pieds. Elle n'allait pas pleurer. S'effondrer. Pas ici. Lucy l'obligea à s'asseoir dans le fauteuil le plus proche, Karen se releva, insistant pour aller à Voï, sur-le-champ. Comme s'il restait la moindre chance d'inverser le cours des choses. Comme si plonger son regard dans les décombres suffirait à ressusciter Denys! Et si ce n'était pas lui, là-bas, dans le chaos de ferraille?

Les convives s'empressaient, secrètement soulagés que Lucy ait eu le courage de porter le coup fatal à leur place. Chacun offrait son aide, à sa manière. Les voix se mêlaient. «Je suis tellement navré, Tania.» Elle sentit qu'on prenait ses mains, qu'on y déposait un baiser. Une autre dit: «Il est impossible de rallier Voï par la route, les pluies torrentielles ont coupé les voies de communication, j'ai appelé l'Automobile club, ils confirment.» Karen n'avait qu'une conscience vague de ce qu'on lui disait. On se bousculait à présent dans le petit salon qui n'avait jamais semblé aussi exigu. Hugh Martin apparut, son visage de bouddha habituellement souriant, défait. Il annonça que Hunter avait assisté à l'accident: «Il annule son safari pour rapatrier les corps de Denys et de Kamau par le train, cette nuit même. Le convoi arrivera à Nairobi demain matin.»

Kamau? À travers l'épais brouillard qui amortissait ses émotions, Karen entrevit un scintillement. Denys avait volé seul. Comme toujours. Denys avait renoncé à emmener Beryl dans sa maison. Takaunga resterait leur refuge inviolé.

Comment était-elle retournée à la ferme ? Elle n'en avait pas la moindre idée, mais elle se retrouva agrippée au bras de Farah. Son seul ami, désormais. Il la soutenait pour l'aider à franchir la volée de marches de la véranda. Kamante, Juma, Ali, Abdullaï et le petit Titi leur faisaient une haie sombre ; sur la pelouse, la foule muette des vieillards. Karen sentait leurs regards graves qui l'enveloppaient comme un linceul. Le silence absolu. Ne pas pleurer. Ils ne l'avaient jamais vue pleurer. Ils n'avaient certainement jamais vu de femme blanche pleurer. Gustav était arrivé de Rongaï. Dès qu'il avait su, il avait pris la route malgré le déluge. Il tournait sur la terrasse, géant encombré de lui-même, malheureux, essayant de rassembler ses idées, d'être utile. Où ? Où enterrer Denys ? Karen dirigea son regard vers le Ngong : « Là-haut, tout là-haut », dit-elle.

Elle avait découvert cet endroit avec Denys, un jour de pique-nique. Ils disaient : « Allons voir nos tombes ! » et enfourchaient leurs montures. Ils chevauchaient vers leurs sépultures dans les montagnes tels deux enfants qui joueraient avec l'idée de leur immortalité.

Il s'agissait d'une terrasse naturelle surplombant la vallée. De là, le regard embrassait le mont Kenya et la silhouette argentée du Kilimandjaro. À l'est, dans le fouillis de verdure d'un bois, on voyait pointer les toits rouges de Mbogani. Une fois arrivé, on était si haut que Karen assurait sentir le déplacement de la Terre dans l'espace. Les buffles et les élans du Cap y avançaient en équilibre et les aigles volaient dans un air qui avait la clarté d'un verre d'eau. Denys reposerait dans cet endroit immensément vaste et libre.

« Nous irons creuser la tombe dès l'aube », dit-elle.

La pluie à verse. La boue. Le bruit de succion des bottes en caoutchouc dans la bouillasse, dans les ornières remplies d'eau, dans cette première aube de la saison des pluies. Ils avançaient dans les nuages, nul paysage autour d'eux, seulement l'obscurité qui se refermait sur leurs silhouettes ruisselantes. Les sentiers boueux grimpaient, eux trébuchaient, dérapaient, se relevaient crottés, recommençaient. Le camion et les ouvriers armés de pelles avaient disparu de leur vue. Ce fut au tour de Gustav de s'évaporer. Karen entendit sa voix qui l'appelait. Si elle avait pu discerner quelque chose, elle aurait vu ses ongles bleuir de froid. Soudain, Gustav se dressa devant elle, titan dégoulinant, aveuglé par la pluie.

« Tania, nous tournons depuis plus d'une heure... si nous ne trouvons pas très vite, nous n'aurons jamais fini de creuser à temps. »

Ils s'assirent dans l'herbe trempée, pour fumer.

« Attendons une trouée de lumière, dit-elle, je ne peux même pas vous dire où nous sommes... Attendons... Denys ne va tout de même pas passer son éternité devant des montagnes qui lui boucheront la vue! »

Ils attendirent en silence. Ils pensaient à Denys. À son amour de la liberté. À cette façon atroce de disparaître. Dans l'horreur de la chair qui brûle. Ça, Karen ne le supportait pas. Pas cette image. Obstinément, elle fixait le bout de ses pieds, qu'elle ne voyait pas. Elle froissait et défroissait machinalement son paquet de cigarettes. Gustav se mit à parler, beaucoup, doucement, pour amortir son propre chagrin, pour faire barrage au désespoir trop proche de la femme assise, raide et tremblante, à côté de lui. Karen écoutait, sans rien dire.

« Ils sont morts sur le coup. Leurs corps se sont disloqués au moment du choc au sol. Soyez sûre d'une chose, Tania, Denys n'a rien senti, rien vu. »

Disloqués. À quel point ? se demandait-elle. Que contiendra exactement le cercueil ? Des bouts d'os, de la poussière. L'anneau d'Abyssinie ? Denys ne le quittait plus depuis qu'il le lui avait repris. Une idée la tracassait: est-ce qu'à Voï on aurait mélangé les restes des deux corps ?

Elle s'efforça de repousser les images qui bataillaient derrière son front. Raisonnait sa douleur. Denys n'aurait pas accepté de vieillir, de décliner... Cette mort lui ressemblait! Glorieuse. Fauché dans les airs, dans la joie. Mais pourquoi hier ? Il affrontait le danger depuis tellement longtemps...

Décidément, le destin prenait son temps pour donner ses ordres.

211

Le destin, justement. Elle donna à Gustav des instructions précises pour le cas où elle viendrait à mourir ici. D'abord, s'assurer qu'elle ne serait pas enterrée vivante. Elle voulait sa tombe dans les collines, aux côtés de Denys, sans fioritures ni pierre tombale. Au cas où sa famille insisterait pour en poser une, ce serait une pierre plate à fleur de terre, avec une seule inscription, « TANIA BLIXEN ».

Gustav écoutait, répondait, rassurant : « Vous pouvez compter sur moi. »

La pluie assourdissante commença à faiblir, la lumière du matin se levait. Des rayons obliques tombèrent du ciel, dévoilant le mont Kenya et, tout en bas, luisants comme une braise, les toits de Mbogani. Ce n'était pas l'endroit que Karen avait en tête, qui était plus en altitude, mais puisque le destin, encore lui, désignait ce lieu... Les ouvriers creusèrent. Pelletée après pelletée, ils firent une place à l'homme qui aimait l'Afrique, l'homme qui mieux que n'importe quel Blanc en connaissait les saisons, les odeurs et les vents, et percevait les variations du temps, des animaux, des nuages et des étoiles.

Des voitures couvertes de boue arrivaient du nord du pays. Une longue colonne de Somalis montait lentement le flanc de la montagne. Leurs têtes enveloppées d'un châle en signe de deuil. Des compagnons de chasse de Denys, Karen ne les connaissait pas. Et les amis de Nairobi. Beryl était parmi eux, livide. Karen leur envoya un guide pour les conduire jusqu'au petit point perdu au milieu de la jungle de taillis, qu'elle formait avec Gustav et les ouvriers. Le convoi arriva, il s'embourba avant la dernière montée. Des hommes qu'elle n'avait jamais vus en descendirent et continuèrent le chemin à pied, ajustant sur leurs épaules le cercueil recouvert du drapeau britannique.

Veuve. Ainsi, elle était veuve. Elle endossa son rôle dans une solitude totale. Le regard fixe. Si quelqu'un avait fouillé ce regard, il aurait pu voir quelque chose, tout au fond, qui se débattait, hurlait, mais personne n'osa le croiser de peur d'y lire une détresse insoutenable. Son esprit s'évada de la liturgie un peu longue du prêtre, tous ses sens concentrés sur les murmures de la nature. Elle s'accrocha à l'idée réconfortante que les montagnes comprenaient ce que leur petit groupe d'humains détrempés s'efforçait d'accomplir. Une fois le cercueil à sa place dans la tombe fraîchement creusée, il lui sembla que le pays se refermait sur Denys comme un écrin.

Une équation impossible à résoudre tourna dans sa tête toute la nuit : Est-il plus douloureux de perdre l'homme que vous adorez parce qu'il vous quitte pour une autre, ou parce qu'il meurt ?

De ce strict point de vue, le sort la comblait.

Elle refusa de quitter l'Afrique tant que l'avenir de ses *squatters* ne serait pas réglé.

Il lui restait à…

Mettre aux enchères ses derniers biens. Des bricoles, en vérité, mais s'en défaire lui coûta. Elles partirent à moins de la moitié de leur valeur. Pas de quoi rembourser ses dettes !

Empaqueter les livres de Denys, sans se risquer à les feuilleter.

Recommencer à frapper aux portes de la District Commission, du service des Affaires indigènes et plaider auprès d'eux que ses Kikuyus devaient être réunis sur la même parcelle, avec leur bétail. Les chasser des terres où ils étaient nés, c'était les condamner à l'exil, mais si on leur accordait la possibilité de vivre entourés des gens qu'ils connaissaient depuis toujours et qui confirmeraient leur existence, le préjudice serait moindre.

Répondre aux indigènes qui l'arrêtaient et demandaient : « Pourquoi veux-tu partir ? » que le destin en avait décidé ainsi. Les Noirs avaient une confiance mystérieuse dans le destin.

Ne pas écouter Farah qui soupirait : « Cela aurait été moins dur si *Bedâr* avait été là quand tu seras partie. »

Acheter à la *dukha* du village un mètre de cotonnade blanche et fabriquer un auvent qu'elle planterait sur trois piquets au-dessus de la tombe de Denys. La sépulture serait visible depuis la ferme. Le soir, Karen grimperait sur le toit et laisserait ses pensées s'envoler vers le calicot dans les montagnes.

Semaines cauchemardesques, qu'elle traversa hors d'elle-même, avec la curieuse impression d'être un animal de cirque qui exécute son numéro mécaniquement.

Puis la lettre du gouverneur arriva. Il accédait à sa requête. Une partie de la réserve de Dagoretti, en territoire kikuyu, serait affectée à ses cent cinquante-trois familles de *squatters* et leurs trois mille bêtes.

Ici, la pluie chassait la sécheresse et redonnait sa splendeur à la forêt en une seule nuit. De même, en quelques secondes la décision du gouverneur emporta au loin le voile de honte et d'inquiétude qui planait sur les huttes.

Cette victoire inattendue et sans conditions, Karen la devait à la mort de Denys, elle n'en doutait pas. C'était là le dernier hommage de la communauté blanche à un homme dont tous ne partageaient pas les valeurs, parce qu'elles appartenaient à une époque trop lointaine, trop sophistiquée pour eux, mais dont la noblesse méritait d'être saluée. Peut-être, aussi, le gouverneur avait-il estimé qu'elle en avait assez enduré.

Ingrid Lindström, venue de Njoro pour épauler Karen, siffla d'admiration : « C'est une sacrée concession qu'il te fait là ! Un peu comme si la reine Victoria offrait le Kilimandjaro au Kaiser Guillaume ! »

Karen préférait y voir le sourire d'adieu que l'Afrique lui adressait.

Sa mission était arrivée à son terme. Elle se sentit inutile.

Un soir, elle prit sa voiture sans but précis. Le véhicule la conduisit à la ferme des Holmberg.

Émile et Olga. Ils l'accueillirent avec précaution, comme une grande malade, ou une très vieille femme prête à se disloquer, lui sembla-t-il. Elle toucha à peine à son dîner puis se retira dans la chambre qu'Olga lui avait préparée à la hâte.

Allongée sur le lit étroit, dans la petite pièce aux lambris clairs qui avait été une chambre d'enfant, la pensée du suicide, qui l'accompagnait depuis des mois, revint battre ses tempes. Quelle vie espérer après ces dix-sept années de démesure ? Elle qui ne savait rien faire, de quoi vivrait-elle ? L'existence bourgeoise, légèrement rance, de Rungstedlund, l'aimable torpeur des conversations avec tante Besse, Mme Funch ou la comtesse Ahlefeldt, qui l'attendaient là-bas, l'horrifiait.

Que pouvait exiger une femme de quarante-six ans qui allait vivre aux crochets de sa famille ?

Le plus raisonnable était de mourir. Karen passa en revue les différentes méthodes de suicide. S'empoisonner ? Elle avait pris assez de poisons sur ordonnance comme ça ! La pendaison ? Comme son père ? Dégradant. Se défenestrer ? Aucun immeuble n'était assez haut pour se faire du mal, à Nairobi. Se trancher les veines ? Simple et propre. Elle se soumettrait à la mort, et la mort l'accueillerait tandis que son sang s'écoulerait d'elle doucement.

Karen chercha de quoi écrire dans le tiroir de la table de nuit et griffonna un mot de sa haute écriture orgueilleuse, plus heurtée et précipitée qu'à son habitude, sans souci de la ponctuation.

Ce n'est pas correct, je le sais, de venir chez vous pour m'y comporter comme ça mais je ne peux pas faire autrement. J'ai essayé de continuer mais je n'y arrive pas. S'il vous plaît ramenez-moi aux Ngong Hills. Gustav Mohr sait exactement ce que je souhaite. S'il vous plaît pardonnez-moi
Tania Blixen

Le vieux coupe-chou d'Émile, dans la salle de bains, ferait l'affaire. Elle le déplia, appuya le tranchant de la lame sur la chair fine de son poignet. Une timide entaille, pour voir. Indolore. Trois gouttes de sang vermillon affleurèrent, qu'elle regarda s'épanouir, fascinée. Alors, revenant de loin, remontant le brouillard des derniers mois dans un grondement d'abord ténu, puis résolu, la lucidité lui revint au galop. Elle n'était pas prête. Une part d'elle-même restait vivante et s'indignait.

Tout à fait maîtresse d'elle-même à présent, elle considéra l'entaille. Dans le dispensaire de sa ferme, elle avait soigné assez de postérieurs d'enfants blessés par de méchants coups de patte d'autruche ou de fouet appliqués avec un peu trop d'enthousiasme, assez de brûlures et de déchirures, pour n'avoir aucun doute : le rasoir d'Émile n'avait pas touché les veines. Elle enroula un mouchoir autour de son poignet et serra. Trois coquelicots se formèrent sur la batiste blanche.

De retour dans la chambre, Karen s'allongea et les battements sourds de son cœur emplirent la petite pièce.

Elle allait continuer. Elle ignorait comment, mais elle ferait l'effort de la vivre, cette fichue vie.

Au matin, Olga l'attendait sur la terrasse avec un copieux petit déjeuner. Elle vit les coquelicots autour du poignet fin, et posa sa main sur celle de Karen, la serra en souriant pour lui transmettre un peu de réconfort. À quoi bon parler ? Karen était en état de conduire, elle reprit le chemin de la ferme, sans savoir où son existence la mènerait.

Elle fit seller Rouge. Une dernière fois, ils foulèrent la route de Ngong et chevauchèrent jusqu'à Nairobi. Ils prirent leur temps, flânèrent le long de la rivière. Dans l'eau brunâtre, Karen vit le reflet mouvant de leurs têtes l'une contre l'autre, et lui chuchota à l'oreille : « Puisses-tu, dans une vallée ombragée, brouter les œillets à ta droite et les giroflées à ta gauche. » Elle attendit que Rouge la bénisse, elle ne le quitterait pas sans sa bénédiction. Le bel alezan s'exécuta de bonne grâce, dans un éternuement. À la gare, une fois encore et à jamais, le bout de son nez soyeux dans le creux de ses mains, puis fourré dans son cou. La porte du wagon à bestiaux se referma dans un bruit de ferraille. Son cheval préféré. Il serait heureux, là-bas, à Naivasha, tant de nouvelles prairies à découvrir…

Elle expédia les vingt-cinq caisses qui contenaient sa vie entière.

On la vit souvent au Muthaiga, où elle restait assise dans le fauteuil de Denys, pensive, sans que personne songeât à la déranger.

Le jour du départ, Gustav vint la chercher pour la conduire à la gare. Il était terriblement pâle et Karen se souvint de la réflexion que lui avait faite un vieux capitaine bourlingueur : « Les Norvégiens restent imperturbables dans n'importe quelle tempête, mais leur système nerveux ne supporte pas le calme plat. »

Elle se mit sur son trente et un pour sa sortie de scène. Puis elle dit adieu à chacun de ses domestiques et quitta la maison vide. Ils désobéirent à ses consignes, laissant toutes les portes ouvertes derrière elle. Afin qu'elle puisse revenir un jour.

Elle fut surprise, sur le quai de la gare, par la foule des amis. Lucy MacMillan essayait de garder contenance, lord Delamere paraissait ému. Karen remarqua sa coupe courte et se rappela sa crinière blanche flottant sur ses épaules du temps où elle lui avait convoyé du ravitaillement à travers la réserve massaï. Hugh Martin la prit dans ses bras, mais il avait laissé son sourire dans la tombe de Denys. Ingrid Lindström, Rose Cartwright, ils étaient tous là. Et les Somalis de Nairobi. Un marchand de bestiaux s'approcha d'elle, il lui remit une bague ornée d'une turquoise, pour la bonne chance. Karen la passa à son doigt et lui promit qu'elle ne la quitterait plus.

Farah l'accompagnerait jusqu'à Mombassa, ainsi que Juma et Tumbo. Le train s'ébranla. De la plateforme, elle pouvait embrasser du regard la vague des mains agitées en au revoir. Elle réussit à garder les yeux secs et même à sourire. Soudain,

Gustav se détacha du groupe et se mit à courir après le train. Il lui prit la main et la garda dans la sienne, la serrant de ses forces monumentales pour lui insuffler du courage, mais la vitesse du train l'obligea à lâcher prise.

Elle s'assit enfin, jambes coupées. Lourde. En baissant les yeux, elle vit qu'elle avait enfilé un vieux cardigan troué aux manches.

TROISIÈME PARTIE

PERSONA

Danemark 1931

1

Elle ne vit d'abord rien. Le soleil éclaboussait le pare-brise. Puis elle distingua une femme en noir. Dressée dans le vent sur le perron de la maison, Ingeborg l'attendait. Une mèche avait glissé de son chignon. Ingeborg se faisait un souci monstre, ça lui sauta aux yeux malgré l'éblouissement. Karen sentit sa gorge de serrer. Derrière sa mère, elle aperçut deux silhouettes, sombres elles aussi.

Les Westenholz ? *Vraiment* ? Ces vieilles corneilles seraient venues assister à sa reddition ? Ou lui présenter leurs condoléances ? Tante Bess, oncle Aage... Ils n'allaient pas lui faire ça ! N'importe qui doué de bon sens savait que toute parole était superflue devant un désastre de cette amplitude. Un désastre dont elle les tenait pour responsables. Elle n'en serait pas là s'ils ne l'avaient pas lâchée, c'était ça la réalité.

Comme Thomas manœuvrait la voiture au plus près du perron, Karen poussa un soupir de soulagement. L'une des deux silhouettes était celle de la vieille Malla, toujours plus tassée. Et celle, en sifflet, d'Alfred. Ils paraissaient tellement plus âgés qu'à son dernier séjour ! Mais elle-même… à quoi ressemblait-elle, à présent ? À rien. Et ça n'avait plus aucune importance.

Elle aurait juré entendre le bruit mat de dés jetés sur un tapis. Là-haut, un petit dieu retors réglait son cas. Les jeux étaient faits. Ceux-là mêmes qui l'avaient vue partir pour l'Afrique la verraient poser le pied dans la cour d'une maison qu'elle avait mis toute son énergie à fuir. Ramenée par le col à son point de départ. Tel était le sort des petites fugueuses trop fières. Petite fugueuse. Alors qu'elle était sans âge. Droite, décharnée, les tripes retournées à l'idée de revenir ici.

L'expression de son frère quand il l'avait vue descendre la passerelle du *Mantola*, à Marseille ! Épouvanté par sa maigreur. Elle s'était vêtue chic au possible, pas de chandail troué aux manches cette fois, mais Thomas n'avait vu que ses bas : « Mon Dieu ! Ils pendent comme des anguilles… » Il l'avait conduite chez une corsetière pour vite acheter des jarretelles neuves. En vingt minutes, l'affaire était réglée. À Nairobi, cela aurait pris des semaines. L'épisode l'avait mise dans un léger état d'euphorie. Une brève étincelle, avant de retourner à son apathie.

Comme la Ford pilait devant le comité d'accueil, Thomas murmura : « Terminus… Ça va

224

aller, Tanne ?» Elle rassembla ses forces pour faire bonne figure mais, au moment d'ouvrir la portière, elle fut incapable de faire un geste. L'évanouissement la guettait. Elle ferma les yeux pour repousser le vertige. Une sueur acide coulait sur ses paupières, ses joues, s'infiltrait le long de son cou... Quelqu'un dit :

« Ma chérie, sors de là... Tu dois être épuisée... »

La voix de sa mère eut sur elle un effet magique et tout son être sur le point de se disloquer retrouva son unité. Restait l'immense fatigue.

Karen réussit à s'extraire du véhicule, résignée au spectacle qui l'attendait. En effet, tout était à sa place. L'épais manteau de lierre courait le long de la haute façade. Les rosiers sur leurs treillages s'offraient aux derniers rayons de l'été. La lourde maison de maître respirait l'aisance, le bon goût et la gestion de bon aloi d'Ingeborg. Comme toujours.

Alfred se saisit des bagages, se contentant de lui adresser un bref salut de la tête. Il l'avait connue gamine et suffisamment bien pour deviner qu'au moindre geste de compassion elle s'effondrerait. Ou se rebifferait. Il préféra grommeler :

« Au moins, c'est monsieur Thomas qui a pris le volant... »

Exactement ce que Karen craignait. Le retour définitif à la taille enfant. À la petite Tanne. Son passé flamboyant réduit à rien.

Alfred avait été le cocher de la famille, puis son chauffeur à l'apparition des automobiles. Il avait appris à conduire aux cinq enfants Dinesen et Karen l'avait toujours entendu pester contre la façon houleuse dont elle roulait. La vieille blague. Comme si, depuis, elle n'avait pas affronté les pistes africaines défoncées par les pluies tropicales, ni bandé d'arcs, ni conduit des expéditions dans la brousse. Comme si elle n'avait jamais été « Sa Majesté d'Europe », un titre spontanément décerné par ses *squatters*.

Karen se ressaisit. Alfred ronchonne pour te montrer son affection, rien de plus. Mieux valait le taquiner :

« Cher vieil Alfie ! Je me demande ce que j'ai le plus regretté : tes grincements ou les coulis frisquets sous les portes de Rungstedlund ? »

Elle voulut le débarrasser d'une valise qu'il soulevait avec difficulté mais elle était si lourde qu'elle échappa à ses mains gantées.

« Je préférerais que tu te ménages, laisse donc Thomas s'occuper des bagages. Et quand les caisses arriveront de Nairobi, je t'interdis d'en soulever une seule. Tu promets ? »

Sur le pas de la porte, Malla attendait son dû, les bras tremblants. Elle devait bien avoir quatre-vingt-dix ans. Infiniment plus ? s'interrogea Karen. Malla avait cent ans déjà, quand elle la voyait à travers ses yeux d'enfant. Sa nurse. Son visage réconfortant de babouchka. Karen serra le petit corps contre elle. Malla avait été sa plus sûre alliée contre la peur quand son père avait disparu sans prévenir. Quand le ciel étoilé devint vertigineusement vide.

Elle s'était faite belle. Robe noire boutonnée jusqu'au cou, tablier blanc et bonnet de dentelle, comme aux temps où elle était chargée du troupeau des petits Dinesen. Cinq gamins turbulents, un simple tourbillon pour sa poigne de fer.

Elle gloussa. Chacun revenait prendre sa place dans la grande maison. Comme avant. Depuis quelque temps, l'âge brouillait la raison de Malla, la ramenait obstinément à l'enfance, aux jours heureux. Deux mots s'étaient faufilés entre les trous de sa mémoire. « Tanne revient ! » La jeune fille fantasque rentrait à la maison. Rungstedlund allait retrouver sa gaieté. Mais Malla dévisageait la femme grande et maigre qui l'entourait de ses bras. Qui était-ce ? Et pourquoi l'appelait-on Tanne ? Et Tanne, quand arriverait-elle ? Son attention allait de Thomas à Ingeborg ; elle s'agitait, ouvrait un regard effrayé sur les yeux outrageusement maquillés qui lui souriaient. Au comble du désarroi, elle laissa faire Thomas qui la détachait de l'étrangère et l'entraînait avec douceur vers les dépendances, là où les domestiques qui avaient bien servi la famille terminaient leur vie. Karen ne vit plus qu'un dos voûté, une silhouette lasse appuyée à celle, haute et nonchalante, de Tommy.

Karen se tourna vers sa mère, troublée. Loin de partager son inquiétude, Ingeborg était radieuse. Le bonheur de revoir sa fille ! En vie ! Le hasard lui avait fait ouvrir une lettre que Tanne avait écrite à son frère. Idées suicidaires, désespoir...

Elle effleura la joue poudrée, et ce simple contact précipita Karen contre elle.

« Oh, maman ! Je n'existe plus… Une partie de moi est enfouie là-bas, dans les montagnes, avec Denys. »

La poitrine d'Ingeborg se soulevait par à-coups contre la sienne. Intriguée, Karen desserra son étreinte, recula un peu, scruta les yeux clairs, les lèvres qui essayaient de ne pas trembler. Elle n'avait encore jamais vu sa mère bouleversée. Aucun de ses enfants n'avait vu Ingeborg dans un tel état. L'empire sur soi, toujours, maître mot des Westenholz. À la mort brutale de son mari. Au pire de sa détresse. Ingeborg n'avait pas flanché. Certains matins, les enfants lui trouvaient les yeux lourds et gonflés, rien de plus.

Mais devant sa fille dont le destin répétait le sien, la vieille dame se laissait rattraper par les émotions anciennes. Cela dura une fraction de seconde, déjà elle se reprenait.

« Mon petit ! Tu trembles… Entre au chaud. Je vais demander à Mme Lundgren de nous faire préparer du thé. »

Karen frissonnait, en effet. Ce froid glacial en elle à l'idée de pénétrer dans la maison. « Terminus », avait dit Thomas. Aventure, évasion, paradis terrestre… *Terminus !* Elle aurait aimé retourner à l'état cotonneux qui la protégeait depuis son départ. L'édredon médicamenteux. Sans compter d'autres artifices, à l'abri dans sa valise. Sinon, comment supporter les coups de lance dans la poitrine, la déchirure, les plongées brutales dans le gouffre obscur ? Elle savait bien qu'un jour arriverait où il lui faudrait ouvrir les yeux. Après, impossible d'esquiver.

Elle voulait juste un sursis. S'enfouir quelque part et dormir.

Le bras de sa mère autour de ses épaules, elle franchit le seuil comme une convalescente.

Une odeur frappa ses narines, la fit se redresser. L'entrée gardait l'odeur de foin et de pommes qu'elle lui avait toujours connue. Le grenier à fourrage et le cellier, de l'autre côté du mur. Ça la réconforta. Elle aimait qu'en dépit de ses grands airs empruntés aux demeures patriciennes la vieille baraque restât ce qu'elle était depuis des siècles : une brave ferme cossue entourée de bois et de pâturages.

Au salon, le soleil jouait entre les branches du tilleul de la cour, formant des taches lumineuses sur le parquet sombre. Elle s'immobilisa sur le seuil pour embrasser la pièce du regard. Un vrai musée victorien, un temple de l'acajou. De lourds rideaux de velours aux cantonnières bordées de glands dorés protégeaient du froid en hiver, de la lumière trop vive, l'été ; un maigre éclairage électrique relayé par les lampes à pétrole ; les murs vert pastel, qui auraient mérité un rafraîchissement... Aucun désordre, aucune fantaisie ou incongruité sur laquelle l'œil pourrait buter, non, où qu'il se posât il rencontrait une ordonnance austère.

L'anxiété lui revint au galop. Tout paraissait étrange ! Si étriqué, si prisonnier du temps, comparé au souffle léger de Mbogani.

Dix-huit ans, huit mois, vingt-neuf jours...

Ce n'était pas son premier retour depuis toutes ces années, mais le caractère définitif de celui-ci modifiait le regard qu'elle portait sur ces choses si familières. Elle pénétrait dans ce qui serait sa cage, désormais. Karen tressaillit. Ça ne durerait pas. Elle s'échapperait. Paris. Londres. La Norvège. Ou l'Italie. L'Afrique, à nouveau, un jour. Ses ailes légèrement roussies par les cataclysmes traversés finiraient bien par la porter ailleurs. Elle se fichait de la destination. Mais très loin d'ici.

Un crissement de semelles sur le parquet la fit se retourner. Thomas les rejoignait.

« Malla est au calme dans sa chambre. Pauvre vieille... Va savoir ce qui tournait dans sa tête... »

Il s'installa devant la cheminée près d'Ingeborg, attendant que l'on apporte le thé. Karen se raidit. Ce qui allait suivre était facile à imaginer : l'inévitable discussion sur son avenir, les dispositions à prendre pour lui rendre la vie quotidienne acceptable... Elle flanchait déjà.

Ramenant les pans de son manteau de laine contre sa poitrine, elle annonça qu'elle sortait faire un tour dans le parc, pendant que le soleil brillait encore un peu.

« Pour les bagages, je verrai plus tard avec la femme de chambre. J'ai rapporté très peu d'affaires. Rien ne convenait au climat d'ici. »

Ingeborg hocha la tête, compréhensive. Thomas s'apprêta à accompagner sa sœur. Devant sa mimique, il n'insista pas.

Le vestibule était désert. Des bruits de pas, de vaisselle cliquetante, de couvercles posés sur leur pot s'échappaient de la cuisine où Mme Lundgren préparait le thé. Un parfum de cannelle lui chatouilla les narines. L'odeur des gâteaux sortis du four agita son estomac vide, mais elle continua son chemin vers la porte arrière, celle qui donnait sur l'ouest et la forêt.

Le parc lui transmettrait son énergie. Le parc ne l'avait jamais laissée tomber.

Elle n'arrivait pas à aimer la maison autant qu'il aurait fallu pour y vivre. Trop de chagrins, tant de silences énigmatiques. On dit que les murs ont une mémoire. À son avis, ceux de Rungstedlund absorbaient goûlument la noirceur des souvenirs. Alors que le parc avec ses arbres centenaires, ses hectares de bois de hêtre, ses collines surplombant la mer, n'avait jamais cessé d'exercer sur elle une attraction puissante. Le parfum de ses roses, et Dieu sait que les rosiers prospéraient dans les jardins de Rungstedlund, roses de toutes sortes, pâles ou éclatantes, mousseuses, chiffonnées ou comme amidonnées sur leur pédoncule, le souvenir de ce parfum suave, de ce mélange de rose et d'air marin, tout à fait inimitable, s'était souvent frayé un chemin jusqu'à la véranda de Mbogani, où il rivalisait avec celui des lys et des magnolias.

Elle ouvrit la porte. La force vitale du jardin l'enveloppa affectueusement.

« Qui es-tu ? » Karen sursauta. La question revenait tambouriner à ses tempes, décidée à obtenir une réponse. Elle avait surgi pour la première fois sur le *Mantola*, au cours de l'interminable traversée dont Karen ne comprenait pas l'intérêt. Être ici ou ailleurs, quel intérêt ? La question n'avait plus cessé de la harceler, d'une voix sans timbre.

Était-ce une manœuvre des dieux pour l'extraire de l'état de sidération qui l'avait saisie à la mort de Denys ? Depuis, Karen ne s'appartenait plus, elle se mouvait dans l'irréalité, aucune émotion n'avait le pouvoir de l'atteindre. La question s'en fichait, elle s'entêtait. D'un pas de somnambule, Karen franchit le petit pont qui enjambait l'étang. De nouveau : « Qui es-tu ? » La vie exigeait une réponse. À bout de nerfs, Karen finit par lancer au vide : « À l'heure qu'il est, la seule question qui vaille est : Veux-tu être, ou ne le veux-tu pas ? »

« Toi que Malla ne reconnaît même pas », ironisa la voix.

Décidément, Karen détestait que l'on veuille avoir le dernier mot.

Elle pénétra dans le silence du sous-bois. La terre humide, les fougères fraîches, le tapis d'aiguilles sèches qui craquaient sous ses pieds lui insuffleraient leur vigueur. Depuis l'enfance, elle mettait sa confiance en la nature. Depuis le jour où, ici même, son père s'était accroupi à sa hauteur et lui avait dit (elle avait eu l'impression qu'il l'implorait, il la secouait presque) : « Tanne, dans la vie, le plus important est de savoir observer la nature. Apprends à connaître la terre, les forêts et toutes les sortes d'animaux qui la peuplent ; tu verras, ils te donneront la clé magique pour comprendre les hommes mais aussi tout ce qui, à première vue, te paraîtra inutile ou artificiel. »

Wilhelm l'avait fixée d'un regard profond, intense, sombre, comme s'il voulait graver chacun de ses mots dans sa cervelle de petite fille. Elle avait neuf ans mais elle s'en souvenait avec une précision effrayante. Fiévreux, il avait poursuivi : « J'ai traversé des périodes épouvantables, au point d'en perdre la raison. À chaque fois, la terre m'a apporté le réconfort dont j'avais besoin. Tu verras… »

Tout ce discours parce qu'ils venaient de croiser les premières bergeronnettes du printemps et qu'elle avait essayé de les déloger de leur saule pleureur avec une pierre ?

Neuf ans. Elle n'avait pas tout compris. Ces derniers temps, Wilhelm lui parlait comme à une adulte. Cela l'inquiétait, sans qu'elle sût pourquoi.

La voix pouvait jacasser dans sa tête, à présent Karen savait quoi lui répondre.

« Je suis la fille d'un homme qui, un jour, a décidé de se pendre et de m'abandonner. Je viens de là. Je commence là. »

Ses pas l'avaient conduite jusqu'à leur banc préféré. Perdue dans ses pensées, elle en caressait les nervures du bout des doigts. Il avait été repeint bien des fois, depuis. Leur banc sur la colline, protégé du vent par une haie de noisetiers. De là, le regard embrassait le petit port de pêche, filait jusqu'à la mer et ses tourbillons gris.

Cette discussion inhabituelle fut la toute dernière qu'elle eût avec son père. Comment oublier. Ce jour-là, pour la première fois depuis des mois, une lumière mordante tombait du ciel. Le 27 mars 1895, la journée qui enterrait l'hiver.

C'est sur ce banc que Wilhelm lui avait parlé de la nature comme si sa vie en dépendait. Tanne l'avait écouté en grignotant des biscuits chipés à la cuisine. Ils formaient un couple. Elle l'adorait. Il la choisissait pour l'accompagner dans les bois, pour marcher, discuter. Sa fille préférée, sa confidente. Wilhelm était un conteur né. Aucun enfant ne pouvait se vanter d'avoir un père comme celui-là dans tout le Danemark. Le sien avait été trappeur en Amérique. Il avait chassé le daim avec les Sioux, pêché avec les Pawnees et appris à devenir un homme auprès des Chippewas.

Les Indiens lui avaient donné un nom, Boganis. « Noisette ».

« Comme les noisettes que nous cueillons sur la colline ? » avait-elle demandé, un peu déçue.

Ça ne collait pas du tout avec la puissance animale qu'il dégageait. Devenue adulte, elle avait compris que l'instinct aiguisé à l'extrême des Indiens avait percé à jour la fragilité de Wilhelm, sa mélancolie dangereuse.

Le lendemain du premier jour de grand soleil, son père s'était suicidé.

Pendu. Le corps ballottant au bout d'une corde. Dans son pied-à-terre de Copenhague, sans laisser un mot d'explication à sa femme. Et Tanne, dont la sensibilité à fleur de peau inquiétait son père, avait sombré dans une souffrance insupportable. La souffrance de l'incompréhension. Pour la famille, ça avait été un crève-cœur de voir le désespoir faire son nid dans une si petite enfant.

Karen releva le col de son manteau. Le soleil descendait vers sa nuit, l'air fraîchissait. En contrebas, le chenal se remplissait de voiliers qui rentraient au port. Quelques voiles continuaient de filer le long de la côte, dans la blondeur de fin d'été.

En baissant les yeux on voyait la maison. Séparée de la mer par une petite route, elle donnait l'impression de ronronner sous ses toits aux tuiles roses. Des filets de fumée s'échappaient des cheminées, et Karen supposa qu'à la demande d'Ingeborg une servante avait allumé les bougies avant la tombée de la nuit, afin de guider la fille prodigue dans l'obscurité. Leur lumière dansait derrière les vitres, donnant aux larges fenêtres un air de gaieté rassurant. C'était le genre d'endroit dont les gens qui passaient sur la route pouvaient dire : « Voilà une maison où il doit faire bon vivre. » Si seulement elle pouvait oublier qu'un jour elle s'était brutalement refermée sur son innocence et que les pièces s'étaient mises à bruisser de conversations suspendues net à son apparition, alors, peut-être finirait-elle par l'aimer à nouveau. Elle avait redouté ces silences, leur nature nerveuse, mystérieuse où elle devinait la présence d'un secret malfaisant. Car on ne dit pas à une enfant: «Ton père s'est pendu.» On pratique la torture à deux temps qui laisse place à l'idée du pire, dont l'annonce viendra mettre fin à l'angoisse de l'attente. On commence ainsi: «Votre père a eu un accident.» Quelques jours plus tard, on adopte la mine de circonstance pour dire: «Il a rejoint les anges au ciel.» En vérité, on fait comme l'on peut. Dévastée, Ingeborg avait choisi de taire la vérité aux enfants. La vérité infamante de la pendaison.

Karen prit une profonde inspiration, laissant la brise salée lui emplir les poumons.

Une autre sale vérité la rattrapait.

Avant de rejoindre Copenhague, Karen et Thomas étaient allés en Suisse. À Montreux, où dans la célèbre clinique Valmont les attendait un non moins fameux spécialiste des maladies tropicales. Karen espérait s'y débarrasser de la dysenterie amibienne qui l'épuisait depuis des mois. Au lieu de quoi, elle repartit avec une syphilis de la moelle épinière.

Tabes dorsalis.

Syphilis. Le cadeau de noces du baron Bror Blixen était en parfait état de marche. Il s'était éveillé, il progressait, il rampait dans le dédale de vaisseaux sanguins et de nerfs, il rongeait obstinément l'organisme de l'ex-épouse. Bror, lui, était en pleine forme. «Vous êtes certain que ce n'est pas la dysenterie? Pourtant les symptômes...», avait-elle tenté. «Les analyses ne mentent pas», laissa tomber le ponte international. Des gouttes glacées cascadèrent dans son cœur. Les hyènes avaient retrouvé sa piste. Karen demanda si elle deviendrait folle, comme Nietzsche, par exemple. Réponse catégorique du spécialiste : «Cette forme de dégénérescence n'attaque pas le cerveau. Elle ne conduit pas à la démence.»

Par chance – c'est fou ce qu'on en arrive à penser en état de panique –, par «chance» donc, *Tabes dorsalis* se fichait de ses neurones. Son mets de prédilection nichait dans les nerfs qui commandent les intestins et l'estomac.

Charognarde !

Karen avait poussé le médecin à en dire plus : la maladie ne tranchait pas dans le vif, préférant cisailler les nerfs, un peu comme une lime émoussée s'attaquerait à une chaîne de navire.

La tête lui avait un peu tourné.

Elle avait quitté le cabinet sur la promesse d'un avenir jonché de crampes d'estomac et de crises flamboyantes. On commencerait par un traitement de cheval.

Karen se mit à fredonner tout en fumant. Conjurer la peur. Refuser l'intimidation. Elle fredonna, «*Tabes dorsalis*». Joli nom de fleur. De fleur vénéneuse. Là-haut, des nuages gris aussi légers que des voiles d'organdi dansaient un ballet, se frôlaient. Sous ses yeux attentifs ils formèrent une fleur étrange, mouvante, dont les longs pétales torturés s'ouvraient, se contorsionnaient, la narguaient... Brusquement, elle souffla un jet de fumée vers le ciel. Les nuages se dispersèrent, la fleur creva.

Bien. Le temps venu, elle aviserait.

Elle rentra par le chemin buissonnier qui longeait le jardin botanique. Le portillon de bois émit un grincement plaintif. Le jardin embaumait. Roses, pivoines, glaïeuls, cosmos, pavots... Les parfums explosaient. Quelqu'un venait d'arroser, elle pouvait sentir l'odeur de l'herbe fraîche. Ce jardin l'avait toujours attirée, il offrait des choses captivantes à observer. C'est ici qu'elle avait appris à triturer la terre pour en faire jaillir la beauté.

Puisque la maison et le domaine tout entier étaient sous la coupe d'Ingeborg, elle décréta solennellement que ce lopin serait son empire. Il lui fallait bien trouver un fil, une toute petite chose à elle, qui lui donnerait le courage de continuer. Le sécateur était rangé à sa place, dans la cabane, au bout du jardin. En quelques coups de lames Karen rassembla des fleurs que l'on voyait rarement associées dans le même vase; c'était son talent. Elle en emplirait la maison; ce serait sa marque.

Le bouquet faisait une tache éclatante dans ses mains. Elle descendit la pente douce qui menait à l'étang, traversa le petit pont. Il était temps de rejoindre le monde des vivants. D'y trouver sa place.

2

Une brèche, infime, et elle s'était envolée. Pas bien loin. Jusqu'au Jutland, dans le nord du pays, un pays exigu. Mais quel sentiment de liberté !

Thomas conduisait. Sa petite Ford remonta le Danemark sur sa longueur, traversa des îles, franchit des ponts, embarqua sur des ferrys. Les deux fuyards roulaient à présent dans les landes, vers la mer, vers la maison d'été d'Ellen.

Fuir ?

Fuir la présence sinistre des caisses au grenier. Pleines de l'Afrique. Karen refusait de penser au grenier aveugle. D'en monter l'escalier, dont chaque marche poussait un gémissement. Il n'était pas question de pénétrer là-dedans. Dans les ténèbres, l'âme des morts veillait. Qu'elle s'en approchât, qu'elle écartât une seule des lames de bois et les fantômes lui sauteraient à la figure.

Fuir les regards apitoyés de la famille. Ou réprobateurs : « Bientôt cinquante ans et vivre aux crochets de sa mère ! »

Fuir les remontrances agacées d'Ingeborg. « Enfin, Tanne, ferme les portes derrière toi ! Tu sais bien que cette maison est impossible à chauffer ! Combien de fois faudra-t-il te le dire ? » Et Tanne se rebiffait, et Tanne lançait à sa mère qu'en Afrique il y avait toujours un boy pour fermer les portes derrière elle...

Leur rappeler qui elle avait été. Car elle avait été quelqu'un. Voire plusieurs.

Titania, l'amante dans les bras de Denys.

Tania, l'amie d'expatriés fous et irrécupérables. Des exilés de l'Histoire, comme elle, égarés dans un monde où les valeurs qu'ils avaient incarnées s'amenuisaient pour faire place à l'esprit de lucre, à l'arrogance, à la réussite sociale.

Msabu, pour ses amis les indigènes.

À Rungstedlund, elle n'était plus que Tanne. La petite Tanne. Parfois, en compagnie des Westenholz, elle s'entendait une voix de petite fille.

Les Westenholz. Elle n'arrivait pas à les désigner autrement que par « ils » ou « eux ».

En Afrique, elle avait beaucoup songé à l'idée qu'*ils* avaient du bonheur. Sans mépris, avec une pointe d'envie. Consacrer sa vie à s'efforcer d'être heureux et l'être véritablement, jour après jour, elle n'avait jamais envisagé l'existence sous cet angle. Et voilà que le destin lui offrait l'occasion d'y réfléchir. Elle avait pris quelques secondes puis décidé que leur renoncement à atteindre un idéal pour, au contraire, le trouver dans ce qui vous était donné se situait au-delà de ses forces.

Depuis son retour un an plus tôt, il lui était impossible de réunir les morceaux éparpillés d'elle-même. Une chose était sûre : *ils* ne l'auraient pas. Pas comme *ils* avaient eu tante Bess. Mary Bess Westenholz, ce fruit exotique, extravagant. Quelle force vitale fut la sienne pour réussir à pousser sur la terre aride des Westenholz ?

La sœur cadette d'Ingeborg avait fait une entrée fracassante dans l'histoire du Danemark, un jour d'août 1909. En désaccord avec la politique de défense de son pays, Bess s'était introduite à la Chambre des députés, elle avait écarté un huissier et confisqué sa sonnette au président de séance, puis elle était montée à la tribune où, devant une assemblée entièrement masculine et pétrifiée, elle avait lancé son message : « Vous, Danois, qui restez assis ici à marchander votre pouvoir, à satisfaire vos intérêts plutôt que ceux du pays, sachez que nous, femmes du Danemark, vous méprisons et vous tenons pour un tas de fainéants sans patrie qui trahissez l'honneur du Royaume ! »

Qu'était-elle aujourd'hui, Mary Bess ? Une vieille dame imposante, une sorte de gendarme qui exerçait son intelligence formidable à porter des jugements sur les uns et les autres. À quel moment l'intellectuelle brillante avait-elle renoncé ? Le célibat, l'étroitesse du mode de vie à Rungstedlund, le poids de l'Église unitarienne à laquelle personne

241

n'échappait dans cette génération de la famille, avaient tué ses audaces.

En ce qui concernait Karen, il n'y aurait ni nièce dévouée, ni fille rentrée dans le rang.

«Tu ne verrais pas les choses un peu trop en noir?» dit Thomas.

Elle avait cru parler pour elle-même... Karen se tourna vers son frère.

«Ils m'en veulent tous, n'est-ce pas? Tante Bess, aussi?»

Thomas réfléchit à une façon d'être franc sans blesser sa sœur. Il se garda bien de lui répondre que les saignées financières qu'elle avait exigées des Westenholz pendant dix-sept ans, sans une pensée aimable pour les sacrifices qu'ils s'imposaient, suffisaient à nourrir leur rancœur. La formidable tante Bess était bien la seule qui osât affronter Tanne, lui dire ses vérités sans se laisser impressionner par les éclats de sa nièce. Les plumes volaient parfois sous leurs coups de bec. Elles se ressemblaient. Deux indomptables, deux monstres sacrés. C'était beaucoup pour un petit cercle familial qui aspirait à la paix. Thomas aurait eu tant à dire sur la difficulté pour un homme d'exister dans une tribu qui comptait autant de femmes remarquables et dominantes, parmi lesquelles Ingeborg.

«Arrête! Bess et toi, vous vous adorez...

– Oui, mais lorsque tu vas la voir, ou bien Ellen, à Folehave, on voit que ça lui fait plaisir... Elle rit, elle discute... Moi, j'ai l'impression qu'elle rejette tout ce que je suis… Au fond, elle n'a jamais approuvé mon mariage avec Bror. De ce jour-là, je crois, elle m'a prise pour une dinde ! »

Il entendit le « clic » du briquet, sentit l'odeur âcre de la fumée. Des Camel, encore.

« Tu sais que je mendie de l'argent à maman pour mes cigarettes ! dit Karen. C'est assez humiliant, elle devrait comprendre… »

Thomas détourna ses yeux de la route et regarda sa sœur encapuchonnée de fumée.

« Tu fumes trop.

– Je ne suis plus une gamine ! Le problème, c'est que vous me prenez tous pour une enfant ! »

Elle tapota la cuisse de son frère. « Pas toi, bien sûr… Mais, imagine… Alfred refuse que je conduise. C'est lui qui prend le volant… Il y voit à peine mieux qu'une taupe, mais la meurtrière en puissance c'est moi ! »

Elle remarqua les traits tirés de Thomas.

« Veux-tu que je te relaie un peu ?

– Ça va, merci…

– Tu vois, toi aussi ! Je te rappelle que c'est Farah qui a versé dans le fossé avec la voiture de Denys, pas moi… »

Ils rirent, soulagés de parler d'autre chose.

Tommy. Il était bien la seule personne avec qui Karen acceptât d'évoquer Denys sans que cela lui parût être un sacrilège ou un gémissement apitoyé sur elle-même. Les deux hommes avaient chassé le lion ensemble, partagé des discussions enflammées sur la littérature ou l'astronomie, installés sur la

243

terrasse de Mbogani. Ils s'estimaient, bien que Thomas fût beaucoup plus jeune que Denys.

Ils aimaient la mettre en boîte. C'était l'une des choses qu'elle avait perdues avec la mort de Denys, cette possibilité d'être un peu chambrée. Dieu que ça lui manquait !

« Tu as des nouvelles de Gustav ? » demanda Thomas, qui était devenu l'ami du jeune norvégien, à Nairobi.

Gustav Mohr. Karen continuait de sentir la chaleur de sa main agrippée à la sienne, sur le quai de la gare. Ils s'écrivaient régulièrement.

« Gustav m'a envoyé une photo aérienne de Karen Coffee Estate, telle qu'elle était avant mon départ... Avant que ce charognard d'agent immobilier n'y bâtisse ses lotissements. Je l'ai épinglée à la bibliothèque de mon bureau. »

Elle se retint de dire à son frère que le cliché faisait désormais partie d'un rite.

Le soir, une fois la maisonnée endormie, elle s'installait sur le perron, tournée vers le sud. Le ciel danois ressemblait si peu à celui de l'Afrique. Brumeux, inversé, muet. Indifférent. Karen le scrutait pourtant, à la recherche d'une illusion, la Croix du Sud n'avait aucune raison de venir scintiller dans les cieux de l'hémisphère Nord, mais elle l'avait si souvent contemplée là-bas qu'il lui était facile de l'imaginer. Aussi longtemps qu'elle pourrait se la représenter brillant dans la nuit scandinave, l'univers africain qu'elle avait trop aimé ne s'éteindrait pas. Il ne s'effacerait pas comme elle-même s'estompait parce qu'il n'y avait plus personne pour la regarder, la nommer, la désirer.

Ensuite, elle allait s'enfermer à clé dans son bureau et contemplait longuement la photographie de sa propriété. Denys l'avait prise depuis le Gipsy Moth, sans doute arrivait-il des Ngong Hills car le plan ouvrait largement sur la terrasse ouest. Sur la pelouse impeccable, *totos*, boys, Juma, Farah levaient le nez vers le bi-plan. Une foule de pensées s'emparaient d'elle. Des souvenirs aigus. Puis elle montait dans sa chambre jouer à cache-cache avec Morphée.

Elle garderait son rite secret. Si peu de choses lui appartenaient en propre à présent.

Dieu merci, pour rester en vie, il y avait eu ce projet. Dieu merci, il y avait eu Tommy, le petit frère toujours loyal. À Montreux, après leur visite calamiteuse à la clinique Valmont, elle lui avait lu les histoires qu'elle avait écrites pendant la traversée. Et d'autres, qui remontaient à ses longues attentes de Denys dans la solitude de la ferme. L'écriture lui venait spontanément en anglais. Thomas, généralement flegmatique, s'était emballé...

« Ne cherche plus, Tanne ! C'est ça, exactement ça, tu dois écrire. Écoute ta nature et tout ira bien...

– Mais j'ai besoin de gagner ma vie, Tommy ! Je pourrais trouver une place dans un restaurant, ce serait infiniment plus sûr, tu sais comme j'aime cuisiner. Je suis douée...

245

– Idioties, ma vieille ! Je te propose un accord : tu termines tes histoires sans te préoccuper d'autre chose, et moi je te verse une rente. Ainsi, tu n'auras rien à demander à maman… »

Est-ce que son frère plaisantait ? Thomas était marié à présent et père de deux petits enfants, néanmoins il n'hésitait pas à mettre ses finances à sa disposition ! Petit frère ne roulait pas sur l'or. Elle lui coûterait cher.

« Je ne peux pas me contenter de peu, Tommy chéri. C'est impossible. J'ai besoin de *fun*… Certaines personnes peuvent se tirer d'affaire avec moins d'argent, pas moi… »

Thomas connaissait sa sœur mieux que quiconque. Pourquoi avait-il retenu deux chambres dans le meilleur palace de Montreux ?

Elle avait insisté :

« Tu es bien conscient que j'ai besoin d'une ou deux années avant de publier ?

– Alors, fonce ! »

D'office, Ingeborg avait laissé deux pièces à l'usage exclusif de Karen. Deux pièces avec pignon sur mer, légèrement à l'écart des va-et-vient. Un royaume idéal pour écrire. Il comprenait le cabinet de travail de son père, au rez-de-chaussée, et une chambre située juste au-dessus, à l'étage, qui avait été celle de Thomas quand il était jeune homme. Une chambre où la lumière venue du large se brisait sur les lambris sombres, presque noirs, qui tapissaient murs et plafond. Une chambre de nonne à l'abri des folies avec son lit monacal, étroit. Derrière ses fenêtres, le grondement des vagues de l'Øresund, les barques des pêcheurs, le bruit du vent.

Dès le premier matin, assise au bureau de son père, dans le fauteuil qu'il avait occupé pour écrire ses mémoires d'Amérique, elle eut la sensation d'une pièce bienveillante, qui protégerait son énergie. À l'est, trois hautes fenêtres filtraient la belle lumière de l'Øresund, une quatrième ouvrait sur le sud et la cour. Un grand sofa, une solide table d'acajou et deux fauteuils occupaient une partie de la pièce, dessinant un petit salon.

Retirée en elle-même, inaccessible aux interpellations qui résonnaient dans la maison, Karen rassembla ses forces, toutes pensées centrées sur l'histoire qu'elle allait écrire. Pour la première fois depuis des mois, elle se sentait réelle. La Corona crépita, comme elle avait crépité à Mbogani.

À l'arrivée du froid et de l'obscurité, elle travailla sous le halo d'une imposante lampe rapatriée du salon. Emmitouflée dans des laines et des châles, doubles-rideaux verrouillés sur le givre des fenêtres et sur l'océan, dont l'infini de neige et de glace la déprimait, plus rien ne déviait Karen de sa tâche, sinon les visiteurs indésirables. Il lui fallait alors s'interrompre, aller saluer, partager un thé et des bavardages vains tandis que les heures précieuses s'égrenaient. Certains jours, elle réussissait à filer par la porte arrière, dans le parc.

Ingeborg adoraient ces visites qui la distrayaient, pour sa fille elle y mit un frein. « Il faut préserver la tranquillité de Tanne. » La famille s'indignait. « Tanne se comporte en véritable tyran ! » Sa jeune sœur le lui répéta en riant :

« Ils n'ont pas tort, n'est-ce pas ? la taquina Ellen. Tu mènes la vie dure à maman... Pas un bruit, prière de ne pas m'importuner... »

Ellen aussi écrivait. Troussait aimablement, depuis l'enfance. Ellen avait la chance d'avoir épousé un éditeur, Knut Dahl, qui lui passait ses caprices. Karen la regarda avec tendresse. Sa sœur lui faisait penser à un colibri. Un jour, Ellen lui avait tendu le manuscrit de son premier roman, elle tenait à connaître son opinion. « Je te préviens, je l'ai écrit d'une main, en deux semaines... de l'autre, j'accrochais les rideaux du salon ! » Sa désinvolture offusquait Karen. Elle ne doutait pas des qualités littéraires de sa sœur mais de sa profondeur. C'était le problème, avec Ellen. Une légèreté, une présence chatoyante et, tout à coup, elle s'évanouissait. S'absentait *complètement*. C'était si étrange ! Karen s'était toujours interrogée sur l'origine de ces décrochages. Sa main à couper qu'ils n'étaient pas le moins du monde métaphysiques. Elle craignait même qu'ils n'aient aucun contenu. Le vide, le monde réel qui se dérobe. Ellen devrait consulter.

Mais écrire un roman *en deux semaines*, la tête occupée par des fanfreluches...

« Ellen, comment peux-tu... traiter une histoire et tes personnages avec autant d'insouciance ? »

La fautive prit un air de contrition.

248

« Je n'ai pas ton exigence, Tanne, et encore moins tes dons. En revanche, j'ai une maison au bord de la mer ! Je peux te proposer de t'installer quelque temps à Strandkier. Tu as besoin de tranquillité pour écrire. Et maman pourra souffler un peu… J'enverrai Pernille, elle veillera sur toi, personne pour t'embêter… »

C'était plutôt chic de sa part, donner ainsi la préséance au travail de sa sœur. Karen faillit lui suggérer de l'accompagner, elles travailleraient chacune à leur manuscrit, mais elle se mordit la lèvre. Elle rêvait de paix.

Ils atteignirent Strandkier au coucher du soleil. Thomas repartit pour Copenhague dès le lendemain.

Une demeure de conte de fées, avec ses innombrables toits pentus, ses rideaux de dentelles et ses pièces aux murs et aux parquets blancs, éclaboussées de lumière.

Une maison sans fantômes.

La Baltique d'un côté, de l'autre le moutonnement de collines couvertes de bruyères.

Et le confort ! Eau courante. L'eau chaude coulait des robinets. C'était loin d'être le cas à Rungstedlund, où les servantes charriaient les baquets d'eau qui finissaient par bouillonner sur un gros feu. Et chauffage central.

Karen écrivait dès l'aube. Avant le déjeuner, qu'il pleuve ou vente, elle flânait dans les collines ou le long de la mer. Puis une autre longue session d'écriture, jusqu'au soir. Un ascétisme seulement rompu par les repas de Pernille. Ellen ne s'était pas vantée. Ils égalaient les tables du Ritz que Karen avait fréquentées, jadis, avec Bror.

L'écriture lui venait moins spontanément qu'elle l'aurait cru. Elle aimait, lorsqu'elle disait un conte, le faire évoluer selon les réactions de son auditoire. Des nuances inédites apparaissaient chaque fois qu'il était dit. Mais les phrases posées sur le papier étaient ternes et plates. Il lui fallut apprendre la différence entre ce qui est écrit pour être dit, et ce qui l'est pour être lu en silence.

Elle poussa sa table de travail sous une fenêtre pour profiter de la lumière du jour. Là, elle réécrivit les pages une cinquantaine de fois avant d'en être à peu près satisfaite. Quel combat ! Un combat vivifiant.

Trois contes terminés formaient une pile sur le bureau. « Le singe », dont Denys avait entendu une première version. « Le raz-de-marée de Norderney ». « La soirée d'Elseneur ». Trois contes hors du temps, trois histoires aussi capricieuses que le destin. Une quatrième lui trottait dans la tête. Elle parlait de rêveurs. De ceux qui savent rêver les yeux ouverts.

« *Par une nuit de pleine lune de l'année 1863, un boutre, allant de Lamu à Zanzibar, faisait route à environ un mile de la côte.* »

La Corona crachait les mots, toutes voiles déployées le conte filait sous la mousson avec sa cargaison d'ivoire et de cornes de rhinocéros et ses rêveurs allongés à la proue, sous la clarté de la lune.

« Tanne ! Es-tu prête ? »

Elle sursauta. Des semaines de silence et, soudain, la voix de Thomas. Ses frères, sa sœur, accompagnés d'Ingeborg, étaient arrivés la veille à bord de deux automobiles remplies de victuailles, de vins et de champagne. Une idée d'Ellen. Il était inconcevable de laisser Tanne fêter seule dans le Jutland la première nuit de Saint-Jean depuis son retour. « La première Saint-Jean de ma nouvelle vie », songea-t-elle.

Elle enfila un cardigan et rejoignit les autres au salon d'été. Beeta, la fillette de Thomas, sautait sur place, excitée par la fête promise, comme l'étaient tous les enfants danois cette nuit-là. La famille fila à la plage les bras chargés de chandails, de couvertures et de vin du Rhin.

Un pétillement, une légèreté oubliés.

Les eaux argentées de la Baltique enflaient, retombaient, miroitaient dans la lumière comme le ventre blanc d'un poisson. Pour célébrer cette nuit où le soleil s'autorisait un somme d'à peine quelques minutes, le Danemark tout entier s'embraserait de petits bûchers, des sorcières brûleraient sous les applaudissements des villageois et les esprits maléfiques devenus fumée emportée par le vent iraient semer le malheur sous d'autres cieux.

Couvertures étalées sur le sable, les Dinesen savouraient le vin du Rhin dans les verres d'Ellen, gravés à son monogramme. Le style, en toutes circonstances. Sur ce point, les deux sœurs s'accordaient. Anders passa un bras autour des épaules de Karen. Elle se laissa aller contre ce petit frère, tellement plus jeune et qu'elle connaissait si peu. Anders fréquentait encore le collège quand déjà elle chassait le lion et sillonnait la brousse.

« Tanne, existe-t-il un rivage plus magique que celui de notre Jutland ? » dit-il en contemplant d'un air satisfait la traîne rose des nuages dans le ciel clair.

Karen l'observa avec indulgence. Anders avait si peu voyagé ! Probablement jamais hors des frontières scandinaves. Hélas, elle savait trop bien que la magie de la mer existait ailleurs, plus généreuse, incomparablement plus sensuelle. Elle écarta la vision de Takaunga baigné par la mer tropicale. Pas ce soir. Elle émit un marmonnement susceptible de passer pour une approbation.

Leur petit groupe observait un homme qui entassait des fagots à la lisière des vagues. Sa pyramide atteignait déjà une hauteur impressionnante. Les enfants du village couraient dans tous les sens pour l'aider. Leurs pas avaient dessiné des stries sur le sable fin et sous la lumière rasante du soleil la plage ressemblait au sol lunaire creusé de petits cratères, hérissé de montagnes naines. Karen sentit les morsures de la fraîcheur sur ses épaules. Anders avait raison. C'était magique. Une lumière d'épiphanie.

Les villageois arrivaient par familles entières, chargés de paniers. Tout le monde finit par trinquer et partager ses provisions de nourriture, sous l'éclat persistant du soleil. Maintenant, l'homme grimpait avec précaution vers le sommet. Là-haut, il tira de sa veste une grande poupée de chiffon au chapeau noir et pointu, qui tenait un balai et l'y planta, comme un alpiniste plante son drapeau au sommet de l'Himalaya.

Deux grands yeux horrifiés cousus de noir mangeaient le visage de la sorcière. Karen frissonna. Pauvre créature, terrorisée par son destin, dos à l'abîme, sans échappatoire.

L'homme avait sauté au sol et mettait le feu au bûcher. Le chant des villageois s'éleva. Une pluie de flammèches s'envola vers le bleu argenté de la mer, les flammes montaient doucement, puis elles se mirent à dévorer le bûcher à petits coups de langue précis, de plus en plus vigoureux.

C'était fascinant. Karen quitta le groupe et s'approcha, les yeux rivés au cheminement hypnotique des flammes. Elles se jouaient de l'air vif qui s'engouffrait entre les branches, tournait, courait, sifflait, y puisant la violence qui maintenant embrasait le bûcher tout entier. La robe noire fut dévorée en un clin d'œil, la sorcière oscilla, se recroquevilla sous le souffle brûlant et son regard effrayé se perdit dans le brasier. Un panache de fumée noire roula vers le large, livrant les esprits maléfiques au vent de la nuit, sous les applaudissements.

Une vision s'imposa à Karen. Un visage. Il était délicat, émouvant et superbe, deux lacs sombres pour les yeux. Le visage de Pellegrina.

Pellegrina Leoni l'obsédait depuis bien des nuits. Le jour, Karen tentait de lui donner chair, à sa table de travail.

Pellegrina possédait un passé, elle était la diva la plus célèbre de son temps. Adulée, comblée, vivant exclusivement pour son art et ses adorateurs, servant inlassablement son propre mythe.

La conteuse omnisciente avait beau tirer les ficelles à l'extrémité desquelles sa créature gesticulait, et connaître le destin qui lui était promis – il ressemblait terriblement au sien –, elle ignorait encore la tragédie qui le ferait basculer. Le supplice de la sorcière venait de l'éclairer.

Karen avait déjà écrit : « *Aussi longtemps que Pellegrina chantait, les anges n'avaient pas quitté la terre.* » Une Pellegrina incapable de chanter ne serait plus Pellegrina. La voix de la cantatrice périrait donc dans l'incendie de la Scala de Milan.

Qu'arrivait-il à une femme qui survit à son identité mythique ? À tout ce qui la définissait auparavant ? Pellegrina chercherait, souffrirait, mais elle trouverait son salut comme elle-même approchait du sien. À chacune sa méthode, se dit Karen.

Une phrase de Kierkegaard lui revint en tête, tandis que l'on ramassait les couvertures, les paniers, et que l'on retournait à la maison d'Ellen : « *Le chant est l'art du démon.* » Eh bien, Pellegrina serait une créature damnée.

3

Elle avançait incognito. Y aurait-il quelqu'un pour deviner ? Ce pseudonyme n'était pas *elle*, Karen Blixen. Il ne représentait qu'une moitié d'elle-même.

Elle avait voulu un nom insolite. Au timbre clair, net, facile à mémoriser. Elle avait beaucoup cherché. Il devait intriguer, frapper l'imaginaire, tout en restant énigmatique. Certainement exigeait-elle trop des quelques syllabes qu'elle avait retournées dans tous les sens mais, à son avis, on n'était jamais assez perfectionniste, qu'il s'agisse d'art, de mascarade ou des simples détails de la vie quotidienne.

Pour le patronyme, Dinesen allait de soi. Il n'effaçait ni son père, au contraire il le glorifiait, ni le goût amer de son adolescence. Ce nom qui l'avait façonnée, qui la liait définitivement aux sang-bleu de sa famille, entrerait dans la littérature, voire dans la postérité.

Le choix du prénom fut capital lui aussi. À lui d'exprimer l'ambiguïté du pseudonyme. Ni femme ni homme. Pas tout à fait humain. Mystique, même.

« Mais pourquoi diable ? » avait demandé Ingeborg, navrée des dispositions de sa fille à tout compliquer.

Karen s'était justifiée. Aucun éditeur ne publierait un livre dont l'auteur était une bourgeoise danoise, inconnue de surcroît. Par ailleurs, eût-elle le grand honneur d'être éditée, elle avait la conviction qu'une femme n'intéresserait pas les lecteurs.

« Voilà pourquoi, maman. Et je t'en prie, laisse le diable tranquille, j'aurai sûrement besoin de faire appel à lui un jour ou l'autre... »

Ellen s'en était mêlée.

« Un pseudonyme ? Tu me surprends. Est-ce que tu n'aurais pas confiance en ton talent ?

– Crois-tu qu'il soit possible d'écrire un livre sans croire à sa valeur ? » lui avait répondu Karen.

Elle aimait lire la Genèse, confortablement installée dans la véranda vitrée du salon. Ça se laissait dévorer comme un roman. Son attention fut attirée par Isaac. Le fils d'Abraham, sauvé de la mort par Dieu lui-même... Isaac, l'enfant tardif. Elle-même n'était-elle pas un écrivain tardif ?

En hébreu, Isaac signifiait « celui qui rit ». Ça lui plut.

Isaac... Isaak... Isack ? Quelle orthographe choisir ?

Son esprit intelligent se laissait attirer par les plus extrêmes bizarreries, parmi lesquelles la kabbale et la numérologie. Dans le secret de son bureau, elle essaya toutes les combinaisons possibles. Ajoutant ou supprimant les lettres, additionnant leur valeur, jusqu'à ce Isak.

Isak = Chiffre 4. Le chemin de la Réalisation.

Isak Dinesen.

Se nommer soi-même et naître de soi.

Sur une feuille blanche elle écrivit en lettres bâtons:

SEPT CONTES GOTHIQUES
ISAK DINESEN

C'était parfait. On n'y touchait plus.

4

« Un masque. N'oubliez pas... Je veux un masque, Rie. »

Rie n'oublierait pas. Aucune chance. Il avait fallu un certain temps à la jeune photographe pour comprendre que cette baronne Blixen n'était pas un modèle banal, l'une de ces femmes du monde qui prenaient rendez-vous avec la célèbre Rie Nissen, portraitiste des danseurs du Ballet royal danois, afin que la jeune artiste sublimât leur beauté et leur féminité auréolée de fourrures ou de sautoirs de perles. La plupart du temps, Rie réussissait à subvertir le cliché, faisant émerger la vulnérabilité que ses modèles tentaient de camoufler. Ces dames sortaient de la séance ravies d'elles-mêmes.

En dépit de l'étole de renard et du chapeau à voilette, la baronne paraissait inflexible. Sous les hauts plafonds dorés du salon de thé de l'hôtel d'Angleterre, elle avait repoussé chacune des suggestions que Rie émettait d'une voix dont l'enthousiasme s'effilochait au fil des refus. La baronne Blixen voulait un portrait qui accompagnerait la sortie de son livre. Son premier livre. Elle souhaitait l'entourer de mystère. «Personne ne doit savoir que l'auteur est une femme. J'aimerais que vous me photographiiez en masque.» J'aimerais? *Je veux.* Sommation assaisonnée d'un sourire chaleureux. Rie crut comprendre. «Alors, il s'agit d'une mystification!» La voilette gonfla sous le souffle léger: «Simplement d'un masque. D'un jeu.» Après un silence, le temps d'une gorgée de thé: «N'aimez-vous pas jouer, Rie?» Nissen nota les traits aigus du visage. Les lèvres pleines qui s'étiraient en un sourire légèrement dissymétrique. Le miroitement des yeux sous la dentelle. Une décharge érotique la parcourut. Féminité puissante, sans mièvrerie. La présence même.

L'entrevue avait eu lieu une semaine plus tôt. La porte du studio s'ouvrit à l'heure fixée sur une femme méconnaissable. Aucune trace de maquillage. Le catogan de gentilhomme en velours dégageait le visage, qui paraissait plus las que dans la pénombre de l'hôtel d'Angleterre. La baronne avait enfilé un gros pull sur un pantalon large. Un marin-pêcheur en vadrouille! Derrière la silhouette menue, un échassier d'un certain âge tenait une petite malle-chapeaux. Devina-t-elle les pensées de la photographe? «Mes tours de prestidigitation tiennent là-dedans», fit-elle en

désignant le bagage. Elle congédia l'homme d'un :
« Merci Alfred. Reviens me chercher dans… », du
regard elle quêta une réponse de la photographe.
« Dans quatre heures, environ », répondit la jeune
femme.

Ces quatre heures, Rie Nissen s'en souviendrait.
Son cliché ferait le tour du monde, traverserait le
temps, mais elle l'ignorait encore.

Elle entraîna sa cliente à travers le studio aveugle,
un ancien entrepôt tout en longueur de Nørrebro.
« Savez-vous que c'est la toute première fois que je
pénètre dans un tel endroit ? » s'exclama la baronne
d'un ton amusé. Aucune trace d'embarras, de cette
gêne qui marque généralement une première séance
de pose. Rie lui désigna sa loge. En réalité, un recoin
sommairement aménagé, protégé des regards par
un paravent bricolé dans une toile de jute. Karen
se dirigea instinctivement vers la table de maquillage, aimantée par le grand miroir aux ampoules
blanches. Nissen proposa son aide, sa cliente déclina
d'un geste gracieux de la main. Congédiée, la photographe rejoignit le plateau, convaincue d'une
chose : cette femme n'avait ni besoin d'être rassurée
ni d'être assistée. Rie Nissen, en revanche, oui. Il
était rare qu'un modèle l'impressionnât. Ce serait
donc le jeu du chat et de la souris. Ce serait une
question de domination. Rie allait se débrouiller
pour lui montrer qui était aux commandes.

Du côté de la loge, la boîte à chapeaux ouverte
dévoila quelques-uns de ses artifices : trousse
de maquillage, petits pots de cosmétiques, trois

pinceaux, une boîte de fards. Et un curieux filet à cheveux que Karen emboîta sur son crâne, l'ajustant bien serré.

Elle entama sa transformation avec des gestes précis, longuement répétés. Reculant, s'approchant de la glace. Se jaugeant. Lorsqu'elle eut terminé, quand Isak Dinesen émergea du néant en son essence mystérieuse, le petit cendrier débordait de mégots maculés de rouge à lèvres cramoisi.

Absorbée dans le réglage de ses appareils, Nissen ne l'entendit pas approcher. Elle entrevit une ombre noire qui pénétrait dans le cercle de lumière. Leva le nez. Resta interdite. Où était passé le marin-pêcheur ? Une créature sans sexe défini, mi-spectre, mi-elfe, se dressait dans la flaque lumineuse. Noire des pieds à la tête, la silhouette d'une minceur extrême formait une tige délicate au sommet de laquelle s'épanouissait un visage de craie, troué d'une paire d'yeux sombres qui parurent insondables à Rie. Un bonnet de jersey escamotait les cheveux. Soudain, comme si dans un recoin du plateau un machiniste avait branché le courant électrique, le visage s'anima, les commissures des lèvres se retroussèrent, les yeux brillèrent et la silhouette écarta les bras avec grâce pour esquisser une révérence. Un lutin, espiègle !

« Rie, permettez-moi de vous présenter Isak Dinesen.

– Perturbant ! » murmura la jeune femme.

L'air ravi du lutin lui fit comprendre que l'entreprise minutieuse n'avait qu'un but : dérouter.

« Bon, quand commençons-nous à jouer ? » fit la voix de contralto.

Nissen avait tendu un fond de couleur rouge. Quel que fût son déguisement, cette femme lui évoquait l'intensité du pourpre vif. Elle cadrerait son visage, l'amorce des épaules, rien d'autre. Docile, le lutin prit place sur le tabouret. La lumière aveuglante des projecteurs le fit ciller. Un lapin pris dans la lumière des phares. L'œil bleu acier de Nissen épiait, fouillait, tentait de deviner. Ce portrait cachait un enjeu, si seulement elle pouvait savoir lequel ! Elle avait l'impression que son travail d'artiste ne serait que l'une des pièces d'un dispositif complexe. Si elle comprenait qui était cette femme, elle pourrait faire naître une émotion sur le masque vide.

Nissen saisit son Rollei, elle tourna autour de l'étrange modèle. Ce livre, de quoi parlait-il ? Avait-il un éditeur ? Tout en bavardant, elle restait concentrée sur le verre dépoli où se reflétait le visage inversé. Ce maquillage ! Il absorbait la lumière. Une galette blanche, plate, sans muscles ni modelé. Les yeux, eux, étaient remarquables. Ils capturaient les milliers de watts des projecteurs et les transformaient en flammes d'où montait une lueur d'ironie. Des yeux noirs, mais pas seulement. Une pointe de violet ? Ils étaient impossibles à décrire. Le jeune assistant régla la hauteur d'un projecteur. Le visage se creusa. Les cernes affleurèrent sous l'épais maquillage. Intéressant.

« De quoi votre livre parle-t-il ? » La question avait pris Karen au dépourvu. Que pouvait-elle répondre ? Certainement pas la vérité, qu'il s'agissait de sa vie, fragmentée en contes fantastiques. Cela ne regardait qu'elle. Quant à parler de son livre à une étrangère... Difficile, trop tôt, il continuait de vivre intimement en elle. Elle finirait bien par s'en détacher, un jour elle en parlerait comme d'un objet extérieur à elle-même.

La photographe continuait sa danse autour du modèle, yeux plissés, lancée à la recherche d'un détail inédit que l'on n'aurait jamais vu sur aucun autre visage. Karen la trouvait à couper le souffle. Une beauté scandinave d'une rare perfection. Les cheveux de lin, les pommettes hautes, la peau si ferme et pâle qu'elle ne put s'empêcher de la comparer au grain de peau soyeux des femmes massaïs. Rie Nissen, elle, paraissait sortir tout droit des neiges.

Karen parlait et Nissen l'écoutait de toutes ses oreilles. Cette femme de lettres qu'elle piégeait dans son viseur, elle n'en avait jamais entendu parler, et Dieu sait qu'en cette année 1934 le cercle littéraire danois était exigu ! En tout cas, elle avait des idées arrêtées : elle détestait la mode du réalisme qui envahissait la littérature contemporaine. Les histoires qu'elle écrivait se déroulaient dans une époque indéfinie, autour du XIXe siècle, quand les roues des calèches grondaient encore sur les pavés, que les équipages déposaient les gentilshommes de châteaux en manoirs éclairés à la bougie. Cette Isak Dinesen inventait un monde où une fine lisière mouvante séparait le rêve et la réalité. Le titre de l'ouvrage avait une consonance hors du temps lui aussi, il intriguait Rie : *Sept contes gothiques*.

« Je peux vous dire un de mes contes si vous voulez ! fit Karen. Mais je ne veux pas l'expliquer. Un conte ne s'explique pas. Il est tel qu'il est ou il n'est pas. »

Elle embarqua Nissen dans « Les rêveurs », à la poursuite de son héroïne, Pellegrina, la lionne ailée habitée par la vie sans limites, l'amoureuse aux multiples identités qui, dans la fuite, se bâtit une tour contre la douleur des relations humaines.

Karen garda le silence sur les multiples humiliations qu'elle avait subies avant d'être éditée. Son manuscrit terminé, elle s'était déplacée jusqu'à Londres où elle avait frappé à un nombre invraisemblable de portes. En vain. Une lettre de New York avait tout fait basculer :

Chère Baronne Blixen,

Dorothy Canfield Fisher a été assez aimable pour me laisser lire les nouvelles que vous avez écrites sous le titre de "Nozdref's Cook". [...] Je les trouve vraiment remarquables tant au niveau de l'intrigue que de la narration. Elles restent gravées dans mon esprit et m'ont profondément ému...

Après avoir hésité à les publier, les nouvelles se vendaient mal, disait-il, Robert Haas, codirecteur de Harrison Smith & Robert Haas, s'était décidé. Il acceptait à contrecœur l'idée du pseudonyme, ainsi que la mystification relative au sexe de l'auteur. Mais franchement, ce titre, *Nozdref's Cook*! Était-ce un livre sur la chasse au mammouth? Karen avait accepté de le troquer pour son vrai titre, *Sept contes gothiques*. Robert Haas succomba puis exprima une ultime exigence: selon lui, il était nécessaire de poser un visage, fût-il inconnu, sur un nom de plume qui l'était tout autant. « D'où mon recours à vous, Rie », fit Karen en levant les yeux vers celle qui la mitraillait sans une seconde de répit, à présent.

Il avait fallu un certain nombre d'interventions divines pour que ses *Contes gothiques* soient publiés. Karen en convenait. Si Thomas n'avait pas croisé à l'aéroport de Kastrup la romancière américaine Dorothy Canfield Fisher, une relation de tante Bess, et si, à la suite de cette rencontre, il n'avait échangé quelques lettres avec elle, Mrs Canfield n'aurait jamais eu l'occasion de jouer les intermédiaires enthousiastes. Car, à Londres, Karen s'en souvenait avec humiliation, on lui fermait les portes au nez. Dès son arrivée elle avait fait savoir aux Winchilsea qu'elle séjournait dans la capitale. Snobs à un degré qui la surprit elle-même, ils avaient refusé de la recevoir! La maîtresse de feu Denys appartenait aux profondeurs.

Elle se jura de franchir un jour leur porte en altesse royale, précédée par un tapis de roses et des critiques triomphales. Ils n'y résisteraient pas.

Des émotions contradictoires traversaient le visage prisonnier des faisceaux de lumière. Nissen décida de travailler au trépied, en légère contre-plongée.

« Allons découvrir cet Isak Dinesen. Quel qu'il soit ! » dit-elle.

On n'entendit plus que le déclic de l'obturateur suivi du tour de manivelle qui faisait avancer la pellicule.

Devenir Isak ? Un jeu d'enfant ! Karen oublia le studio, l'assistant, la photographe blonde, et tout ce qui l'entourait. Elle pénétra en elle-même, à la recherche de la voix d'Isak, de ses mots, d'un écho. Dès l'enfance, Ingeborg lui avait appris à se déguiser, sa mère appelait cela l'exercice de conversation : « Tanne, aujourd'hui tu es Louis XIV. Dis-moi ce qu'il aurait dit, imagine ses idées, défends les tiennes à sa manière. Sujet libre. » Louis XIV ! Aussi, investir la personnalité d'une créature qu'elle avait inventée de toutes pièces… oui, un jeu d'enfant.

Inventée ? Elle avait le sentiment qu'Isak Dinesen vivait en elle depuis toujours.

Je veux un masque.

Nissen se concentrait sur le reflet inversé dans le verre dépoli. Instructions brèves, ponctuées d'encouragements. « Oui, bien… superbe ! » Le modèle se détendait, des profondeurs des yeux cerclés de khôl d'Isak Dinesen, Rie vit monter une âme et une histoire qui n'existaient pas dans les regards qu'elle avait sondés jusqu'alors.

Pénombre de la chambre noire, odeur âcre des bains, Rie Nissen était à nouveau maîtresse du jeu. Des dizaines d'épreuves séchaient sur un fil, à chaque fois un détail venait tout gâcher. Trop inquiétante, trop vivante, trop féminine... Penchée sur le bac révélateur, Nissen tirait, jetait, passait au négatif suivant.

Là. Ce cliché-là, c'était le bon. Mouvant sous les légers remous du bain, la conteuse Isak Dinesen la fixait enfin. Énigmatique, intrigante. Nissen saisit l'épreuve à l'aide d'une pince, l'accrocha au fil. L'examina.

Son objectif avait capturé une chose unique. Il avait photographié l'impalpable. Une aura. L'ombre du démiurge, omnipotent et inquiétant.

5

De l'autre côté du grillage, l'enfant kikuyu courait. Les yeux suppliants, sa tête de gnome tournée vers elle. L'une de ses jambes, pareilles à des pattes de cigogne, était entortillée dans un chiffon en loques. L'enfant courait plus vite qu'il n'avait jamais couru, son regard fixé sur Rouge, sur elle, accroché à eux comme à une locomotive. Il se maintenait à leur hauteur, le souffle court et sifflant mais on voyait bien qu'il commençait à perdre du terrain. Elle était incapable de ralentir. Elle aurait aimé. Tellement. Ça lui était impossible. On l'en empêchait. Une paralysie totale lui interdisait de tirer sur les rênes. L'enfant continuait de courir, la fixant, sa bouche ouverte sur un cri. Il voulait lui faire savoir quelque chose. Une chose vitale. Mais elle n'entendait aucun son. Maintenant, il boitillait, s'entêtait à courir, au bord du déséquilibre. Toujours inerte sur son cheval au galop, elle laissa la haute clôture derrière elle et poursuivit sa course. Alors, comme par magie, Rouge se mit au pas. Elle put enfin se retourner. Plaqué contre le grillage, l'enfant kikuyu gardait les yeux rivés sur elle. Sa poitrine se soulevait à une vitesse folle. Puis sa bouche forma un mot silencieux. Recommença. Une autre fois encore. Elle finit par comprendre.

« *Msabu*. »

Elle fit au revoir de la main. À son tour il leva le bras, puis le laissa retomber. Vaincu.

Une immense tristesse envahit Karen. Si poignante qu'elle l'obligea à ouvrir les yeux. Les lambris sombres de sa chambre, le miroir de la coiffeuse, malgré le décor familier le sentiment de désolation continua son mouvement de marée montante.

Cette fois, elle ouvrit grands les yeux. Sursauta. Était-il arrivé quelque chose à Kamante ? Avait-il besoin d'elle ?

Karen passa la matinée à chasser son inquiétude. Elle commença à écrire une page, puis renonça. Tourmentée.

La nuit venue, sur le perron, tendue vers le ciel de pierre, à la recherche de l'hypothétique Croix du Sud, elle réfléchit en paix. Kamante n'avait pas besoin d'elle. C'est elle qui avait besoin de lui. Besoin d'eux.

L'escalier du grenier gémit sous ses pas, bien qu'elle montât chaque marche sur la pointe des pieds afin de n'éveiller personne. Cinq ans avaient passé depuis son retour de Nairobi, l'heure était venue d'affronter les caisses africaines.

Entourée de pénombre, agenouillée sur le plancher disjoint seulement éclairé par une lampe tempête, Karen sortit les livres un à un, avec appréhension. Ils étaient en miettes ! Le contenu entier d'une caisse était détruit. Quelque part entre Nairobi et Mombassa, ou plus tard, dans les cales du *SS Mantola*, l'humidité de l'Afrique s'y était faufilée ; dans l'obscurité, de l'horrible vermine s'y était repue de son passé sans que quiconque vînt la déranger. Mais le festin était terminé. Karen plongea les mains dans les piles de moisissures pour sauver des bribes de livres.

L'odeur lui souleva l'estomac. Elle avait cru les ouvrages à l'abri, pensé avoir le temps devant elle. L'éternité. Les peaux, les vélins, le bois, les mots partaient en lambeaux sous son regard navré. Reliures pleine peau, dos brodés par la main d'un artisan amoureux de l'objet, phrases de Sénèque, de Shakespeare, de Byron, tout ce savoir se détachait, s'effritait, s'effaçait.

Un gros livre lui parut indemne. Elle s'en saisit. Le *Mrs Beeton's Book of Household Management* ! Sublime pavé. Plus de mille recettes victoriennes, des dizaines de planches de dessins en couleurs. Elle le feuilleta avec délicatesse, sans le blesser davantage. L'art de dresser une table ; de plier les serviettes en artichaut, en éventail ; de procéder aux bandages en cas d'accident aux fourneaux ou à la découpe. Comment cuisiner un faon, confectionner des nougats, nettoyer une caille... Qu'aurait-elle fait sans Mrs Beeton, sous les tropiques ? Sa vaillante coéquipière dans l'éducation de Kamante. Ensemble, elles étaient arrivées à ce repas servi au prince de Galles en 1928, confectionné par le garçon fraîchement promu «chef». Quelques mois plus tôt, il était encore chargé de la surveillance des chiens. Néanmoins,

> *Bouillon de mœlle,*
> *Turbot de Mombassa à la sauce hollandaise,*
> *Jambon à la sauce Cumberland, épinards et*
> *oignons glacés,*
> *Perdrix aux petits pois et laitue,*
> *Tomates et macaronis en salade et leur sauce à*
> *la crème et aux truffes,*
> *Croustades de champignons,*
> *Savarin,*
> *Fraises.*

Exécution parfaite relevée d'une pointe du génie culinaire du garçon. Imprévisible Kamante! On ne pouvait jamais deviner dans quel ordre les plats arriveraient. Le prince, emballé, avait quitté la table en glissant à son hôtesse: «Le meilleur repas que l'on m'ait offert au Kenya.»

Karen ferma les yeux. La voix de Kamante. Rugueuse. Une voix qui n'avait pas l'habitude de servir. Sans doute à force d'avoir grandi en solitaire dans la brousse, là où elle l'avait trouvé, abandonné, le corps couvert de plaies. L'enfant se terrait dans la savane comme une bête malade. Il en avait gardé l'habitude de cracher les mots,

271

de s'en débarrasser comme s'ils obstruaient son gosier. C'est ainsi qu'il lui dit:

« Le fils du sultan a-t-il aimé la sauce du cochon ? L'a-t-il mangé tout seul ? »

Elle avait ri. Il attendait, sérieux, plein d'espérance, qu'elle lui répétât le compliment princier. Un miel dont il ne se lassait pas. Six mois s'étaient écoulés depuis la visite du prince, mais voilà qu'il revenait, *fishing for compliments*, avec ce bric-à-brac pompeux. De quel manuel en usage dans les cours orientales l'avait-il tiré ? Bien sûr, devant lui, elle avait gardé son sérieux. Et bien sûr, elle lui avait répété le compliment.

Cela remontait à si longtemps ! Pourtant, c'était toujours aussi vivant en elle.

Mrs Beeton rejoignit ses confrères sur le plancher avec un bruit sourd. Une dernière reliure de cuir damassé chatoyait dans le fond de la caisse. Karen s'en saisit. Les lettres d'or gravées sur le dos brillaient faiblement. *Les Fables de La Fontaine.* Une belle édition française. Il eût mieux valu ne pas l'ouvrir, elle savait, mais alla tout droit à la page de garde.

Si jamais votre cœur regrette la retraite qu'aujourd'hui vous abandonnez, venez. De tous les chagrins de votre âme je réclame, pour notre fidèle amitié, la moitié.

L'écriture déliée de Denys tremblait devant ses yeux. La petite flamme vacillante alla se planter dans le cœur de Karen. Tout ce qu'il restait de lui. Quelques mots en français tracés à l'encre noire. Denys lui avait dit ces vers à une époque où ils traduisaient fidèlement ce qu'ils espéraient l'un et l'autre de leur amitié. Elle sentit les larmes couler sur ses joues.

La nuit était bien avancée quand Karen se releva. Le livre de fables serré contre sa poitrine, elle descendit avec précaution les marches étroites qui piaulèrent dans la maison endormie. Ne réveiller personne. Ingeborg moins que quiconque. Karen n'aurait pas la force de répondre à ses questions inquiètes : « Tout va bien maman, va te recoucher. » Car ça n'allait pas bien du tout.

Incapable de s'allonger sur son lit, effrayée par l'insomnie, elle descendit à son bureau. Demain, elle s'occuperait des autres caisses. L'une contenait le fauteuil de Denys, l'autre son Gramophone et le coffre d'ébène offert par Farah. Demain, elle trouverait la force de les apprivoiser, de s'en approcher.

Elle avait refusé de se vautrer dans les souvenirs, mais parfois ils prenaient le dessus, la douleur était alors atroce. Or, l'émotion qu'elle ressentait ce soir contenait une douceur inattendue. Comme était douce sous ses doigts la peau de ce livre que Denys avait touché, caressé et qu'elle caressait à son tour dans l'espoir d'y retrouver la chaleur de sa main.

Cette nuit passée dans les profondeurs du grenier lui apprenait qu'il lui était possible de penser à Denys, à ses *squatters*, à son passé sans être dévastée.

Karen songea à Gustav. Ils correspondaient régulièrement.

« Que penserait-il s'il me voyait en larmes si longtemps après ? » se demanda-t-elle en se mouchant. En 1934, le succès fulgurant en Amérique et en Angleterre de ses *Sept contes gothiques* avait fait d'elle un auteur admiré. Et sa sélection par le Club du livre du mois, un auteur populaire aux États-Unis. Mohr lui avait écrit de Nairobi : « *Vous qui pensiez avoir le cœur brisé quand vous avez été obligée de quitter l'Afrique !* »

Mais justement, elle avait eu le cœur brisé. Et il l'était encore. Quelle naïveté de croire au pouvoir cicatrisant du succès. Il n'y a que le temps pour rendre le chagrin supportable.

Ils étaient morts, tous.

Berkeley Cole, le premier. Puis Denys.

Lord Delamere et Hugh Martin, morts le même jour, trois mois après son départ d'Afrique. Arrêt cardiaque.

Eric von Otter, fou d'elle. Il voulait l'épouser, l'arracher à Bror. C'était avant Denys. Cher Eric, mort d'hématurie.

Charles Bulpett, l'amant de la Belle Otero…

Disparus.

Bien des fois elle avait songé à écrire un livre africain. Avant même que les *Contes gothiques* aient trouvé un éditeur. Ça lui avait été impossible.

C'eût été comme écrire un livre sur un enfant que l'on vient de perdre.

Mais l'appel muet de Kamante dans son rêve changeait la donne. Il était temps de laisser vivre ses amis dans son cœur.

Accompagnée par le tic-tac de l'horloge Karen commença à imaginer le livre. Ce serait un cri venu du cœur. Chaque page frémirait de vie. Rien à voir avec des mémoires, non. Elle rassemblerait les faits qui avaient eu de l'importance pour elle et tenterait d'en faire une œuvre d'art. Si les *Sept contes gothiques* avaient été écrits à l'aide d'une flûte, un livre sur l'Afrique exigeait tout un orchestre ! Il y aurait tant de voix à faire entendre. La voix ample des pionniers flamboyants, les glapissements des petits colons, celles tantôt criardes, tantôt pleines de sagesse des Somalis, des Kikuyus, le mutisme hautain des Massaïs. Il y aurait le tapotement léger des sabots de Lullu l'antilope sur le parquet ciré de Mbogani, les chuchotements de la forêt du Ngong, le souffle mystérieux de la plaine, les mille bruits du monde animal, et du vent, et les silences de la lune... Ça lui parut insurmontable.

Elle se souvint. Un jour, à Paris, dans les années 20, alors qu'elle assistait à un concours hippique, un officier français lui avait expliqué comment il procédait pour faire sauter les haies à sa monture. « Il faut commencer par jeter le cœur par-dessus l'obstacle, ensuite, rien de plus facile que de faire passer le cheval. »

275

Jeter le cœur par-dessus l'obstacle. Bien. Elle se mit donc au travail.

Un matin de mars 1936, une lettre lui parvint de Norvège : Gustav Mohr, trente-huit ans, s'était noyé en traversant une rivière en crue au Tanganyika. Le colosse roux perdant pied, fauché par les rapides bouillonnants. Le jeune, le fougueux, le merveilleux Gustav. Il était resté son dernier lien avec ce qu'elle estimait être sa vie véritable. Karen l'aimait particulièrement. Il était l'un des rares à la respecter sans pour autant se laisser impressionner par elle. Quelques semaines auparavant, Gustav avait demandé son conseil. Devait-il quitter le Kenya, qui avait terriblement changé, et rentrer chez lui en Norvège ? Elle lui avait répondu ce que lui dictait son intuition : il serait plus heureux en Norvège. L'Afrique, pour lui, n'était qu'une parenthèse. Elle avait ajouté : « *J'ai la sensation qu'il y a quelque chose dans votre vie, dans votre destin ou votre situation, dont je ne sais rien et que je ne connais pas [...] et que vous ne connaissez pas vous-même [...] cela doit concerner le destin lui-même.* » Ajoutant, pour le rassurer : « *On a bien le droit d'être un peu mystique, pour une fois, quand on est l'auteur de "Sept contes gothiques".* » Car ces derniers temps, quand elle pensait à lui, l'avenir se taisait.

Ses dons de divination finiraient par lui flanquer la frousse.

Le livre à peine commencé, elle avait dû fuir l'agitation de la maison. Il était compliqué de s'y concentrer. Dans et *sur* son bureau transformé en table d'opération, un médecin avait opéré Ingeborg d'une sinusite frontale. Le temps de sa convalescence, la maîtresse de Rungstedlund lui avait confié l'intendance de la maison, Karen n'avait plus une miette de seconde à elle.

Elle s'était réfugiée dans un hôtel, à l'extrême nord du Jutland, à Skagen, ce bout du monde entre falaises et océan où la terre danoise se termine en une pointe autour de laquelle les mers du Nord et de la Baltique se rejoignent. Elle ne se fatiguait jamais d'observer ce phénomène unique au monde ni, à la pointe du jour, de contempler le ciel aux nuages plus légers qu'une plume. Des cieux subtils et magnifiques. Dès le printemps et jusqu'à l'automne, on ne comptait plus les peintres qui plantaient leurs chevalets sur la crête des dunes, leurs pinceaux essayant de rendre l'impossible : un ciel au rose étrange, profond et sale, et l'incroyable lumière de Skagen. La merveilleuse impression d'être au cœur d'un paysage plus vaste que ne l'était le reste du monde lui permettait de renouer avec l'immensité des plaines africaines.

Dans un premier temps, Karen appela son livre *Une ferme en Afrique*. Il était le chant du cygne du monde indigène qu'elle avait connu. Ses amis y avaient tous trouvé leur place, chacun y apportant sa musique singulière. Elle l'avait écrit dans un état de bonheur profond. La fréquentation de ses amis disparus lui apprenait une chose qui, elle l'espérait, l'aiderait à vivre : la ligne de démarcation que l'on trace pour séparer le passé du présent est totalement fausse. Les belles choses de la vie ne sont pas détruites. Jamais.

Elle ressentait dans sa chair ces vers de Musset, sûre, à présent, comme le poète l'avait été,

> *que nous marchons ensemble,*
> *que l'âme est immortelle, et qu'hier c'est demain.*

En Amérique, le deuxième livre d'Isak Dinesen connut un succès aussi foudroyant que le précédent. En novembre 1937, le très populaire Club du livre du mois le sélectionna pour le diffuser largement. C'était une première dans l'histoire du Club, ce sacre deux fois de suite d'un même auteur.

Karen le comprit comme une véritable distinction littéraire. Elle ne se défera jamais de l'idée qu'il s'agissait d'un prix aussi prestigieux que le Goncourt ou le Booker Prize.

Le triomphe américain entraîna le triomphe en Angleterre. Les Winchilsea revirent leurs dispositions à son égard. Ils seraient ravis de la recevoir si elle passait à Londres, écrivaient-ils dans leurs lettres, désormais amicales. Elle rit franchement. Puis joua le jeu. Pourquoi s'en priver.

En lisant l'exergue que sa sœur avait choisi pour *La Ferme africaine*, Thomas ne put s'empêcher d'éclater de rire lui aussi :

«*Aller à cheval, tirer à l'arc et dire la vérité.*» C'était, disait-elle, les trois seules choses qu'elle sût faire.

Toujours riant, Thomas referma le livre, déplia sa longue silhouette du fauteuil et glissa à l'oreille de sa femme : « Notre Tanne... Quel dommage qu'elle ne sache faire que les deux premières ! »

DE CHAIR ET DE CENDRES

Rungstedlund 1942-1954

1

J'ai fait irruption dans l'existence de Karen Blixen en novembre 1943. Cet automne-là fut aussi décisif pour l'histoire du Danemark qu'il le fut pour la mienne. À l'époque, j'étais une jeune universitaire de vingt-sept ans et je portais un autre nom qu'aujourd'hui : Clara Svendsen.

Notre pays subissait l'occupation allemande depuis trois ans avec, il faut le préciser, infiniment moins de privations que nos voisins. En effet, le Danemark était devenu la vitrine de la mansuétude de l'Allemagne à l'égard des pays qui sauraient se montrer conciliants. Nous n'en étions pas fiers. Notre gouvernement et le roi avaient préféré collaborer pour épargner des vies, plutôt que commencer une guerre qu'ils savaient perdue d'avance. Faire le dos rond ne nous empêchait pas de nourrir un anti-germanisme profond qui, à son tour, alimentait un mouvement clandestin financé par l'Angleterre.

L'invasion allemande resta «pacifique» jusqu'au soixante-douzième anniversaire de notre roi Christian X. Ce jour-là, notre vieux monarque reçut une lettre de Hitler. Style fleuri sur fond de tonalité dithyrambique, dirons-nous. Sa Majesté répondit sur-le-champ par télégramme: « *Mes meilleurs remerciements. Roi Christian.* » Une sécheresse tout impériale, non ?

Le Führer décida donc de nous en faire baver.

L'armée danoise fut dispersée, la marine tomba entre les mains allemandes, plusieurs hautes personnalités furent emprisonnées, la peine de mort fut exigée pour les auteurs de sabotages. Nous ignorions que le pire, à savoir le cœur de la riposte du Führer, consistait en une grande rafle: huit mille Juifs danois seraient déportés vers le camp de concentration de Terezin.

À la fin de l'été, deux navires de guerre allemands jetaient l'ancre dans le port de Copenhague. Le 27 septembre, grâce aux informations d'un attaché maritime antinazi de l'ambassade d'Allemagne, les dirigeants du Parti démocrate danois apprirent qu'une rafle aurait lieu le 1er octobre. Il leur restait trois jours pour agir. Ils suffirent pour tisser un réseau clandestin et solidaire qui impliqua la majorité de la population dans une opération de sauvetage à l'échelle nationale: prévenir et cacher ces huit mille Juifs, puis les faire passer dans un pays où leur sécurité serait assurée. Le personnel des hôpitaux, les employés des chemins de fer, les membres de congrégations religieuses, les commerçants, tous firent passer le mot. Chaque maillon alertait ses connaissances. À l'instar d'un ambulancier de mon entourage, quelques-uns repérèrent dans l'annuaire les noms à consonance juive, se rendirent chez ces personnes pour les prévenir et les héberger dans le plus grand secret. Le 1er octobre, plus de sept mille Juifs se trouvaient hors de portée de la rafle. Restait à les évacuer.

Cette occasion unique de nous racheter à nos propres yeux transformait les congrès de bibliothécaires ou de pasteurs luthériens en véritables conseils de guerre. Il fallut harceler la Suède, pays neutre situé sur l'autre rive de l'Øresund, pour qu'elle acceptât d'accueillir les fugitifs. Mais comment leur faire traverser le détroit, soit vingt-cinq kilomètres de mer sillonnés par les patrouilleurs allemands ? Le comportement des habitants du Strandvej, la route côtière entre Copenhague et Elseneur, fut exemplaire. Ils hébergèrent les familles menacées, veillèrent, déjouèrent la surveillance des soldats allemands afin que la Résistance ait le temps d'organiser les transferts. Début novembre, sept mille deux cents Juifs étaient passés en Suède.

À Copenhague, la vente de novembre 1943 au profit de la Croix-Rouge danoise eut lieu dans une ambiance euphorique inhabituelle. Tous ces gens d'ordinaire si peu démonstratifs semblaient pris de vin gai. J'y étais. J'arrivais du Jutland, de Risskov exactement, où j'enseignais le latin et le français à l'université. Il y avait un monde fou. Dans la cohue, j'étais parvenue à retrouver mes amies universitaires. L'une d'elles me poussa vers un stand et j'entendis : « Baronne, permettez-moi de vous présenter l'une de vos plus ferventes admiratrices, Clara Svendsen ! »

Légèrement ahurie, je me trouvai nez à nez avec Isak Dinesen.

Ce jour-là, elle jouait la baronne à la perfection. Mon champ de vision fut d'abord entièrement occupé par son incroyable chapeau de paille tressée. Imaginez deux ailes d'un ptérodactyle échouées de part et d'autre d'un long visage. Une classe folle, néanmoins. J'imaginais aussitôt une prestigieuse griffe parisienne, un caprice pré-Seconde Guerre mondiale. Mon attention s'attarda sur le tailleur gris parfaitement coupé, le carré de soie désinvolte autour du cou fin. C'est stupide. Vous rencontrez l'auteur contemporain que vous vénérez et vous vous attachez à des détails de midinette. Et vous balbutiez : « Oh… En effet… Je suis si heureuse de vous rencontrer. » Remarqua-t-elle ma jupe plissée, l'épais cardigan qui m'engonçait et mes chaussures de pluie ? En tout cas, elle glissa une tasse de thé entre mes mains. « Buvez ça, vous êtes frigorifiée. »

Elle avait jeté une nappe blanche finement brodée sur une table à tréteaux et vendait une collection de petits gâteaux qu'elle avait confectionnés elle-même. Impossible de bavarder vraiment tant on nous interrompait. Cette femme volubile attirait la terre entière, laquelle bourdonnait longuement au-dessus de ses pâtisseries. Elle se débrouilla pour ne négliger personne. Il était trop tôt pour que je comprenne à quel point ce genre de raout brisait l'isolement qui la clouait chez elle depuis la fermeture de nos frontières en 1940. Il dissipait son sentiment d'avoir la bouche emplie de terre alors que sa vie restait à accomplir. Ces frustrations – je l'apprendrais à mes dépens – la poussaient à se montrer doucement impitoyable ou abruptement extravagante.

Elle m'invita à passer prendre le thé à Rungstedlund le mercredi suivant.

Ma collègue disait vrai, j'étais une fervente admiratrice de l'œuvre d'Isak Dinesen. Ses *Sept contes gothiques* avaient fait sensation partout où ils avaient été publiés : ça ne ressemblait à rien qui existât déjà. À l'époque, ils n'étaient pas encore traduits en danois, je les avais donc lus dans l'édition anglaise. Sept merveilles chantournées avec sensualité, infiniment plus profondes et complexes que les contes des *Mille et Une Nuits* auxquels on les a comparées. À Copenhague, tout le monde se demandait qui était ce mystérieux Isak Dinesen inconnu chez lui ? La chasse aux scalps commença à partir des éléments biographiques distillés par l'éditeur américain. Quand Robert Haas dévoila la véritable identité de l'auteur, elle fit sensation. La baronne von Blixen-Finecke ! Une femme ! Une Danoise qui préférait écrire en anglais plutôt qu'utiliser sa langue natale ! Mes compatriotes lui en tiendraient rigueur. Et le fait qu'elle écrive *La Ferme africaine* simultanément en anglais et en danois, exigeant que les deux versions paraissent le même jour en Amérique et au Danemark, n'y changerait rien.

La Ferme africaine. Certains livres peuvent changer la perception que l'on a de l'univers. *Out of Africa* est de ceux-là. Chaque fois que je le lis, il me réconforte. Et ce depuis quarante-six ans. Oui, il me redonne l'espérance. C'était le propre de Karen Blixen, vous savez, l'espérance.

Le mercredi suivant, je bravai la pluie glaciale, les restrictions d'essence, les trains rares et bondés, descendis à la gare de Rungsted Kyst, pris la route qui allait droit sur la mer et, selon les instructions de la baronne, j'obliquai dans le parc, traversai sa forêt de hêtres et ses champs, franchis le petit pont japonais peint en blanc pour arriver devant la grande maison. Une maison trop vaste. Elle suintait la solitude. Quelque chose dans ses proportions généreuses suggérait que, jadis, elle avait été une grande demeure, elle avait connu l'hospitalité illimitée, le bruit, les rires, les hordes d'enfants, qu'il y avait eu des calèches dans la cour et des gens qui s'affairaient dans le parc et les dépendances.

J'appris aussitôt qu'au XVIIIe siècle Rungstedlund était une auberge qui avait hébergé notre immense poète Johannes Ewald et qu'il y avait écrit son chef-d'œuvre mystique *Les Félicités de Rungstedlund*.

Mon hôtesse était exagérement loquace. Cette guerre qui la coupait du monde extérieur l'avait condamnée au monologue. J'étais donc la bienvenue mais, franchement, je crois que n'importe qui aurait fait l'affaire.

D'emblée je demandai : « Comment dois-je vous appeler ? Isak Dinesen, Karen Blixen ? » La réponse fusa, comme allant de soi : « Madame Blixen, ce sera parfait. »

Cette fois, elle était vêtue en campagnarde, d'un gros chandail et d'un pantalon large. Je notai les socquettes glissées dans ces chaussures à semelle compensée qui nous permettaient de traverser la guerre à pied sec. Elle prit mon manteau et mon chapeau dégouttant, m'installa dans le canapé du salon avant de disparaître. « Je vais préparer notre thé. »

Au bout d'un long moment, elle réapparut soutenant un vaste plateau de vermeil. Elle me servit sans lésiner sur le lait crémeux. Luxe invraisemblable, un pot de beurre accompagnait les toasts. Je poussai une exclamation de plaisir.

« J'ai la chance d'avoir du bétail, fit-elle. Et des volailles. J'ai des œufs en pagaille ! Je vous en ai enveloppé deux douzaines, vous les emporterez… Des vaches pour le lait, les poules pour les œufs, du bois pour se chauffer, des fruits en été, que demander de plus en ces temps sinistres ? » soupira-t-elle en s'enfonçant dans son fauteuil.

Au fond, elle avait troqué une ferme contre une autre. J'avais devant moi une véritable fermière, aux mains solides et noueuses, des mains habituées à retourner la terre. Mais, dès qu'elle parlait, l'Ariel de Shakespeare prenait possession de la pièce. Je me sentais à l'aise. On m'avait prévenue, pourtant : « Elle est aussi redoutable qu'une sorcière. »

Elle disait avoir hérité cette ferme à la mort de sa mère, quatre ans plus tôt. Les terres en fermage et les métairies l'accaparaient au point de l'empêcher d'écrire.

« La maison me tombe sur la tête, fit-elle en levant les yeux vers le plafond. Une partie du toit s'est envolée le mois dernier et, pas plus tard qu'hier, j'ai passé la jambe à travers le plancher ! Nous penserons aux réparations quand cette guerre sera terminée. Ça ne devrait plus tarder. »

Derrière les pots de crème et de beurre, c'était bel et bien la dèche. Elle l'avouait tout de go, comme un clairon qui lance l'assaut.

Les droits d'auteur, considérables d'après ses calculs, générés par ses deux premiers succès littéraires engraissaient les finances de ses éditeurs américains et britanniques mais pas encore les siennes. Ils étaient bloqués à l'étranger et le resteraient tant que la paix ne serait pas rétablie. En attendant, elle se privait. J'avais noté l'absence de domestiques, comment ne pas remarquer le vide de cette maison immense. « J'ai réduit leur nombre au minimum. Et voilà que ma vieille cuisinière se découvre de l'asthme, il lui est impossible de rester plus longtemps. »

Elle se pencha vers la table basse, saisit un coffret rempli de cigarettes brunes, me le tendit, je fis non de la tête. Elle emboucha sa cigarette dans un filtre d'argent massif, tout en continuant, pensive :

« La vie m'a appris une chose, Clara. Ce n'est pas si terrible d'être pauvre, mais c'est affreux de ne pas être riche. Pareil pour l'âge, il n'y a rien de mauvais à devenir vieux, mais c'est affreusement ennuyeux de ne pas être jeune ! Tout est pire en négatif. »

Le sort réservé à son manuscrit des *Contes d'hiver* la tracassait. Elle l'avait envoyé aux Amériques par bateau, deux jours avant la fermeture de nos frontières. Cela remontait à trois ans, aucune nouvelle depuis. Ses contes étaient-ils arrivés à bon port ? Avaient-ils fait naufrage sur un navire torpillé ? Son regard cabota vers ce que j'imaginai être des royalties disparaissant corps et biens dans les flots. Je me trompais.

« Clara, il n'y a pas plus grand cauchemar pour un écrivain que d'imaginer son travail disparu à jamais. »

À jamais ? Elle exagérait, je le lui dis, feu aux joues. Les *Contes d'hiver* étaient sortis chez nous un an plus tôt. Je les avais lus et aimés. Sombres et lumineux à la fois, loin du charme mystificateur de ses *Sept contes gothiques* ils sont parcourus d'un long soupir mélancolique. Ils exprimaient une solidarité avec ce que notre pays subissait, ils reflétaient notre volonté de n'être ni colonisés ni bâillonnés ! Je ne doutais pas qu'ils lui aient rendu l'affection des Danois, ce n'était pas si mal…

« Vous avez raison sur un point, Clara. Ces contes sont pleins du Danemark de mon enfance.

Quant à me rendre l'affection de mes compatriotes... notre divorce est assez profond.»

Une lueur de gaieté traversa ses yeux noirs et brillants.

«Les Danois se vantent de leur sens de l'humour... J'avoue qu'il m'échappe! Parmi eux, j'ai la curieuse impression que, légèrement prise de boisson, je me suis égarée dans un groupe d'abstinents.»

Nous étions assises devant le feu, elle fumait pensivement. Après un silence, Mme Blixen demanda :

«Quel âge avez-vous, Clara?

— J'aurai vingt-huit ans en décembre.

— Avez-vous déjà été amoureuse? Avez-vous éprouvé ne serait-ce qu'une petite flamme pour un homme?»

Justement, oui.

«Byron! Je suis amoureuse de lui.

— Mais, Clara, il est *mort*!

— Il est plus fascinant que n'importe quel être vivant!»

Son regard terriblement intelligent parcourut mon visage. Elle avait soudain quelque chose d'une mère supérieure devant une enfant trop jeune pour prendre le voile. Enfin, d'un petit rire elle approuva mon choix. J'ignorais que je venais de lui lancer un défi.

Dehors la pluie avait cessé.

«Voulez-vous que nous sortions prendre l'air sur le Strandvej?»

Je préférai rester devant la chaleur de la cheminée. J'avais tout simplement peur que le charme entre nous s'évapore.

« Le Strandvej vient d'être le théâtre d'une certaine activité, dit-elle, après m'avoir considérée avec gravité. Sans doute, le savez-vous, Clara... »

À présent, nous nous flairions, prudentes. Sur quel terrain avancions-nous ? L'opération d'évacuation des Juifs remontait à un mois, la méfiance restait de mise car les Allemands continuaient d'enquêter pour trouver des coupables. La baronne m'examina une fois de plus, ma mine lui inspira sans doute confiance puisqu'elle m'expliqua avoir donné les clés de sa maison au comité de sauvetage et caché des familles juives dans les deux ailes de la ferme. La fameuse nuit du 1er octobre, elle n'avait pas fermé l'œil, guettant les bruits, redoutant celui des moteurs des véhicules militaires. Moi-même, dans mon village de Dragør, j'avais participé à l'opération.

« Bien, aussi longtemps que les nazis resteront dans le jardin et que les Juifs seront à l'abri dans nos maisons, je crois que nous pourrons être fiers d'être Danois », conclut-elle.

Une semaine plus tard, j'étais de retour. Cette fois, elle me proposa un marché insolite. Pour échapper à la sensation d'emprisonnement de la guerre, elle avait écrit une fantaisie, un récit bien moins complexe que ceux qu'elle composait d'habitude. « Mais vous savez à quel point le public et

les critiques détestent que l'on change de genre !
J'ai donc eu l'idée de prendre un pseudonyme
français. Pierre Andrézel. Le mystère serait mieux
gardé, me semble-t-il, si le nom d'un traducteur
apparaissait. » Avec mes diplômes et ma connaissance universitaire de la langue française, je faisais
un leurre idéal. « Clara, accepteriez-vous d'assumer cette pseudo-traduction ? »

Comment résister à sa mine de conspiratrice et
au curieux sourire. Il m'avait frappé, ce sourire,
dès notre première rencontre. Tout de biais. La
séquelle d'une légère paralysie faciale ? Bien sûr,
j'acceptai.

Lorsque je suis revenue pour la troisième fois à
Rungstedlund, l'accueil avait changé. On me traitait en femme de chambre. À ma demande, il est
vrai.

J'étais sortie de notre dernière rencontre sou-
cieuse. Servir de couverture dans une mystification littéraire m'amusait. Mais je pouvais faire
plus. J'en étais convaincue. Cette femme à l'écart
du monde me hantait. Quelle preuve lui donner
de mon admiration, qui ferait naître son amitié ?
De retour à l'université de Risskov, je compris
qu'il était temps de dire adieu à mes étudiants
latinistes. De franchir un nouvel échelon dans ma
carrière. Un poète élisabéthain a écrit : « *Je suis le
maître de mon destin, je suis le capitaine de mon
âme* », tel était mon état d'esprit lorsque j'écrivis la
lettre qui déciderait de mon avenir. Avec le recul,

je peux dire : de ma vie tout entière. J'ai proposé à Mme Blixen de devenir sa cuisinière.

Il était assez difficile de la surprendre. Je crois y être parvenue.

Intriguée par mon sacrifice, elle avait hésité. C'est un rêve qui a décidé de mon sort. Une nuit, elle rêva de Denys, de Farah et de moi réunis. Un véritable laissez-passer. Au matin, j'étais engagée. Direction l'aile des domestiques.

L'affaire conclue, elle me fourra dans les bras un uniforme et me pria de m'adresser à elle en utilisant son titre de baronne. « Je le demande à tous mes collaborateurs, et également à mes éditeurs. »

Je fus une cuisinière exécrable. Parmi les expériences les plus éprouvantes de l'époque, je compte la baronne entrant dans la cuisine en brandissant un panier de champignons des bois fraîchement cueillis qu'elle renversait sur la table : « Si vous les prépariez en croustade pour le dîner ? » Le *Mrs Beeton's Book of Household Management* restait muet pour moi. D'un commun accord, nous avons décidé de mettre fin à cette intéressante expérience.

« Clara, prenez garde de vous électrocuter en touchant les murs. L'installation électrique n'arrête plus de bouillir et de gargouiller, j'en ai des frissons ! Une nouvelle fuite dans le toit, j'imagine. Décidément, cette maison tombe en ruines. »

Cette fois, je réapparaissais dans le rôle de gouvernante-femme de ménage.

Je n'avais pas désarmé dans mon entreprise d'alléger la vie de Karen Blixen afin qu'elle la consacrât à l'écriture. Après mon fiasco aux fourneaux, j'avais pris des cours d'économie domestique, je m'étais inscrite à une école ménagère de Copenhague, formation complétée par un stage dans une famille noble d'Aarhus dont l'une des filles avait été mon élève. Sa mine incrédule lorsque, au détour d'une salle du manoir, elle croisait son professeur d'université un plumeau à la main ! Cette enfant née dans la soie me doit la révélation que le monde marche parfois sur la tête.

La baronne suivait mes faits et gestes comme une anthropologue ceux d'une tribu primitive.

J'imaginais le manège qui tournait sous ses boucles grises : une personne cultivée a-t-elle de meilleures dispositions, remplit-elle mieux sa fonction qu'un individu simplement doté d'une force robuste ? Comment cette personne situe-t-elle le travail domestique par rapport au travail intellectuel ? Mes porcelaines lui survivront-elles ?

Je fus aussi inapte au ménage que je l'avais été en cuisine.

Néanmoins, on ne pouvait me contester une qualité qui fait les bons majordomes : le respect à la lettre du protocole. Aucune familiarité. Une tenue impeccable. Je lavais et repassais chaque jour le bonnet et le tablier blancs, la robe noire qui constituaient mon uniforme. C'est sans amertume que j'époussetais le piano sur lequel, quelques mois plus tôt en tant qu'invitée, j'interprétais des sérénades. À ma grande surprise, j'aimais jouer les soubrettes.

De moi-même j'ai mis fin à ma mission avant d'en être éjectée.

Le dernier jour, alors que je servais son thé à la baronne qui recevait son frère Thomas – ah! les regards déboussolés de Thomas qui ne savait jamais à quel poste il me trouverait –, j'ai eu le plaisir de l'entendre soupirer :

« J'avoue que c'était agréable d'avoir affaire à une personne cultivée, même pour le ménage. »

Ces quelques semaines m'avaient donné un aperçu du monde selon l'idéal de Karen Blixen. Un monde aristocratique, détaché du temps, bien que privé des moyens qui avaient été les siens dans un passé pas si lointain. Comme tous les Danois durant la guerre, la baronne allait à bicyclette. Elle adorait pédaler sur le Strandvej, en sweat-shirt et tricorne, dans la roue d'autres cyclistes pour discuter un brin et rompre sa solitude. Je l'ai vue partir sur son vélo à une garden-party, pleine de l'énergie d'une débutante, en robe longue du soir retroussée avec des pinces. Je l'ai vue découvrir un pan de la réalité : « Il y a une distinction de classe et un snobisme avec les voitures, qui n'existe pas à vélo », disait-elle en songeant à sa Ford immobilisée au garage, faute d'essence. Quand elle n'écrivait pas, elle rendait visite à un vieux voisin aveugle. Assise dans la pénombre du salon, elle racontait des histoires, lui lisait les nouvelles. Cet homme érudit discutait âprement avec elle des auteurs classiques danois, comme si autour d'eux le monde ne s'effondrait pas dans un fracas sinistre.

« Qu'adviendra-t-il après cette guerre ? demandait-elle. Y aura-t-il une renaissance ? Y aura-t-il encore des hommes heureux ? »

Je découvris aussi ce qu'elle dissimulait à tous. Un matin que je lui montais son petit déjeuner, je la trouvai dans son lit, prostrée. Ce fut ma toute première confrontation avec sa maladie. Instinctivement, je fis un pas en arrière. Le visage émacié, le nez proéminent, les yeux noir de jais et furieux me repoussaient hors de la chambre... J'étais face au faucon pèlerin de ses *Contes d'hiver*, empêtré dans les cordages d'un navire, qui se débattait jusqu'à l'épuisement en attendant la mort. Elle tournait sa tête en tous sens dans les oreillers, livrant un combat muet contre la douleur.

Je comprendrais bien plus tard, quand elle m'aura révélé sa syphilis. Les malaises soudains, les vomissements, les accès de fièvre... La dégénérescence nerveuse avait commencé.

Elle détestait geindre. Tout juste si une exclamation lui échappait de temps à autre : « Pourquoi faut-il sans cesse passer à travers tant de choses horribles... » Il fallut l'opérer de la moelle épinière. Les médecins l'avaient prévenue : il s'agissait d'une intervention expérimentale dont ils ignoraient les conséquences. Elle n'a pas hésité une seconde : « Ça ne peut pas être plus épouvantable que ce que j'ai subi en 1942. »

Elle m'expliqua : emmaillotée dans des linges puis enfermée dans un caisson où l'air était porté à quatre-vingts degrés, sa tête seule émergeant du sarcophage. Le supplice avait duré trois heures, dans le pavillon des aliénés, parmi les hurlements des fous. Il s'avéra aussi inefficace que les cures de soufre du professeur Kemp.

Je n'ai jamais vu un être humain traiter la douleur avec autant de mépris. Et d'humour. « L'humour que les Noirs opposent aux cruautés du sort », aimait-elle dire.

Cette opération expérimentale, donc. On lui a scié quelques côtes, puis ôté des nerfs un à un. « *Épiler* me semble le terme approprié », rectifiait-elle. À sa sortie de l'hôpital militaire, elle flageolait sur ses jambes.

« Ils m'ont gravé l'Aigle de sang.

– L'Aigle de sang ? » fit un visiteur.

La voix un peu faible avec, toutefois, une lueur intéressée dans l'œil, elle racontait.

« Le supplice que nos ancêtres Vikings réservaient à leurs prisonniers. Ils ouvraient la poitrine du pauvre bougre, ce... – là, elle fixait le visiteur et mimait le geste expert du boucher devant une carcasse – d'un seul coup de poignard. Puis ils extirpaient les deux poumons et les déployaient des deux côtés de la tête. Vous aviez ainsi deux belles ailes rouges. Je crois bien que c'est ce qu'ils m'ont fait... », concluait-elle dans un souffle ténu.

La fin de la guerre était là. Je fus promue secrétaire. En dépit de notre promiscuité, je continuai à lui donner du « baronne ».

Les communications étaient enfin rétablies avec l'étranger. Nous avons commencé à recevoir des lettres de soldats américains qui remerciaient Isak Dinesen de les avoir aidés à garder l'espoir dans les pires moments. Le manuscrit des *Contes d'hiver* que la baronne pensait perdu était non seulement parvenu à Robert Haas, mais celui-ci l'avait publié, et le livre avait été couronné pour la troisième fois par le Club du livre du mois. Un record ! Et un nouveau succès à la fois populaire et critique.

L'Amérique n'a jamais cessé de nous surprendre : les services de l'armée américaine avaient édité *Contes d'hiver* en format de poche et l'avaient glissé dans le barda des GI Joe ! Que ces histoires en demi-teintes, au charme typiquement scandinave, aient contenu un tonique susceptible de doper les troupes yankees nous laissait sur le flanc. Quelle mouche avait piqué l'état-major ? Nous n'en sûmes jamais rien.

Entre-temps, la « fantaisie » dont Karen m'avait parlé le premier jour, et dont j'assumais la pseudo-traduction pour la version danoise, avait fait son bout de chemin. *Les Voies de la vengeance* était un roman noir à l'atmosphère très Jane Austen. Pour le reste, un roman de gare, dirait-on de nos jours, très bien fait. L'histoire de deux jeunes filles pauvres et orphelines qui tombent dans les griffes d'un pasteur et de sa femme, hélas, spécialisés dans la traite des Blanches. Là encore, le destin du livre dépassa son auteur.

Dès sa publication à Copenhague en 1943, une meute de chiens truffiers s'était lancée sur la piste de ce Pierre Andrézel totalement inconnu. Assez vite, les critiques soupçonnèrent Isak Dinesen de leur jouer un tour. Elle s'en défendait, même auprès de ses proches : « Si je l'avais écrit, je n'aurais pas envie de le reconnaître. » Elle était à demi démasquée. Cela ne lui plaisait guère.

Nous avions travaillé ensemble à la version anglaise. Dès sa sortie aux États-Unis en 45, un critique crut y voir « un message moral à notre époque et à l'humanité ». Ça tournait à la farce. Karen ironisa : « Espérons que ça ne se terminera pas par un prix Nobel ! » Cela se termina tout de même par une quatrième sélection par le Club du livre du mois. Du jamais vu. Elle était furieuse. « Je refuse que ce roman soit mis au même niveau que mes autres livres ! » tonna-t-elle dans une lettre courtoise mais incendiaire à Robert Haas, son stoïque éditeur américain.

Finalement, *Les Voies de la vengeance* fut élu lauréat du Club du livre du mois, ex aequo avec un autre. *Ex aequo* ? Humiliation ! Elle renonça au voyage qui était prévu en Amérique de crainte que son nom soit mêlé à la sortie des *Voies de la vengeance*.

Mais elle ne joua plus jamais avec son nom d'artiste.

Nous fêtâmes ses soixante ans autour d'un chocolat chaud, en compagnie du vieil Alfred Pedersen, d'Hellen, la veuve du jardinier qui me remplaçait au poste de femme de ménage, et du nouveau jardinier. Celui-ci tendit un panier à Karen. « Un cadeau de notre part. » Une petite gueule aux oreilles adorables pointa sous les torchons de camouflage. Un chiot. Un bébé berger-allemand pressé de s'oublier sur le tapis d'orient. J'assistai à leur coup de foudre réciproque et définitif. La baronne prit la chose gigotante dans ses mains et fondit sur place. Elle le baptisa Pasop. Aujourd'hui, il repose à ses côtés, dans sa tombe.

Le pays s'éveillait, la vie reprenait doucement. La liberté retrouvée ne changeait pas grand-chose à l'ordinaire de Karen : les séjours à l'hôpital alternaient avec les journées d'écriture. Mais je l'entendais tourner dans son bureau et supplier : « J'ai besoin de nouvelles impressions ! Il me faut de nouvelles impulsions ! »

À l'évidence, je ne pouvais y suffire.

2

La cuisinière à bois ronflait depuis le petit matin. Un fumet de champignons et d'herbes fraîches embaumait la pièce. Karen décalotta l'une des marmites, se pencha sur le bouillon frémissant.

« C'est prêt, madame Carlsen. Vous pouvez la sortir de là… »

Caroline Carlsen, la cuisinière qu'elle venait d'engager pour remplacer la vieille Mme Lundgren, fronça les sourcils. Elle n'avait guère apprécié l'intrusion d'une tortue dans ses faitouts. Et pas davantage l'arrivée de sa patronne aux commandes de ce qu'elle estimait être son royaume. Sa cuisine étincelante, fichue en l'air. Casseroles et poêles à frire sens dessus dessous. À l'aide d'une écumoire, Caroline ôta la bête du bouillon. Fit une grimace. Il ne s'agissait pas de compassion, on ne choisit pas de devenir cuisinière, d'égorger, couper, trancher si l'on a le tempérament un peu mou, mais une fois cuite cette tortue devenait particulièrement hideuse. Elle dut reconnaître que ça sentait rudement bon. Karen, amusée, avait remarqué sa mine dubitative.

« Mieux vaut ôter la chair pendant qu'elle est tiède », fit-elle.

Ce matin, Karen s'était réveillée plus légère qu'à son habitude. Pourtant c'était une sale période où le destin lui reprenait d'une main ce qu'il lui donnait de l'autre.

Car elle s'était crue riche. À la fin de la guerre, Robert Haas lui avait envoyé un chèque de trente mille dollars qui représentaient ses droits d'auteur générés par les ventes américaines de ses livres pendant les cinq années de guerre. D'autres devaient suivre : *Les Voies de la vengeance*, son roman à la Jane Austen, venait de s'écouler à plus de quatre-vingt-dix mille exemplaires et ses œuvres précédentes ne cessaient d'être réimprimées.

Elle s'habituait à l'idée de vivre dans l'opulence, quand le fisc avait sonné le tocsin. Son homme d'affaires l'avait appelée au téléphone. Par chance, elle était assise. « Selon les accords internationaux, vous êtes imposable dans votre pays de résidence mais également dans les pays où vos livres sont vendus. » Pétrifiée, elle n'avait pu prononcer un mot. Quatre-vingt-dix pour cent de ses revenus se volatilisaient sous ses yeux. De quoi allait-elle vivre ? Il lui faudrait congédier son personnel, vendre le domaine, émigrer, envisager la vie ailleurs...

Elle avait fui le problème en prenant le premier bateau pour Londres. Trois semaines extraordinaires. On l'y avait traitée comme une reine. Dans une rue de Kensington, le hasard l'avait mise nez à nez avec son ami John Gielgud.

John !

La vie lui avait appris que le coup de foudre existait en amitié, aussi fulgurant et définitif qu'en amour. Certaines nuits, le spectre amical de Berkeley Cole, qui s'invitait au pied de son lit, coupe de champagne à la main, pour un délicieux bavardage, le lui rappelait. L'amitié foudroyante. C'est ce qui lui était arrivé avec John en juillet 1939, sous les auspices de Shakespeare. Il venait jouer *Hamlet* dans la cour du château de Kronborg, à Elseneur. Quelqu'un les avait présentés, ils ne s'étaient plus quittés.

Elle aimait Gielgud. Son regard liquide d'un bleu teinté de mélancolie, sa voix basse et mélodieuse et la diction parfaite... Ou était-ce Hamlet qu'elle aimait ? Comment savoir après l'avoir vu jouer, chaque soir plus incomparable. Ils s'aimaient. Sur le plan spirituel. Pas humain. Ils s'étaient reconnus l'un et l'autre, aussitôt. De toute façon, elle n'était pas son genre. Du tout.

C'était un drôle d'été. Auréolé de lumière et chargé de tension. L'Allemagne venait de déclarer la guerre à la Pologne. Le Royaume-Uni et la France signaient un pacte d'assistance mutuelle en cas d'agression contre la Pologne, mais la vie artistique s'obstinait, brillante, généreuse.

Chaque soir, à Elseneur, Karen profitait de l'entracte pour monter fumer une cigarette au sommet du bastion, sous les étoiles, Hamlet la rejoignait dans son long manteau flottant au vent. Ils discutaient à voix basse, suivant des yeux les vagues blanches poussées par la marée lunaire, qui roulaient et crépitaient au pied de la tour. Quelqu'un leur avait jeté un sort, sûrement, sinon, comment expliquer leur impression de se trouver au cœur même de la pensée de Shakespeare, d'appartenir au monde que le poète avait créé, de vivre avec lui ?

John lui avait proposé de le suivre à Paris. Elle n'en avait pas les moyens. À l'instant où elle déclinait, elle sut qu'elle regretterait toujours de ne pas l'avoir fait.

Et voilà que neuf ans plus tard, elle tombait sur lui ! Ils s'étreignirent, riant, émus. Leur complicité intacte et le vieux Shakespeare toujours en sentinelle. Karen se demanda : « Voit-il la femme âgée que je suis devenue, ridée, creusée par la maladie ? » Le regard ravi de Gielgud lui renvoya la femme encore jeune et séduisante de l'été 39.

Londres en ruines, bombardé et gris de cendres, frémissait néanmoins d'une vie artistique dont la vigueur lui fit oublier sur-le-champ les soucis qui la poussaient hors de son pays. Gielgud jouait *Le Roi Lear* sur la scène de l'Old Vic, tout juste réouvert. Elle le trouva magistral et subtil. Puis il l'avait entraînée dans le tourbillon de sa vie théâtrale. Une *party* en son honneur avec Noël Coward, d'autres avec Cecil Beaton, Alec Guinness, et les petits dîners dans la maison de John à Sloane Square où l'attendait une farandole de comédiens et de duchesses, puis la première de *The Light of Heart*... La vie, telle que Karen l'implorait depuis son cloître danois, se déployait comme un léger morceau de ruban. Enfin, elle n'était plus un fantôme parmi des êtres de chair et de sang.

De retour à son hôtel, elle trouvait un bouquet de roses anglaises accompagné d'un mot : « *My love and admiration, ever. John.* »

Putnam, qui publiait l'édition économique de ses livres, lui versa une partie de ses royalties. La fête put continuer. Elle fit connaissance avec le journaliste Geoffrey Gorer, un admirateur de son œuvre. Ils eurent ce rendez-vous chez Harrods, dans l'invraisemblable salon de thé. À peine y pénètre-t-on que l'illusion d'être un membre actif de la famille royale britannique vous transporte jusqu'à votre table. Ils discutèrent de l'opportunité pour Karen d'écrire des nouvelles pour les magazines américains. Des nouvelles qu'elle voulait d'une qualité plus légère que ses autres contes mais possédant une indéniable valeur littéraire. Gorer approuva.

« Vous pourriez utiliser le second degré, cela ferait passer la chose.

– Ce ne serait pas fair-play... »

Karen réfléchit une seconde. Sous la voilette, son regard erra parmi les chariots de pâtisseries roses et vertes qui glissaient entre les tables.

« J'aimerais raconter une histoire qui parle de nourriture...

– Excellente idée, les Américaines n'ont plus que ça en tête!

– Voire de gastronomie», continua-t-elle, tout en détournant son regard des pâtisseries. Elle s'en tiendrait au thé de Chine.

Le jeune homme se mit à rire.

«La gastronomie est bien la dernière chose qui intéresse les Américaines… La cuisine européenne est trop sophistiquée pour ces filles pressées!

– Hummm… Peut-être y a-t-il une histoire à raconter, qui mêlerait le profane et le sacré.

– Baronne, mettons en jeu une bouteille de champagne! Si vous arrivez à caser une histoire de cuisine sacrée à un magazine américain je vous l'offre. Dans le cas contraire…»

Karen sourit de biais. La presse américaine ne refuserait rien à Isak Dinesen. Elle fit monter l'enchère:

«Un Veuve Clicquot 1860?

– Vous misez gros… Vous allez perdre…», fit Gorer en topant sur la table.

Quatre cailles dodues attendaient d'être plumées. Karen chargea une servante de la corvée. Pour le reste, il lui fallait le tour de main de Caroline.

«Madame Carlsen, vous voudrez bien les désosser? Et prenez garde d'ôter tous les petits plombs…»

Son vieil ami le comte Julius Wedell les avait tirées deux trois jours plus tôt, sur ses terres de Funen. Penchée sur la table de cuisine aussi longue qu'un pont de paquebot, Karen préparait la farce qui fourrerait les bestioles. Elle s'était rappelé les leçons du chef Perrochet, à Paris, au début du siècle, avait pioché dans le *Mrs Beeton's Book of Household Management*, pour le reste elle se fiait à son instinct. Le suprême de volaille hachée relevé de foie gras et de quelques copeaux de truffe avait superbe allure. Karen sourit. Si seulement Geoffrey Gorer voyait à quels sommets la menait son défi! Mais Geoffrey était à Londres, il ignorait tout du festin que John savourerait ce soir. Gielgud était à Copenhague, où il promenait un récital de textes de Shakespeare: *Ages of Man*. Le voyage d'un homme de la naissance à la mort, qu'il portait seul en scène, grâce et puissance mêlées. Karen avait vibré à chaque intonation de sa voix. Lyrique, grave, espiègle, cynique, l'acteur magnifique plaçait haut l'art de jouer, de se transformer. Puis John avait fait résonner cette parole shakespearienne:

> *Le monde entier est un théâtre*
> *Et les hommes et les femmes ne sont que des*
>   *acteurs;*
> *Ils ont leurs entrées et leurs sorties;*
> *Un homme dans le cours de sa vie joue*
>   *différents rôles.*

Elle s'était sentie enfin comprise. C'est ça la vie. Jouer, se cacher derrière un masque, de multiples identités. Cette conception la coupait du reste du monde qui avait perdu le goût enfantin du jeu et rendait l'existence épouvantablement figée, quand elle pouvait être aussi mystérieuse et chatoyante qu'un carnaval à Venise.

Karen interrompit sa tâche pour allumer une cigarette et aspira sa première bouffée de l'après-midi sous le regard réprobateur de Mme Carlsen.

Elle se demanda... Ils n'en avaient jamais parlé, ce n'était pas le genre de sujet dont deux artistes discutaient sans paraître affreusement vaniteux... mais elle se demanda si John partageait la même sensibilité qu'elle. Se sentait-il différent du monde qui l'entourait ? Sans doute. N'est-ce pas le destin de l'artiste que de posséder un trésor dont les autres ne savent rien ? Une sensibilité particulière, un don inné.

Ce dîner serait du niveau de la performance de John sur scène. L'hommage d'une artiste à un autre grand artiste. Un repas réussi pouvait être une œuvre d'art. Mais aussi un genre d'affaire d'amour où l'appétit physique ne se distingue plus de l'appétit spirituel. Karen ne doutait pas que son invité le comprenne, contrairement aux personnages de la nouvelle qu'elle écrivait un peu chaque jour, pour répondre au pari de Geoffrey.

L'idée lancée à Londres aboutissait à une comédie goûteuse, *Le Dîner de Babette*. L'histoire d'une grande cuisinière de Paris – en fait, le grand génie culinaire de son siècle. Contrainte de s'exiler pendant la Commune elle trouve asile en Norvège chez deux vieilles filles dévotes qui ignorent tout de son passé. Cette Babette les sert humblement, mais malgré ses efforts pour se fondre dans l'aphasie collective du village, son brouet et ses purées de gruau s'obstinent à rendre heureuses ces âmes austères. Un ticket de loterie gagnant lui permettra de renouer avec ses dons qui, jadis, enchantaient les anges. Hélas, Babette va mettre son art au service de convives qui ne comprennent rien à ce qu'ils mangent. N'est-ce pas souvent le lot de l'artiste ?

Elle aimait bien cette histoire. La Veuve Clicquot 1860 ne lui échapperait pas.

Elle vérifia le menu épinglé sur un mur. Celui-là même que concoctait sa Babette. Diabolique de sensualité :

Potage à la tortue
Blinis Demidoff
Cailles en sarcophage, accompagnées de petits
navets glacés et de champignons de Paris
Fraises sauvages

La soupe de tortue serait une réminiscence du consommé confectionné par le chef du Norfolk, à Nairobi. Au dernier moment, Mme Carlsen la relèverait d'une pincée de poivre concassé. Plus délicats, les blinis Demidoff. Impossible de trouver leur recette, Karen devrait faire confiance à ses sens, à leur mémoire. Elle les voulait aussi moelleux que l'étaient ceux qu'Elena Vladimirova, l'épouse du général Polowtzoff, faisait servir à sa table de

Government House. Mais saurait-elle reproduire ce miracle du service à la russe ?

Les candélabres allumés éclairaient doucement la salle à manger d'acajou et de dentelles. La table était dressée pour deux. Karen avait songé à inviter Thomas, or il était absent. Ellen aurait fait une convive délicieuse pour John, si, ayant perdu son mari tout récemment, les « cailles en sarcophage » n'eussent paru inconvenantes. Or, elles étaient le point d'orgue du dîner de Babette. La loi du conteur ne consiste-t-elle pas à obéir à l'histoire ? Karen avait donc troqué l'idée d'Ellen contre celle de Clara, qui boudait depuis que son salaire avait été revu à la baisse.

Ça la dériderait.

Bien sûr, il y aurait un moment délicat quand la jeune fille découvrirait des grains de caviar et des copeaux de foie gras et de truffe au bout de sa fourchette. Karen se rappela in extremis qu'elle avait plaidé la pauvreté pour éviter de lui régler sa traduction anglaise des *Voies de la vengeance*. Exit Clara. Ce serait un tête-à-tête.

Le Clos Vougeot déroula son tapis de velours rubis, le dîner remplit admirablement sa mission. L'âme de Gielgud se révéla plus divine que jamais sous l'influence de mets dont les saveurs allaient crescendo, pour s'achever diminuendo sur la simplicité des fraises sauvages. Karen se contenta de grignoter et de parler. À l'instant de sa dernière gorgée de Clos Vougeot, l'image de Denys et de Berkeley assis à sa table de Mbogani, captivés par

les histoires qu'elle inventait pour les rendre heureux, la traversa. La douceur du passé l'effleura
du bout de son aile puis disparut. Cette nuit, elle
trouverait le sommeil.

3

Ils s'apprêtaient à franchir le petit pont de bois, celui qui enjambait l'étang, quand Karen s'immobilisa.

Hansen. Martin A. Hansen ? Avait-elle bien entendu ?

Elle dégagea son bras de celui du jeune homme. Pâle comme toujours, Ole Wivel feignait un air dégagé, mais il n'en menait pas large, Karen l'aurait parié. Ce cher Wivel...

Ils se fréquentaient depuis le mitant de la guerre. À la parution de ses *Contes d'hiver*, Wivel, déjà poète et bientôt éditeur, lui avait écrit son admiration. Heureuse de briser son isolement, Karen l'avait invité à Rungstedlund. Elle découvrit alors un homme tel qu'elle les aimait : jeune, des manières aristocratiques, un esprit aiguisé avec lequel elle pouvait débattre sans fin et sans limites. À la fin de la guerre, Ole avait créé une minuscule maison d'édition, la Wivel's Publishing House, spécialisée dans l'avant-garde. Bien que fortuné lui-même, Wivel s'était gardé d'investir son propre argent dans l'affaire, il avait préféré miser celui de son meilleur ami, Knud Jensen. « Pure sagesse », décréta Karen : après cinq années d'occupation allemande, les Danois se montraient plus affamés de rumstecks et d'artichauts que d'art moderne. Ole lui avait présenté ce Jensen, héritier d'une fromagerie qu'il transformait en empire industriel. « Jensen Cheese » se révéla être un garçon extrêmement cultivé qui, lui, ne jurait que par les arts plastiques. Les deux amis semblaient sortir du même moule : avec leurs cheveux blonds plaqués en arrière ils évoquaient une réclame pour produits capillaires, minces tous les deux, mêmes lèvres fines et front haut, yeux clairs, des jumeaux. Ils l'amusaient. Durant la guerre, Karen pédalait jusque chez Wivel, un peu plus bas sur la côte, à Vedbæk, pour s'offrir une discussion revigorante. Elle ignorait qu'afin de couper aux monologues un peu longuets qu'elle leur imposait, Wivel et sa femme Kil, avec parfois la complicité de Jensen, s'accroupissaient sous le rebord de la fenêtre pour échapper à sa vue et attendre quelle rebroussât chemin.

Aujourd'hui, Wivel lui proposait de publier un texte dans le premier numéro d'une revue littéraire qu'il lancerait dans deux mois. Elle en serait en quelque sorte la marraine... aux côtés de Hansen, avait-il précisé.

Ça la contrariait énormément.

Elle avait lu le dernier livre de Martin A. Hansen, *La Salle d'attente*, et l'avait refermé, agacée par sa conception du salut qui, selon elle, n'était qu'une délivrance sous anesthésie.

La proposition de Wivel la tentait. Il n'imaginait pas à quel point ! Rejoindre la jeunesse. Rencontrer la compréhension et la sympathie que les Danois refusaient à sa vision du monde. Quitter son sarcophage.

Elle ergota pour la forme. Fouilla du bec à la recherche d'une contrariété. Martin Hansen, tout de même ! Sa religiosité de catéchisme, ses atmosphères plébéiennes irrespirables...

Wivel l'écoutait sans piper mot, regrettant de s'être fourré dans ce guêpier. Il entendait encore la voix de Martin lui confier : « Les contes d'Isak Dinesen exhalent une odeur de pommes qui moisissent dans leur grenier à foin. » C'était couru : il épuiserait son énergie à ménager l'ego de ces deux titans hostiles qui, lorsqu'ils se croisaient, déployaient leur charme pour séduire l'autre.

Martin A. Hansen, le plus grand écrivain danois du siècle aux yeux des Danois. Précisément ce que représentait Isak Dinesen pour le reste du monde.

« Votre revue... *Heretica*, c'est cela ?... ainsi que les jeunes écrivains que vous y publierez, s'apprête sans doute à célébrer une littérature moderne et gémissante, qui accepte la douleur, l'écroulement d'un monde... bref, des pleurnicheries édifiantes ? »

Typiquement le genre de littérature qui l'énervait d'autant plus qu'elle se répandait comme poudre.

Ole Wivel vit la baronne lui filer entre les doigts. Or, elle serait une prise exceptionnelle pour le lancement de *Heretica*. Le conseil d'un des rédacteurs lui revint en tête : « Flatte-la effrontément. Dis-lui que nous voulons honorer sa sagesse de l'existence comme l'une des choses les plus nobles que nous ayons. Mets la gomme. »

Ole y ajouta une fioriture de son cru :

« Le style, dit-on, est la manifestation de l'esprit. Or nous le trouverons là où vous exercerez votre magie. »

Il s'en tint là. À trop en faire, la baronne finirait par croire *Heretica* créée dans le seul but de lui rendre hommage.

« Alors, que diriez-vous de publier mes *Lettres d'un pays en guerre* ? Je vous les ai données à lire il y a quelques années… »

Réalisé en 1940, pour le compte de trois journaux scandinaves, ce reportage à Berlin constituait le premier volet d'un triptyque qui aurait dû conduire Karen à Londres puis à Paris si la guerre n'avait pas éclaté dès son retour de la capitale du IIIe Reich.

Wivel fut frappé par l'intelligence du choix.

En cette année 1948, la création artistique portait la cicatrice des batailles, des camps d'extermination, de la bombe atomique sur Hiroshima et Nagasaki, de l'horreur pure. Or, le point de vue de Blixen tranchait sur celui des autres artistes. Là où ils voyaient dans la guerre la destruction de la vieille Europe et les souffrances inhumaines, insupportables, Karen Blixen mettait en valeur la renaissance du courage, du combat pour un idéal, et de la foi en la victoire au cœur même des défaites. Tout ce qui, selon elle, donnait son prix à la vie.

Son texte écrit sept ans plus tôt contenait la dose de provocation dont *Heretica* avait besoin. Avec ses amis Bjørn Poulsen et Thorkild Bjørnvig, corédacteurs en chef, Wivel s'était donné la mission de réveiller les forces intellectuelles et émotionnelles du Danemark. Il était emballé.

« Quelle formidable idée ! Je vais la proposer au comité de rédaction. D'ailleurs, pourquoi ne passeriez-vous pas nous voir à Vedbæk, c'est là que nous travaillons. Knud y a fait construire deux petites maisons pour l'équipe. Un Parnasse de l'avant-garde révolutionnaire ! »

Karen frémit. Imagina aussitôt une tanière malodorante, grouillante des forces de l'apocalypse. Mais elle irait. Ce pourrait être amusant. D'une certaine manière, ces garçons étaient ses filleuls.

En raccompagnant Wivel à sa voiture, elle rayonnait comme une jeune fille.

4

Mon père n'a jamais approuvé ma dévotion pour
Karen Blixen. «Voyons, Clara, à quoi bon avoir
fait tant d'études, accumulé tant de diplômes si
c'est pour t'échiner au service d'une femme qui ne
t'en manifeste aucune reconnaissance ? Après tout,
ce n'est pas ton nom qui figure sur la couverture de
ses livres.»

Je le regardai, je regardai ses mains calleuses aux
ongles noircis. Mon père travaillait pour la muni-
cipalité, les sales petits boulots. Déboucher les
canalisations. Nettoyer les égouts. Il était allé là où
d'autres ne voulaient pas mettre les pieds afin de
m'offrir des études, que j'avais réussies avec brio.
Il avait raison. Ma vie attendait. Et je valais mieux
que celle que j'avais choisie. J'ai donc dit à Karen :
«Si vous avez décidé de vous consacrer à l'écriture
d'histoires pour les magazines, il faudra vous
passer de mes services. Je suis prête à sacrifier ma

carrière professionnelle, à condition que vous vous engagiez dans un travail littéraire qui en vaille la peine ! »

Le magazine américain, *Ladies' Home Journal*, commençait à publier ses nouvelles. *Le Dîner de Babette*, *L'Anneau*, *Le Plongeur*... J'avais une haute opinion du génie d'Isak Dinesen, or ces nouvelles souvent charmantes n'arrivaient pas à la cheville de son œuvre majeure. De mon côté, je pouvais prétendre à un poste de bibliothécaire et continuer mes traductions d'auteurs anglais et italiens. D'ailleurs, je travaillais sur un livre de Graham Greene.

Son poil s'est hérissé. « Mes petites histoires m'ont rapporté 8 500 dollars, Clara. Elles me délivrent de certaines inquiétudes pratiques et me permettent de poursuivre mon "véritable" – selon vous – travail d'écrivain. » J'ai haussé les épaules. Elle pouvait bien s'agacer de mes reproches, j'étais dans le vrai, elle le savait.

Depuis mon strapontin, j'exerçais un certain pouvoir. Nous étions conscientes d'être nécessaires l'une à l'autre. À qui la baronne aurait-elle dicté ses contes, lors de ses séjours de plus en plus nombreux et prolongés à l'hôpital, parfois tout un mois ? Si affaiblie, qu'il lui était impossible de tenir un stylo trop longtemps. À son retour à la maison, je grimpais jusqu'au sanctuaire de sa chambre, m'installais à son chevet devant une petite table et je dactylographiais ce qu'elle me dictait soutenue par ses oreillers. Sans me vanter, j'étais la seule à pouvoir l'alerter sur le sens d'une phrase, le manque de profondeur d'un personnage. « Plus royaliste que le roi », disent les Français. Personne ne l'a approchée aussi intimement dans ces épisodes, prémices d'une déchéance inéluctable.

Au même moment, la radio danoise lui proposait une série de causeries au coin du feu, qu'elle accepta sans hésiter. Elles lui permettaient de créer enfin un lien cordial avec ses compatriotes. En réalité elle avait vu plus loin : c'est avec ces causeries qu'elle a sculpté son personnage de Conteuse démiurge qui a tant fasciné le public et deviendra son image officielle puis le rôle qu'elle finira par tenir dans la vie réelle.

À l'œil nu, on pouvait s'y tromper. Croire qu'elle avait brisé le cercle de l'isolement. Trouvé sa place parmi les siens. Une foule de jeunes auteurs à la beauté stupéfiante passaient à Rungstedlund. Je ne reconnaissais plus la maison : gaie, des va-et-vient, des rires. Les lourdes tentures de velours d'Ingeborg avaient été décrochées au profit de légers voilages qui froufroutaient jusqu'aux planchers polis au brou de noix. De hauts miroirs gustaviens reflétaient la lumière du bord de mer. Sa clarté, douce, pénétrait partout. La jeunesse et ses éclats, aussi.

Parmi les visiteurs les plus assidus j'appréciais particulièrement Knud Jensen, milliardaire et mécène de toute la bande. Le seul homme du royaume dont les chaussettes étaient repassées, une habitude qu'il tenait de ses nurses. Sa jeune femme

Benedicte, une jolie brune, une de ces filles « à la page » sportives, solaires, dont le sourire cache une dureté de silex, plaisait beaucoup à la baronne. De son côté, Benedicte lui était profondément reconnaissante d'exister. Ole Wivel venait aussi, accompagné d'écrivains, et de poètes liés à la revue *Heretica*, laquelle faisait son effet sur la scène littéraire locale en lançant le débat sur le rôle de l'art et la fonction du poète dans la société contemporaine. Vint le tour de Bent Mohn, éminent critique littéraire de *Politiken*, qui amena son ami américain le pianiste Eugene Haynes. Quarante ans à eux deux. Eugene séduisit Karen illico : il était d'un noir d'ébène.

Quel carrousel c'était ! Quelle foire aux vanités aussi. Tous si heureux de leur reflet dans le miroir que la baronne leur tendait, flattés d'être remarqués par cette légende vivante. Ils voyaient le ramage, les étincelles, l'icône souveraine. Ils n'imaginaient pas sa solitude. De mon poste d'observation, je les trouvais sacrément patients. Trônant dans sa bergère, ses chiens ronflant aux pieds, la baronne se fichait de savoir si l'histoire qu'elle leur racontait pour la dixième fois les intéressait encore ! Impassibles, ils souriaient et écoutaient.

Quand je n'en pouvais plus, je quittais mon siège pour changer la place d'un bibelot sur un guéridon, tisonner le feu, dans l'espoir de m'éclipser en douce. Elle me coupait l'herbe sous le pied. « Clara, que faites-vous ? Revenez vous asseoir je vous prie, vous me donnez le tournis!» Aussi bien, elle aurait pu dire: «Désolée, Clara, ici, le général c'est moi!» L'auditoire retenait son souffle. La conteuse de trois mille ans, qui avait dîné avec Socrate – ils l'appelaient ainsi –, parlait.

Elle aurait bien aimé qu'on la bouscule. Qu'on cesse de la prendre au sérieux. Au lieu de ça, on l'embaumait.

Les jeunes *Hérétiques* et Caroline Carlsen sont tous arrivés dans le grand brouhaha de l'après-guerre. Caroline mettait un point d'honneur à se faire appeler «madame Carlsen», telle une reine privée de son trône. Personne ne savait précisément d'où venait Caroline, ce qu'avait été sa vie avant Rungstedlund. Un jour, une petite femme blonde et dodue avait sonné à la porte. Une lourde valise noire posée à ses pieds. Sa main tenait celle d'un minuscule enfant. Nils, son fils. Karen a très vite mis la patte sur le petit, son *toto* blond. L'arrivée de «madame Carlsen» a réglé les problèmes de chapardage des bonnes au cellier. Les filles filaient doux! Peu de temps après qu'elle avait été engagée, j'ai eu le culot de demander: «Caroline, pourriez-vous m'apporter une tisane?» Son regard m'a suffi. J'ai fait bouillotter mon eau moi-même et nous en sommes restées là. Ensuite, nous avons formé un triangle parfait. Karen Blixen au sommet, dominant la scène tel un juge de paix, Caroline et moi à la base, chacune à un angle, face à face. Paix armée.

Puis j'ai compris que Mme Carlsen s'asseyait sur ses gages, comme moi sur mes salaires.

Un soir, la baronne est rentrée d'un dîner chez Knud Jensen, transformée. Peu de femmes possèdent la faculté d'effacer instantanément de leur visage les quarante dernières années.

«Clara, j'ai rencontré un jeune poète qui ne ressemble pas aux autres.»

Elle mit un disque de Schubert sur le Gramophone et l'écouta, l'air rêveur, tout en tripotant les oreilles de Pasop qui avait posé sa tête sur ses genoux.

Je fis la connaissance de Thorkild Bjørnvig pendant l'hiver 1948, lors d'un dîner à Rungstedlund organisé en son honneur. Une chose m'a frappée chez lui: son physique. Contrairement à l'élégance tout en fluidité des admirateurs habituels de Karen, Thorkild n'était pas très grand, mais solide, râblé. On aurait dit un jeune beagle égaré chez des lévriers de concours. Il dégageait une séduction animale qu'une de mes amies a exprimée à sa manière: «Un véritable wagon de phéromones!» Il était inconscient de son charme. Il ne jouait pas à être quelqu'un d'autre. C'était un garçon d'origine modeste, à l'esprit ouvert, curieux. D'une naïveté rafraîchissante. Karen a été touchée au cœur, je crois.

Thorkild était l'un des rédacteurs en chef de *Heretica*, surtout, il venait de publier son premier recueil de poèmes, *Étoiles derrière le pignon*. Je l'avais adoré, la baronne aussi. Ainsi que les critiques, enthousiastes. Martin Hansen lui-même s'était emballé: «*Lire ces poèmes, c'est comme voir quelqu'un jaillir de la matrice même de la poésie.*»

Au lieu de lui avouer qu'elle les avait lus et aimés, Karen l'invita à dîner au prétexte que sa nièce, la comtesse Caritas Bernstorff-Gyldensteen, l'admirait et voulait le rencontrer.

La tête du pauvre garçon quand il s'était rendu compte que sa soi-disant admiratrice n'avait pas lu un seul de ses vers ! J'étais à l'autre bout de la table, mais je l'ai vu se décomposer, se demander ce qu'il fichait dans cette assemblée de femmes en robe du soir et d'hommes en habit de soirée, lui qui avait empilé de gros pulls pour affronter le trajet à vélo dans la nuit polaire. J'imagine qu'il ne possédait que ce qu'il avait sur le dos. C'est alors que nous nous immobilisâmes, la fourchette en l'air : Thorkild explosait d'un rire sauvage, tel que la délicate salle à manger n'en avait encore jamais abrité, un rire qui rebondissait d'un mur à l'autre avec un bruit de tonnerre, un rire de Viking, de début du monde, impossible à contenir. Le rire de Thorkild Bjørnvig.

Le premier mouvement de surprise passé, nous nous sommes laissé porter par l'onde d'hilarité. Seule la baronne souriait, intriguée.

Après le dîner, je me trouvais dans son bureau où je cherchais un livre pour l'un des convives, quand, par la fenêtre, je la vis raccompagner son invité d'honneur jusqu'à sa bicyclette. Une lune froide projetait sa clarté sur les silhouettes inquiétantes d'arbres et de buissons recouverts d'un suaire de neige. Karen Blixen se tenait droite sur le perron dans sa robe légère, un châle jeté sur ses épaules. Elle frissonnait. En contrebas dans la cour, Thorkild enfilait des moufles, il souriait. Compte tenu de la distance qui les séparait, Karen dut élever la voix, ce qui me permit de l'entendre dire :

« Faites-moi une faveur... Revenez me voir quand vous en aurez le désir, quelle que soit l'heure. Venez sans prévenir, *vous* – elle appuya sur le mot – ne m'importunerez jamais, monsieur Bjørnvig... Bien au contraire. »

L'inflexion de la voix – urgence, tension, solennité ? je n'aurais pu dire – contenait un message qui alerta Thorkild, car il resta cloué sur place, indécis. La conversation se poursuivit à voix plus basse, je ne pus la saisir. Mais je les vis lever la tête ensemble vers le ciel où brillait la pleine lune et rester un long moment à la regarder.

Il habitait le village voisin, dans une minuscule maison de bois que Knud Jensen lui avait fait construire, avec sa jeune femme, Grete, et leur petit garçon Bo. Vedbæk était à un jet de pierre de Rungstedlund, autant dire une plaisanterie pour celle qui avait traversé la vallée du Rift à pied. On voyait souvent sa silhouette sèche comme une paille couper à travers champs, Pasop et moi sur les talons, jusqu'à la maison de bois.

J'ai toujours eu l'impression que notre apparition à la barrière du jardin y provoquait un remueménage. J'imaginais que Grete s'affolait, qu'à l'intérieur on vérifiait en vitesse que les chaises tenaient debout, et qu'on sortait les tasses les moins ébréchées pour faire honneur à la baronne. Mais quand nous entrions, c'était dans un havre dédié à l'ordre et à la sérénité.

Émouvante Grete. «Un charme terni par l'impression qu'elle donnait d'être en équilibre précaire au bord de la vallée des larmes», aurait pu écrire notre ami Truman Capote, ce qu'il fit plus tard, mais à propos d'une autre. Il ne fallait pas être devin pour comprendre ce qui avait séduit Thorkild en elle : il était son dieu. Elle redoutait de le perdre.

La complicité entre Karen et Thorkild avait été immédiate. Dans leurs discussions, et quel qu'en fût le sujet, Éros, le cosmos, la guerre, la vivisection, Karen procédait avec lui comme elle faisait avec ceux qu'elle avait en sympathie, ce qui certains jours était mon cas : elle guidait son interlocuteur, le poussait, douce et chaleureuse, souvent drôle, vers une vérité que, sans elle, il eût négligée ou mis un temps fou à atteindre. Ensuite, son art consistait à le faire jouer avec ces idées, à les porter haut, aussi haut qu'un esprit humain en était capable. Dans le cas de Thorkild, je remarquai qu'elle en restait longtemps exaltée. Il était clair qu'ils partageaient une intimité intellectuelle rare. Je me faufilais sans peine dans leur conversation. Grete, assise en retrait, écoutait. Je crois qu'elle assistait, désemparée, à la transformation de son mari, subjugué par celle qu'on prenait a priori pour une charmante vieille dame mais qui, à bien y regarder, dissimulait une femme avertie, experte dans l'art de porter l'ego masculin à son acmé.

Lorsque Thorkild sortait de son hypnose, il cherchait le regard de sa femme pour l'inviter à se joindre à eux, mais Grete restait étrangement muette. Quant aux efforts répétés de Karen pour l'inclure dans la discussion, ils ne faisaient que rendre plus visible l'effacement de la jeune femme.

Très vite nous nous sommes tutoyés, Thorkild et moi. J'avais enfin un ami dans la maison. Notre camaraderie m'était d'autant plus précieuse qu'elle échappait à l'emprise de la baronne.

Elle m'avait attribué un petit appartement, deux pièces sommaires, au premier étage. Les fenêtres donnaient sur le pont de bois et le parc. Parfois, je les voyais, elle à peine moins grande que lui, absorbés dans une de leurs discussions impétueuses et j'étais satisfaite de les savoir en sympathie absolue. Un maître et son jeune disciple.

Cet après-midi d'avril, je me promenais dans la partie sud du parc, quand un je-ne-sais-quoi dans l'air, le silence peut-être, m'arrêta net. À quelques mètres de moi, Alfred Pedersen, plus raide que la justice, une expression de dégoût sur le visage, fixait Thorkild dont je n'apercevais que le dos, mais je compris qu'il s'appliquait à graver quelque chose sur le tronc d'un arbre. Il leva la tête et constata la présence de Pedersen. Alfred le détestait, il le savait. Nous le savions tous. Pedersen refusait de prononcer son nom ou plutôt le crachait en l'appelant «celui de là-d'dans», désignant le salon ou le bureau de Karen. Sans doute Thorkild remarqua-t-il l'expression méprisante du vieil homme, moi je n'avais jamais vu Alfred dans un tel état.

Thorkild devait apprécier pleinement le ridicule de la situation, car sa nuque s'est soudain empourprée, ses oreilles se sont mises à rougir. Il a repris son travail comme si une main de fer broyait la sienne et l'empêchait de lâcher le canif avant qu'il ait terminé sa tâche. La main de la baronne ? Je me suis éclipsée sans être vue. Avant la nuit, je suis retournée faire un tour du côté de l'arbre. Quatre initiales étaient gravées sur le tronc : « TB & KB ». Si fraîches que l'écorce saignait encore.

5

«Ainsi, monsieur l'Agrégé, vous espériez partir à la conquête du Graal encombré d'une poussette?»

Karen aimait appeler Thorkild «monsieur l'Agrégé» ou «*magister*», depuis qu'il avait décroché haut la main sa thèse sur Rilke. La première qui ait jamais été soutenue sur le poète autrichien, au Danemark. Elle était impressionnée. Les titres universitaires avaient un effet irrésistible sur elle qui avait été éduquée à la sauvageonne par des gouvernantes et les femmes de la tribu Westenholz, puis plus tard par Denys. Donc elle usait et abusait du titre, comme le lui permettait la mode suédoise, le faisait rouler dans sa bouche pour le recracher gaiement tel un noyau de cerise.

Ils gravissaient la colline d'Ewald, après avoir fait une longue promenade dans les bois. Ils marchaient depuis une bonne heure, maintenant.

Pasop tournait et jappait dans leurs jambes, rapportant inlassablement le morceau de bois qu'elle lui lançait.

Dès que Thorkild était descendu de vélo, Karen avait deviné que ça n'allait pas. Trois petits coups de sonde, elle était douée pour ça, et il avait tout déballé. Sa vie pesante entre une femme et un enfant, les rêves atrophiés, sa terreur de ne pouvoir créer.

Il lui avait parlé de la chose au poil velouté qui, la nuit, s'installait sur sa poitrine et l'étouffait. Un poids tiède, une douceur dangereuse. Il ne l'entendait pas arriver. La bête agile avançait à pas feutrés au moment où le sommeil emportait Thorkild, il la sentait qui se mettait en rond et posait sa tête sur sa gorge. Il l'avait appelée « doute ». Depuis, Thorkild gardait les yeux ouverts dans la nuit.

Karen avait accompagné ces confidences de « Mmmm... » et de hochements de tête encourageants. Toujours laisser le pus s'épancher.

Comme la litanie s'éternisait, elle perdit patience. Les candidats à la défaite l'horripilaient. Elle s'était donc arrêtée à mi-chemin de la grimpette pour lui lancer sa pique. Elle l'entendit chuinter dans son dos : « Alors, à qui me dois-je ? »

Ce gémissement d'avorton acheva de lui porter sur les nerfs. Son regard le fit vaciller.

« À qui me dois-je ? » fit-elle sur le même ton plaintif, puis elle s'adoucit : « Mais aux dieux qui vous ont donné vos dons et vos dispositions ! »

Elle s'obligea au calme.

«Votre cher Rilke l'a écrit: être artiste, c'est un choix de vie. Le choix de l'impossible. À partir du moment où vous comprendrez avec suffisamment de force la nécessité d'une chose, tous les éléments se soumettront. Ils se tiendront au garde-à-vous et attendront vos instructions. Vous devriez essayer!»

Rien de tel qu'un léger coup de cravache pour cambrer la volonté, songea-t-elle. Le pauvre garçon avait l'air mortifié. Elle l'invita à la rejoindre sur un banc protégé du vent par des noisetiers, le point le plus élevé du parc.

Quelques centimètres à peine les séparaient. Malgré les couches de laine qui l'emmitouflaient, Karen pouvait sentir la chaleur de son corps costaud et solide. Une chaleur magnétique. L'idée lui était déjà venue: Thorkild était un homme à femmes. Il aimait le sexe. On le croyait domestiqué, cantonné à sa douce Grete, mais il aimait l'amour, sa fièvre, son odeur musquée. Elle arrangerait ça. Elle aimait arranger des intrigues pour ses jeunes amis. Elle avait un vivier plein de jeunes nièces merveilleuses sans compter quelques jeunes actrices. Les couples l'accablaient. Les faire et les défaire la ravissait. Elle avait bien tenté d'entraîner Ole Wivel dans son jeu, mais il avait esquivé avec élégance, trop attaché à Kil, sa femme. Sa lettre l'avait laissée un peu amère: «*Je vous aime, je vous admire vous et votre "cosmos" bien organisé, mais je ne veux pas y vivre.*»

Ils fumaient en silence, Thorkild, lui sembla-t-il, faisait la tête.

« *Magister*, si vous identifiez votre désir profond et consentez à m'écouter, peut-être cesserez-vous enfin de grogner et de répandre une mauvaise odeur ! »

Thorkild lui faisait penser à un ourson. Même rondeur, même candeur. Compact, pataud et bourré de vie. Le pelage, aussi : des boucles brunes épaisses, ébouriffées. Elle se retint d'y passer la main. Un adorable ourson.

Elle reprit, enjouée :

« Quel est votre désir le plus fou ? Vous en avez bien un... Chacun de nous caresse un rêve secret, sinon à quoi bon s'obliger à vivre matin après matin ? »

Pour toute réponse, Thorkild hocha la tête en souriant, ses yeux bleus se plissèrent. Il finit par demander, en la dévisageant avec curiosité :

« Quel est le vôtre, baronne ? »

Nul besoin de réfléchir.

« Retourner en Afrique.

– Ça n'a rien d'un désir fou ! La guerre est terminée, les frontières sont ouvertes... »

Karen secoua la tête.

« Il est fou parce qu'il est impossible. Il s'est perdu dans les sables. Voilà la réalité. » Elle le fixait comme si elle le défiait d'objecter une nouvelle banalité. « Chacune de mes tentatives pour y retourner a échoué, l'Afrique m'a rejetée dans la noirceur d'un passé dont elle ne veut plus se souvenir. »

D'un coup, la fatigue sur ses épaules.

« Je vais vous confier une chose, *magister*, jamais je n'aurais dû rentrer à la maison et écrire tous ces livres. Ma place était là-bas. Avec eux. J'aurais lutté pour les droits des indigènes. J'avais l'oreille du prince de Galles, vous savez, et du gouverneur. Mais cette Wallis Simpson a tout fichu par terre ! »

Il la regardait, incrédule. Isak Dinesen aurait donné son œuvre entière contre une seconde de l'Afrique ?

Un bruit frénétique leur fit lever la tête. Le berger allemand grattait furieusement sous un buisson en poussant des gémissements. Elle cria : « Pasop, laisse ce lièvre tranquille », mais elle avait la tête ailleurs.

« Je les ai trahis. J'ai trahi mes amis. »

Elle regretta le chagrin qui s'était glissé dans sa voix, et fit réapparaître son sourire de biais. Une gaieté factice. Le cœur n'y était pas.

« Bon, à vous, maintenant... Votre désir le plus fou... Nous sommes amis, confiez-le moi... »

Votre désir le plus fou.

Thorkild appuya ses coudes sur ses cuisses et resta ainsi, ramassé sur lui-même, le regard perdu sur la mer. Une cigarette se consumait entre ses mains croisées. Après une bouffée suivie d'une quinte de toux, il plongea dans ses souvenirs.

« Il y a longtemps, un homme m'a posé cette question. Et à l'époque j'aurais tout donné pour qu'il ne le fasse pas. »

Ces mots le ramenaient trois ans en arrière, en 1947, alors qu'il faisait son service militaire comme chauffeur auprès d'un jeune officier de l'armée danoise chargé d'évaluer les dommages causés par les bombardements alliés sur certaines villes d'Allemagne. L'Europe s'unissait pour se reconstruire. Leurs pérégrinations déprimantes à travers des champs de ruines, ballottés dans leur Jeep, avaient abouti à une intimité inhabituelle entre un capitaine et son chauffeur. Ils étaient sensiblement du même âge, le tutoiement s'était imposé sans qu'ils y prennent garde. Un jour de route particulièrement morose, son capitaine avait demandé à Thorkild : « Quel est le désir le plus important que tu aies jamais eu ? »

Thorkild regarda Karen et ricana.

« J'en avais tant ! Mais le « plus grand désir »... J'ai séché ! Pour moi, c'est un thème philosophique. Alors, j'ai préféré lui retourner la question. "Vous ne le devinerez jamais", a grimacé le capitaine. »

Thorkild jeta un coup d'œil amusé à Karen.

« Et vous non plus, baronne... pour une fois ! J'étais incapable de deviner, j'ai donné ma langue au chat. Le capitaine m'a lâché : "Une jambe de bois." »

Karen se gardait de broncher, toute son attention fixée sur l'expression déconcertée de Thorkild, la même sans doute qu'il avait eue trois ans plus tôt. Karen aimait ce qu'elle entendait, son imagination pourtant agile ne savait quelle piste suivre.

« La visite des hôpitaux militaires et les décors de villes en cendres m'avaient préparé à tout. Sans compter ma tendance naturelle à croire ce qu'on me dit, Grete appelle ça mon "indécrottable naïveté". Mais une jambe de bois ! J'appris qu'il en rêvait depuis des années. Dans sa jeunesse, il avait été danseur de ballet classique, malheureusement il avait dû y renoncer, ce fut un drame épouvantable. Depuis, il imaginait en secret la sensation merveilleuse du "bump, bump" résonnant dans tout son corps. Il disait crever d'envie quand il voyait un type claudiquer sur son moignon. J'avais affaire à un tordu, mais je l'aimais bien, il avait de l'humour. Finalement, sa jambe de bois s'est glissée dans notre Jeep, un peu comme une passagère clandestine embarquée à l'arrière. Et je dois dire qu'elle dopait mon imagination. Tous les jours je lui inventais une nouvelle fantaisie pour combattre le spleen qui nous minait à la traversée de Hambourg, Brême, Hanovre, Salzgitter, Darmstadt... Triste époque. Un jour c'était : "Et le bois ? De quel bois ta jambe sera-t-elle faite ?" J'imaginai celui qui rendrait le meilleur son. "Tout un assortiment, ça te ferait une belle gamme de bruits." Mon capitaine s'emballait à l'idée de la rangée de pilons au garde-à-vous dans son vestibule attendant d'être choisis. Teck ou palissandre pour aller écouter *La Traviata* à l'Opéra ? Quel autre, pour piaffer sur une piste de danse ? Vint leur couleur. "Tu y as pensé ? Tu pourras adapter ton mollet à ton humeur du jour. Plein d'espoir, tu choisis la verte ; plein d'amour, c'est la rouge. Humeur sombre ? La noire... Il paraît que les primitifs font ça, dans les tribus… ils peignent leur visage en fonction de leur état d'esprit." Lui jubilait : "Fantastique ! Superbe ! Très bien…" »

Thorkild s'interrompit pour allumer une cigarette au bout incandescent de la précédente. Concentré sur son récit, il ne fit pas attention au rire de Karen Blixen. Un rire flûté, un peu rentré, un petit cri de souris qui la surprit elle-même. Il était rare qu'elle rie aux éclats. Une bouffée et il reprit :

« La farandole a continué jusqu'à notre arrivée à Baden-Baden, jusqu'à ce qu'il me demande une faveur. "Une très grande faveur." J'étais ravi de pouvoir l'aider. Je le lui jurai en topant du plat de la main sur une table. Il y alla tout de go : "Tu m'aideras à couper ma jambe ?" Quelle horreur ! Baronne, j'ai entendu très distinctement le bruit strident d'une scie de boucher attaquant l'os. Le problème, c'est qu'il ne plaisantait pas, il avait même tout prévu. La jambe serait sectionnée par un train, d'ailleurs dès le lendemain nous irions inspecter un passage à niveau des environs. Je me liquéfiai. Comment me défiler ? J'avais promis ! J'étais coincé. »

Tourné vers Karen, Thorkild la prenait à témoin, cherchant son regard, son aide. Elle hésitait, incapable de savoir si elle devait céder au mépris ou à la compassion devant ce garçon décidé à assumer son devoir, aussi imbécile fût-il. Elle choisit la neutralité en hochant la tête.

« J'ai passé les jours suivants à me demander comment pratiquer cette monstrueuse amputation et comment y échapper. Mon capitaine se régalait, étudiait la question en stratège militaire. L'endroit devra être isolé, mais pas trop éloigné de la voiture. Je l'accompagnerai avec une trousse médicale bien remplie, car il n'avait pas l'intention d'y rester ! Comment s'y prendre ? C'était simple. Il posera sa jambe sur les rails et attendra le passage du train. Moi, j'arrêterai l'hémorragie et l'emmènerai à l'hôpital. Je me serais volontiers tiré une balle. Dire que je l'avais suivi dans son fantasme sans poser la moindre limite, au contraire j'écrasais de bon cœur l'accélérateur parce que j'adorais le voir rire à gorge déployée, parce que cette surenchère loufoque nous emportait loin de la réalité où nous nous enfoncions kilomètre après kilomètre. »

Karen écoutait, profondément satisfaite d'entendre une histoire dont les détours et la conclusion lui étaient indéchiffrables. Thorkild continuait, plus grave :

« Avec le recul, j'ai acquis la certitude que son fantasme a aidé cet homme intelligent à ne pas devenir psychopathe. L'humour lui permettait d'exprimer cette chose tout en la camouflant mais, au fond, nous savions que nous évoluions sur un fil, entre normalité et anormalité. L'"accident" devait absolument avoir lieu le mardi suivant, car sa femme arrivait le jeudi pour assister à un mariage dans les environs. Oui, baronne, il avait une épouse qui ignorait tout de son vertige. »

Comme pour prévenir la question que Karen avait sur les lèvres, il précisa :

« Bien sûr, je lui ai parlé de sa femme, du chagrin que lui causerait ce moignon qui s'invitait sans qu'elle eût été consultée... Ça l'a fait sourire : "Quelle décision prendrais-tu si ta femme te demandait de renoncer à la poésie ?" Que voulez-vous répondre à ça ? Une fois de plus, j'étais coincé. La nuit, nous partions tels des voleurs faire le guet au bord des voies. Le passage des trains n'était pas des plus réguliers en 48. Un soir que nous attendions, mon capitaine a chuchoté : "Si je meurs, je te lègue mes jambes de bois..." Curieusement, ces fichues jambes m'inspiraient toujours. "Pourquoi ne pas te faire enterrer avec elles ? Les grands chefs du passé le faisaient bien avec leur cheval. Ainsi, le jour de la résurrection, tu te lèveras d'entre les morts avec ton pilon..." J'espérais avoir franchi les limites du tolérable et être répudié sur-le-champ. Au lieu de quoi il a soupiré : "Je n'ai jamais eu un chauffeur comme toi."

» Le fameux mardi, j'allais à l'échafaud. J'avais le sentiment que mon insouciance prenait fin et qu'un vent rempli de secrets que je ne connaîtrais jamais soufflait et emportait avec lui ma jeunesse. Les tambours cognaient de plus en plus vite dans ma poitrine à mesure qu'approchait l'heure de l'exécution. C'est alors que la Providence est intervenue. L'épouse du capitaine est arrivée deux jours plus tôt que prévu, elle tenait à aider aux préparatifs du mariage. »

Il ajouta, songeur :

« On dit que la Providence n'existe pas, mais je vous l'assure, elle est une réalité... J'ai juré de ne plus jamais me fourrer dans une entreprise aussi excentrique. Et quand je jure, je tiens !

– Qu'est devenu le capitaine ?

– Aucune idée. J'imagine qu'il se rend à l'Opéra sur ses mollets d'origine ! »

Karen réfléchissait. Cette confession venait de lui révéler la clé du caractère de son protégé. Elle lui confirmait qu'il possédait un esprit ouvert aux souffles et aux rêves, un esprit capable d'amplifier les courants qui le traversaient. Elle sonda le regard clair et put y lire ce que serait son avenir. Ce garçon ignorait l'amertume. Il serait heureux.

Soudain, elle eut envie de rire, l'étonnement sans doute. « J'ai eu l'occasion de rencontrer des hommes prêts à se couper un bras afin de ne pas trahir leur parole, mais prêts à couper la jambe d'un autre... vous êtes le seul ! »

Après une pause, elle ajouta :

« Je n'ose imaginer laquelle des deux situations est la plus épouvantable... »

Ils s'étaient levés pour reprendre le chemin de la maison. Elle lui tapota l'épaule, un geste inhabituel, car elle n'était pas très portée sur les contacts physiques :

« N'oubliez pas, *magister* : ce que nous désirons existe. Il ne tient qu'à vous de le faire exister. Songez à votre capitaine. »

Il grommela quelque chose dont elle crut saisir le sens. Ses airs de poule mouillée l'agaçaient, mais le jeune homme avait des dispositions, il serait dommage de l'abandonner à son sort.

«Vous connaissez la comédie pour marionnettes de Heiberg, *Le Potier Walter* ? Elle a été jouée l'été dernier au Tivoli.

– J'y étais, en effet...

– Rappelez-vous ce que la jeune fille dit au héros qui se trouve dans un terrible pétrin. Karen le fixa de ses yeux sombres : *"Maintenant, si tu as perdu ta foi en Dieu, crois donc en moi et je te protégerai."* »

Comprenait-il ? Elle lui offrait sa protection totale. Elle savait que le message cheminerait en lui.

C'était un matin de neige. Karen relisait et soupesait chaque mot de la lettre que Clara avait déposée sur son bureau. Elle venait de Thorkild. Sans doute l'avait-il écrite d'un jet, sous le coup d'une émotion violente tant son verbe jaillissait et brûlait.

La veille, il avait assisté à une conférence qu'elle donnait à Copenhague. Une bonne conférence. Karen pensait avoir communiqué à son auditoire quelque chose sur les secrets de l'existence, sur son imprévisibilité, elle espérait que chacun s'y était reconnu, avait un peu pleuré et ri, comme parfois dans la vie. À la fin, Thorkild était venu la saluer. Elle avait trouvé le *magister* étrange, comme transporté hors de lui-même, les pupilles dilatées sur une vision enchanteresse.

À mesure qu'elle relisait, un mélange suave de triomphe et de tendresse l'envahissait. Thorkild lui offrait son âme.

« *J'ai toujours cherché quelqu'un à servir, sans le trouver, écrivait-il. J'ai rêvé de commander ou servir, bien que peu doué pour l'un ou l'autre. Mais autorisez-moi, pour le temps qu'il nous reste, à vous servir. Ce sera la première fois de ma vie, et la dernière, que l'occasion m'en sera donnée.* »

Farah l'Africain avait été le premier de ses serviteurs, Thorkild Bjørnvig du Jutland lui proposait d'être le dernier. Il l'assurait de son « ardente dévotion ».

Karen reposa la lettre sur ses genoux et contempla les bûches qui flambaient dans le poêle de faïence. Elle frissonna malgré les peaux de loup qui l'emmitouflaient. Les matins, ces temps-ci, la trouvaient parcourue de courants d'air et d'éternuements. Les médecins parlaient d'une énième opération. Les médecins l'assommaient.

L'ironie de la vie la rattrapait une fois de plus.

Jadis, à son retour d'Afrique, elle avait écrit un conte gothique, « Le poète ». Un homme d'influence, le conseiller Mathiesen, s'emparait de l'existence d'un jeune poète et la mettait en cage afin qu'il devienne le grand artiste que ses dons le destinaient à être. Voilà que, vingt ans plus tard, un jeune poète extrêmement doué, un véritable stradivarius, croisait son chemin. Tel le Mathiesen de son conte, Karen était décidée à extraire toute la richesse de l'instrument que le sort plaçait entre ses mains.

Son conte s'achevait en tragédie, elle écrivit pourtant avec chaleur :

« *Cher Thorkild Bjørnvig,*
Votre lettre m'a apporté une grande joie. C'est si bon de savoir qu'il existe une personne en qui je puisse placer ma confiance comme je l'ai fait en Farah. Par conséquent, j'étendrai sur vous mon manteau comme Elijah le fit sur Elisha en présage qu'un jour les trois quarts de mon esprit reposeront en vous. »

C'était un matin de neige de janvier 1950. Le premier matin d'un pacte impossible à briser.

6

Assise sur les marches du perron, dans le soleil d'avril, Karen se demandait : « Qu'est-ce que c'est que cet enchantement ? Ce sentiment enivrant de vivre des instants proches de la perfection, tels que je les ai imaginés, et d'en être consciente, et d'en jouir pleinement ? »

Ce matin, le monde était parfait.

Elle se débrouillait infiniment mieux que ce vieux fou de conseiller Mathiesen.

Thorkild vivait à Rungstedlund depuis six mois, maintenant. Il était arrivé tout droit de l'hôpital où il soignait une contusion cérébrale. L'angle d'une étagère contre sa tempe, le choc, l'évanouissement. On avait dû le rapatrier de Paris où elle l'avait envoyé se frotter au monde, jeter sa gourme, car que vaut un poète qui n'a pas vécu ? À présent, elle regrettait. Elle avait eu très peur de le perdre : la tête bandée, livide, fiévreux et somnolent, il délirait. Puis il avait sombré dans la dépression. L'altération de sa vigueur habituelle avait révélé à Karen un Thorkild inconnu, plus juvénile et si vulnérable qu'une bouffée d'amour maternel l'avait prise par surprise et submergée. Elle l'avait arraché aux journées moroses dans les odeurs d'hôpital en lui suggérant de passer sa convalescence chez elle. «Je m'allongerai comme une lionne sur votre seuil et je gronderai si quelqu'un approche pour vous déranger.»

Grete avait eu le bon goût de décliner l'invitation, que Karen s'était sentie obligée de lui faire, à accompagner son mari.

Dès le début ce fut parfait.

Karen avait installé Thorkild dans le salon vert et la petite chambre attenante, puis elle s'était retirée.

En fin d'après-midi, elle avait toqué à sa porte. Comme elle n'obtenait pas de réponse, elle était entrée sans faire de bruit. Thorkild dormait dans le fauteuil qui avait été celui de Denys, les jambes allongées, la bouche entrouverte laissant filer un léger ronflement. Sa figure ronde était aussi pâle qu'à l'hôpital, ses paupières closes s'ourlaient de cils bruns et épais. Une chose troublait Karen. Comment un être aussi terrien, bâti comme un paysan et capable d'un rire gargantuesque, pouvait-il produire une poésie aussi cristalline et élevée, si proche du divin? Mais il arrive que les dieux se déguisent.

«*Magister...*»

Thorkild se réveilla en sursaut, désorienté.

« ... J'ai dormi ! fit-il la voix embrouillée, en s'étirant gauchement.

– Ne vous inquiétez de rien, vous êtes ici pour guérir et engraisser... »

Les rayons du soleil faiblissaient, Karen alluma la lampe derrière le bureau et la pièce parut encore plus vaste et douce. Elle s'assit près de lui.

« Mme Carlsen va vous servir votre dîner... Ça y est, vous êtes installé ? Tout est à votre goût ? »

Aucun détail ne lui avait échappé pour que Thorkild fût bien, là, pour guérir et écrire. Situé à l'ouest, l'appartement était protégé du vent qui soufflait du large et se glissait dans la maison par le moindre interstice. Karen lui trouvait des vertus apaisantes. La couleur verte de ses murs répondait à la végétation du parc et des collines qui s'invitaient à travers les deux hautes fenêtres du salon. Elle aimait cette pièce parsemée d'objets qui avaient appartenu à Denys. Son fauteuil en bois sculpté où il s'était assis si souvent que les frottements de son dos contre le dossier avaient effacé le motif du tissu. L'antique Gramophone à pavillon, qu'il installait sur la véranda lorsqu'il rentrait de safari sans prévenir. Aux premières notes de Mozart, elle comprenait. Et depuis la fabrique de café, elle volait jusqu'à lui.

L'appartement donnait de plain-pied sur le parc. Thorkild disposait d'une entrée indépendante qui lui permettait d'aller et venir sans avoir à lui rendre de comptes.

346

«J'aimerais que vous vous disiez : "Je resterai ici aussi longtemps que je le souhaiterai, peut-être même indéfiniment..." Au temps de la vieille Russie, les invités venaient pour une semaine et restaient dix ans... Eh bien faites comme eux, si ça vous chante.»

Six mois, déjà. Chaque matin, Mme Carlsen le réveillait à sept heures et lui servait son petit déjeuner. Le reste du temps, Thorkild se promenait, nageait dans l'Øresund, méditait, écrivait. Le personnel avait pour consigne de ne pas le déranger, de ne lui parler sous aucun prétexte. Pour tous ces gens, il était transparent. À vingt heures, Karen venait le voir pour bavarder pendant une heure, mais à vingt et une heures, extinction générale des feux.

Dès le premier soir, Karen lui avait expliqué le régime sur-mesure auquel il serait soumis.

«C'est formidable ! Depuis des semaines je ne pense qu'à dormir profondément.» Il se leva et se planta devant les fenêtres, déjà requinqué.

Elle se mit à rire.

«Vous comptez vous en tirer comme ça ? L'idée est au contraire de vous remettre sur le chemin de la discipline... *Magister !* Il faut vous ressaisir... Vous repartirez d'ici en pleine forme, peut-être même avec un poème en poche.»

Pour autant, elle n'avait pas l'intention de s'asseoir à ses côtés pour l'observer qui pondait son œuf ! Elle mit un disque sur le Gramophone.

«Asseyez-vous dans ce fauteuil, écoutez la musique et ne pensez à rien d'autre. Vous entendrez ce morceau mille fois pendant votre séjour. Abandonnez-vous à la musique, laissez-la bercer votre cœur. Et vous verrez, plus tard dans votre vie, lorsque vous l'entendrez à nouveau vous vous souviendrez de ce moment, de cette soirée et du salon vert où vous l'avez entendue pour la première fois. »

Thorkild obtempéra. Tandis que s'élevaient les notes du quatuor à cordes n° 1 de Tchaïkovski, l'émotion l'envahit peu à peu, un bien-être comme il en avait rarement éprouvé le consola de tout. Il avait l'impression de pénétrer dans une forêt touffue qui l'isolait du monde réel, une forêt où il était merveilleusement bien, où on le protégeait, l'aimait, l'encourageait. Il sentait le regard de la baronne posé sur lui. À la fin du morceau, quand il ouvrit les yeux, elle avait disparu.

C'était une vie à deux, chaste et stimulante. Chacun travaillait dans ses appartements. Et chaque soir, à huit heures précises, Karen s'invitait dans le salon vert et discutait avec Thorkild pendant soixante minutes. À la soixante et unième, au premier gong de la grosse horloge qui grondait neuf heures, elle se levait au milieu de la discussion, y mettant fin abruptement.

C'était un peu théâtral, voire ridicule, elle en souriait hors de la vue de Thorkild, mais ce garçon méritait un traitement de choc. Sinon, elle n'arriverait à rien avec lui. Sa mollesse, encore. Elle lui répétait : « Faites sonner dur votre poésie, *magister*, seules les choses dures résonnent. » Il avait fini par lui inspirer une anagramme, à la lettre près : *Vridbor ! Kling Højt !* Vrille ! Sonne plus fort ! Une piqûre de rappel humoristique

Elle avait douté, jusqu'à hier.

Thorkild lui avait lu *Leda*, la seconde partie du long poème auquel il travaillait en secret et qu'il appelait *Ravnen*, « Les corbeaux ». Il l'avait interceptée à son retour du jardin. Il ne tenait pas en place. Riait avec son exubérance habituelle. Debout au centre de la pièce, allant et venant, il avait dit les vers de sa voix ample. Elle en eût le souffle coupé. Tant de force. Tant de spontanéité et de sûreté de mouvement. Il avait avancé en poète intrépide qui risquait sa vie au moindre faux pas. Il se tut. Karen laissa le silence s'installer. Et ce silence né de la perfection continuait de bruisser.

Elle n'avait pas l'habitude d'être intimidée.

Thorkild attendait son verdict, encore vibrant de sa lecture, le regard libre et profond. Elle eut envie de tendre la main vers son visage et de l'effleurer.

« C'est magnifique… Vous avez obéi aux lois apparentes de la poésie mais aussi à celles, mysté-rieuses et tout aussi impératives, qui ne sont pas écrites. Vous êtes parvenu à tranformer l'étreinte charnelle et les corps nus en une œuvre d'art… »

Profondément émue, elle s'était penchée pour ajouter avec ferveur :

« N'écrivez pas pour une personne en parti-culier, ou pour *Heretica*, ou pour je ne sais quel courant artistique. Écrivez parce que vous devez une réponse aux dieux. »

Puis elle s'était renfoncée dans son fauteuil, pensive, tandis que Thorkild réunissait les pages noircies de son écriture serrée, qui rejoignirent les autres stances de *Ravnen*.

Karen réfléchissait aux termes qu'elle allait employer. Thorkild lui paraissait à la hauteur de la confidence qu'elle s'apprêtait à lui faire.

Lors de son séjour à Paris, juste après sa commotion, il leur était arrivé une chose invraisemblable, liée aux forces de l'irrationnel en lesquelles ils croyaient l'un et l'autre. Surtout elle. Dans la nuit, à Paris, Thorkild avait entendu un cri, si puissant qu'il l'avait réveillé, celui de Karen qui, depuis Copenhague, l'appelait. Il l'avait entendu distinctement.

« Vous vous rappelez ce cri, qui vous a tant perturbé ? Eh bien, cette même nuit, je doutais de vous.

– Douter ? Thorkild se rembrunit.

– Pour l'amour du ciel, offrez-moi une cigarette et je vous dirai tout ! Le docteur m'interdit la moindre bouffée... J'en fumerais volontiers une ou deux à sa santé. »

Thorkild lui tendit le coffret en bois précieux.

« Votre combientième aujourd'hui ?

– La vingtième peut-être... Quelle importance ? Je devrais être dans la tombe depuis belle lurette... »

Cette bouffée, quelle volupté ! Ce qu'elle s'apprêtait à dire dépassait l'entendement, mais il était temps de faire comprendre à Thorkild la puissance du pacte dans lequel il s'était engagé, un peu trop légèrement peut-être, comme il l'avait fait avec les rêves de jambe de bois de son capitaine.

« Cette nuit-là, j'étais dans mon lit avec un temps fou devant moi pour réfléchir... Je pensais beaucoup à vous. »

Thorkild ignorait à quel point il lui avait manqué, constamment, épouvantablement, et c'était aussi bien comme ça. Lui de son côté avait beaucoup geint. En France, tout lui était si étranger.

« Pauvre, cher Thorkild ! Perdu dans un Paris trop grand pour lui, prisonnier de ses préjugés et de ses peurs ! De sa fabuleuse ignorance ! Alors, j'ai compris que le pacte serait dangereux pour vous et que pour moi il serait un fardeau bien trop lourd... »

Elle fronça les sourcils, sentant à nouveau le poids qui l'avait oppressée lors de cette nuit étrange.

« Je n'avais plus le courage d'endosser une responsabilité pareille, j'ai donc réuni mes forces et je vous ai éjecté de ma vie, *magister*... Puis, j'ai reçu la lettre où vous me parliez de « mon » cri qui avait franchi les pays et des milliers de kilomètres pour vous atteindre. Tout est devenu clair. Pour ainsi dire, vous avez ricoché comme une pierre à la surface de l'eau, et ce que vous appelez mon cri, au lieu de vous éloigner de façon irrévocable, vous ramenait à moi, que je le veuille ou non. »

Thorkild n'était qu'à moitié surpris par ce qu'il entendait. Bien des fois, il avait frémi devant ses airs de prophétesse de tragédie et si quelques-unes de ses confidences heurtaient son esprit rationnel, la fascination qu'il éprouvait l'amenait à la croire sans se débattre.

Un soir, elle lui avait avoué ses relations avec le diable si naturellement qu'il n'en avait pas été déconcerté. Son «ami le diable», disait-elle, était venu la secourir quand Dieu l'avait foudroyée d'une maladie qui l'écartait à jamais du monde. En échange de son âme, Satan lui avait promis que tout ce qu'elle vivrait deviendrait une histoire. N'avait-il pas tenu parole?

Impossible de savoir quand elle jouait ou était sincère.

Il avait appris qu'elle fricotait aussi avec la magie. Un envoûtement accompli dans les règles de l'art lui avait permis de délivrer l'une de ses servantes noires d'un mari violent. Sa mine effarée avait amusé la baronne. Elle l'avait taquiné, en tendant son long visage pâle vers lui: «Vous voulez bien enfourcher le manche à balai avec moi? Ce sera un secret entre nous deux.»

Tant de secrets les attachaient l'un à l'autre, à présent.

Pendant qu'il s'abîmait dans ses réflexions, Karen poursuivit son idée, inflexible.

«J'ai donc pris une décision. Si notre pacte devait être annulé, il ne pourrait l'être que par vous.»

Thorkild sursauta. Il y avait là un piège, un embrouillamini, un chantage affectif... pour une fois, il n'était pas dupe.

« Voilà ce qui s'appelle échapper à vos responsabilités ! C'est un grand honneur que vous me faites, baronne, c'est également un poids considérable que vous placez sur mes épaules. Si je comprends bien, je serais seul coupable si le pacte devait être rompu ? »

Mais déjà il agitait la main pour éloigner l'idée folle, l'idée de la rupture :

« Cela n'arrivera pas. Je tiens trop à notre amitié. »

Oui, ils avaient créé un monde parfait. Idéalement clos. À un bémol près.

Il arrivait que Thorkild enfourche sa bicyclette après avoir prévenu Mme Carlsen qu'il ne dînerait pas là. Sans doute rejoignait-il Grete et Bo, dans leur nouvelle maison de Sletten, quelques kilomètres plus haut sur la côte. Peut-être avait-il rendez-vous avec Ole Wivel ou Poulsen, ou tout autre jeune artiste de sa génération. Ces escapades troublaient Karen. Thorkild était une nature indécise, elle redoutait que des influences incontrôlées, imprévisibles, s'emparent de lui et l'éloignent de la littérature. Et d'elle. Surtout d'elle. Car elle se racontait des fables. Pour une fois, la vérité l'effrayait. Lorsqu'il partait en sifflotant vers un rendez-vous dont elle ignorait tout, elle se sentait en exil. Rejetée. Elle souffrait. Un jour, Mme Carlsen lui avait dit, l'air grognon : « Je ne comprends pas pourquoi vous vous obstinez à trouver ce garçon si intelligent ! » Ça l'avait fait rire. Une autre question la tracassait à présent. « Comment t'es-tu débrouillée pour placer ce garçon au centre de ta vie ? » Mieux valait garder un œil sur lui. Afin qu'il ne disparaisse pas.

La nuit était avancée, l'obscurité totale. Karen rentrait d'une soirée chez Ellen, à Copenhague. Les phares du coupé balayèrent la façade de la maison, révélant Alfred qui attendait près du perron. Elle arrêta le moteur et descendit en lui tendant les clés. « Tu peux la garer. Je ne la reprendrai pas avant lundi. »

La maison était plongée dans l'obscurité. En avançant dans le vestibule, elle vit de la lumière sous la porte de Thorkild. Puis l'électricité allumée dans la cuisine.

« Madame Carlsen... Vous n'êtes pas encore couchée ? »

Caroline s'affairait devant les restes d'un dîner qui encombraient la table de cuisine. Karen remarqua des reliefs de faisan rôti. Empilées au bord de l'évier, les assiettes de son service de la Fabrique royale du Danemark, les verres à vin de la cristallerie Saint-Louis. Caroline eut un sourire gêné.

« M. Bjørnvig finit de dîner avec sa jeune dame.
– Grete est encore là ? »

Karen consulta sa montre. Vingt-trois heures, bientôt. Son visage se décomposa. Sa bouche se mit à trembler, puis son menton. Un souffle barbare la souleva, la précipitant jusqu'au salon vert dont elle ouvrit la porte à la volée. Elle resta sans voix. Une table dressée pour deux, éclairée par les chandeliers posés sur la nappe de dentelle, le reflet des flammes sur les cristaux. Et les deux têtes rapprochées du *magister* et son épouse. Avec l'expression idiote des gens amoureux sur leur visage. Son cœur s'emballa, sa tête lui disait: «Ne t'en mêle pas», alors que, déjà, elle pénétrait dans la pièce, que son corps tout entier se raidissait, qu'elle tendait le bras en direction de la porte, doigt pointé, et qu'elle s'entendait crier: «Ouste! Dehors!»

Puis le silence. Thorkild les yeux écarquillés, bouche ouverte, Grete tassée sur sa chaise, l'air terrorisé.

«Dehors!» Cette fois elle hurlait. Elle avait pourtant essayé de maîtriser sa voix.

Ils restaient pétrifiés. Elle regarda Grete.

«Vous, rentrez chez vous. Et *vous* – elle lança ce mot sur un ton de mépris glacial en désignant Thorkild du menton –, vous... allez vous coucher.»

Elle fit volte-face, laissant derrière elle un calme sinistre.

«Madame Carlsen, dans mon bureau, je vous prie!»

Abandonnant ses casseroles, Caroline lui emboîta le pas. Karen exigea des explications. On l'avait informée de la visite de Grete à son mari dans l'après-midi, mais pas d'un souper aux chandelles!

«Vous connaissez les règles, madame Carlsen, or vous et le *magister* les avez enfreintes.»

Caroline croisa les bras sous sa vaste poitrine et d'une voix calme fit connaître son point de vue:

«La désinvolture de ce garçon à l'égard sa femme me désole. Je le lui ai dit dans les yeux: "Monsieur Bjørnvig, vous êtes un mufle." Il est d'accord avec moi. Ils ne se voient jamais. Cette pauvre fille n'existe plus ! Sans parler de son fils. Je parie que, depuis cinq mois qu'on le voit tourner par ici, il a joué plus souvent avec Nils qu'avec son petit Bo ! »

Caroline expliqua avoir pris sous son bonnet d'improviser un dîner pour le couple.

« Avec la certitude que vous encourageriez mon initiative. Qui manquerait assez de cœur pour s'y opposer ? »

Qu'est-ce que Karen pouvait bien répondre à ça ? De la main, elle tapotait nerveusement son bureau. Un reste de fureur la faisait trembler. Caroline fut congédiée sur un : « Bien, nous verrons cela demain. »

On n'entendait plus un bruit. Grete avait sans doute débarrassé les lieux par la porte arrière et à présent elle remontait le parc jusqu'à la gare. Karen éteignit la lampe et alluma une cigarette.

Il y avait un problème. Elle avait une vision très claire de l'histoire dont Thorkild était le héros, or le jeu érotique en constituait un élément essentiel. Un vrai poète affronte la fièvre et la fureur des sentiments et des corps. Son *Ravnen* en était la promesse éclatante. Depuis quelques semaines, Karen s'arrangeait pour conduire leurs discussions sur ce terrain grâce à un livre qui avait appartenu à Denys. Une édition rare, exquise, de taille minuscule, des *Liaisons dangereuses*. Combien de fois avaient-ils lu ensemble le roman de Choderlos de Laclos, là-bas, en Afrique, Denys et elle ? Lui brodait en virtuose sur des situations scabreuses. Karen aurait tant aimé retrouver cette ivresse, s'inventer à nouveau des aventures imaginaires avec des amants imaginaires, qu'ils soient célèbres ou non. Ses tentatives pour entraîner Thorkild dans ces figures aériennes se heurtaient au pas maladroit, un peu raide, pour tout dire germanique de son partenaire.

Elle savait ce qu'il fallait au *magister*. Une créature crémeuse, voluptueuse, une charmeuse de serpents qui s'occuperait de son corps, tandis qu'elle, Karen, occuperait le terrain spirituel. La matière et l'esprit uniraient leurs efforts pour faire de lui un homme. Un grand artiste.

Grete n'était qu'un entremets insipide.

On frappait à la porte restée ouverte. La silhouette de Thorkild se dessinait sur le fond lumineux du couloir. À voir ses épaules courbées, son hésitation à faire un pas de plus, Karen comprit qu'il lui revenait penaud, repentant.

Depuis le seuil, Thorkild ne vit qu'une pièce plongée dans l'obscurité totale. Un point minuscule rougeoyait comme une braise dans la nuit. Il sentit l'odeur de tabac. Il devina Karen qui fumait, immobile sur son siège, les yeux grands ouverts sur le vide. Alors il vit, comme quelques instants plus tôt lorsqu'elle s'était abandonnée à la colère, la solitude absolue de Karen Blixen parmi les vivants.

« Baronne, pouvons-nous parler ? » fit sa voix incertaine.

Malgré un reste de colère, celle de Karen retrouva son mélodieux contralto pour répondre :

« Il est préférable que nous discutions de cela demain. Passez une bonne nuit. »

7

Je suis très sensible aux atmosphères. Mon père disait souvent : « Clara, si tu veux savoir quelle place te convient dans une maison, regarde où le chat s'installe. » À Rungstedlund, il y avait beaucoup de chiens mais un seul chat. Une chatte blanche. Elle s'appelait Lady Flora, du nom d'un conte de Karen. Miss Flo roupillait un peu partout. Dans la véranda en hiver, où elle contemplait la neige tomber d'un regard mélancolique, sous les rosiers de l'entrée en été, d'où elle surveillait nos va-et-vient, mais sa place favorite quelle que fût la saison restait le salon vert avec son gros fauteuil exposé jusqu'au soir aux rayons du soleil.

On y fit pourtant du remue-ménage.

Mon appartement surplombait celui de Thorkild. Une nuit que j'avais entrouvert la fenêtre, j'ai entendu le bref éclat de Karen, puis la conversation qui avait suivi entre les deux époux. Je les imaginais comme roués de coups, Grete, le regard vide, tremblante. «Tu aurais pu dire quelque chose... Je suis ta femme!» Il y eut du bruit du côté de la chambre. Sans doute rassemblait-elle ses affaires qui traînaient sur le lit. «Ne te laisse plus embobiner... L'énergie de cette femme nous détruira.» Thorkild devait être hébété car il ne répondait pas, ou si faiblement que sa voix se perdait. Celle de Grete monta vers les aigus: «Je t'assure, si elle pouvait me supprimer, elle le ferait!» Thorkild enfin réagit: «Bon Dieu, Grete, tu ne vas pas me dire que tu crois à ce que tu racontes?»

Je pense que devant un mari qui me laissait en plan, qui n'avait pas eu un geste, une parole pour me protéger de la colère d'une furie, j'aurais fait comme Grete: exploser de colère. J'ai entendu encore: «Ta baronne me fiche la trouille, je ne veux plus mettre les pieds ici», puis j'ai refermé ma fenêtre, un peu honteuse de mon indiscrétion.

Les jours suivants, on aurait cru avoir rêvé. Karen était d'humeur charmante, Thorkild semblait heureux, réparé même. Une explication avait eu lieu, il me la raconta. J'y reconnus le savoir-faire de la baronne.

Il s'était attendu à un feu roulant d'imprécations, mais à vingt heures précises, Karen avait fait son entrée dans le salon vert le pas léger. Ils avaient bu un sherry, écouté Schubert, comme si aucun tremblement de terre n'avait secoué le plancher la veille. «C'était même invraisemblable!» s'étonnait encore Thorkild. Karen lui avait dit que son intention n'avait pas été de le blesser. Pour le lui expliquer différemment, elle avait convoqué *Le Serpent divin* de Sophus Claussen : « *Quand, dans son marécage venimeux et mortel, il cherche et ondoie, il est tout amour.* »

Elle avait déroulé le poème, la voix étrangement rauque, ses yeux noir violet posés sur lui. Thorkild sentait sa tête dodeliner, comme sous l'effet d'une légère hypnose. Il l'avait juste entendue soupirer, avant qu'il ne sombre dans un immense désir de soumission : « *Magister, magister...* J'attendais de vous l'inhabituel... Puis-je encore l'espérer ? »

Thorkild venait souvent frapper à la porte de ma chambre. « Clara, J'aimerais te parler. Tu as le temps ? » Pour lui, bien sûr, je l'avais toujours. Je délaissais mes traductions, ou la préparation de mes examens de bibliothécaire qui approchaient, on s'asseyait sur le bord de mon lit et éclairés par la lumière chiche d'une lampe de bureau nous discutions à cœur ouvert.

J'ignorais tout de l'existence du pacte, mais j'en savais bien plus que Grete, qui n'avait pas la moindre idée des incursions hors de la raison que Karen et son mari tentaient ensemble, quand celle-ci guidait l'esprit de Thorkild dans les territoires de l'étrangeté et qu'il voyait s'ouvrir les perspectives de l'irrationnel, d'une extraordinaire profondeur. Depuis qu'il vivait ici, il avait laissé derrière lui ses envies de pleurer et ses humeurs noires, il avait retrouvé le goût d'exister. Il lui semblait qu'il n'aurait pas assez de toute une vie pour écrire, encore et encore.

Sachant cela, j'aurais trouvé héroïque un homme qui renoncerait à un monde presque parfait, excitant, dont il occupait le centre. Pourtant, malgré la faiblesse congénitale qu'on lui reprochait Thorkild a trouvé la force de retourner vivre chez lui. J'imagine que, en dépit des hauteurs vertigineuses de ses échanges avec la baronne et du traitement princier qu'elle lui réservait, il y avait du côté de Sletten, et de Grete et du petit Bo, quelque chose qui attirait mon camarade et qui s'appelait la vie.

Un accord fut trouvé.

La majeure partie de la semaine, Thorkild était un jeune père de famille. Un type de trente-trois ans immergé dans la vie moderne.

Tout basculait le mercredi, quand il retournait à l'univers enchanté de Rungstedlund pour y dîner et passer la nuit. En fin d'après-midi, il enfourchait sa bécane et rétropédalait énergiquement à travers le temps jusqu'à mettre pied à terre dans le XVIIIe siècle où l'attendait la baronne et ses convives imaginaires pour une bonne discussion et un repas fin. Le lendemain, il repartait.

Il avait été troublé par une confidence qu'elle lui avait faite à propos de l'harmonie profonde qui l'unissait à Denys Finch Hatton : « Parfois, *magister*, lorsque nous sommes tous les deux, j'ai l'impression d'entendre un écho de cette époque. Plus fragile mais le même... Oui, le même. » Il m'en parla avec émotion, encore ébloui. Ressusciter aussi faiblement que ce fut Denys l'indépassable, le seul être qu'elle ait jamais considéré comme son égal, ce n'était pas rien.

Nous avions atteint un point d'équilibre. Je dis nous, car la sérénité de Karen rejaillissait sur ma tranquillité. À l'inverse, ses émotions volcaniques pouvaient exploser au-dessus de ma tête, parce que je me trouvais là au mauvais moment. Or, j'étais toujours dans ses jupes.

J'ai senti le gros temps arriver quand Thorkild a demandé à me voir en urgence.

« Dis-moi, Clara, Bonn… Qu'est-ce que j'irais faire à Bonn ? »

Karen avait une idée en tête, qui me paraissait intéressante : convaincre Thorkild d'accepter un stage universitaire de trois mois à Bonn, un été entier parmi des érudits, aux frais de l'université de Copenhague. Elle me poussait à l'encourager, ce que je fis de bon cœur.

« Mais Clara, je n'ai pas du tout l'intention d'y aller ! Je suis heureux ici, en pleine créativité, pourquoi devrais-je fiche tout ça en l'air ? Ça fait au moins la centième fois qu'elle m'en parle ! Je ne sais plus comment lui faire comprendre que c'est non. »

Il paraissait à cran.

« Tu sais, parfois, je me demande si elle ne veut pas me briser, me réduire, afin que j'émerge tel qu'elle m'a imaginé. Elle me laisse la bride sur le cou, tout va bien puis, sans raison apparente, elle tire d'un coup sec sur le mors pour me ramener sur le chemin où elle veut me voir trotter… »

J'avais une vraie sympathie pour les tracas de Thorkild, mais je devais rester loyale envers Karen, je préférai minimiser :

« Elle est comme ça. Mettre à l'épreuve. Faire passer des tests. Il y a toujours une contrepartie à son amitié, Thorkild, mais je sais qu'elle agit pour ce qu'elle pense être ton bien… »

J'aurais dû dire : « Elle ne veut pas te couper les ailes, non, ce qui l'intéresse c'est de contrôler leurs mouvements. » Mais je me suis tue, on ne fait pas la maligne avec un homme qui souffre.

Nous traversâmes quatre mois de négociations, de tensions insupportables, jusqu'à la reddition complète de Thorkild. Il a pourtant résisté, vaillamment, sûr de son droit à disposer de lui-même, ce que Karen vivait comme une trahison vis-à-vis de sa capacité de jugement : elle savait infailliblement ce qui convenait ou non au *magister*. L'épreuve de force atteignit son point culminant lorsqu'elle décida de lui faire signer un formulaire, du genre administratif avec pointillés à remplir, où il acceptait « librement et sincèrement » de prendre la décision d'aller à Bonn et de ne jamais revenir sur cette idée. Il en fit une boulette.

Je n'avais jamais vu Thorkild aussi malheureux. La mort dans l'âme, il a fini par écrire qu'il acceptait. La force du pacte l'écrasait.

Karen a branché le Gramophone et nous avons chanté à tue-tête *La Marseillaise !* À l'époque nous vivions les choses à l'état brut, sans soupçonner qu'un jour il y aurait pire.

Cet épisode éprouvant pour l'ensemble de la maisonnée présentait un aspect positif : Grete était aussi soulagée de savoir son mari à des kilomètres de la baronne que Karen l'était de savoir son protégé loin de sa femme. Ma main à couper.

J'ai réussi à boucler mes examens de bibliothécaire pendant les trois semaines où Karen visitait la Grèce et l'Italie avec Knud et Benedicte Jensen. Un mois de répit pour tous.

À son retour, elle me dicta un conte sans doute inspiré par sa rencontre avec les dieux grecs mais surtout, me sembla-t-il, par la conscience de l'absurdité de sa situation avec Thorkild.

C'est un conte à la structure parfaite, probablement le conte le plus parfait et troublant qu'elle m'ait jamais dicté. Aujourd'hui encore il me fascine, je ne me lasse pas de son énigme.

M. Clay, un riche vieillard, décide de montrer sa toute-puissance sur la destinée de deux jeunes gens en transposant dans la vie réelle une histoire que tous les marins qui ont navigué sur les mers de Chine, d'Oman ou d'Égée connaissent et qu'ils se racontent de port en port : un gentleman aborde un matelot sur les quais et lui promet un dîner somptueux agrémenté de cinq guinées d'or s'il accepte de venir chez lui pour faire l'amour à sa jeune épouse et lui faire un enfant.

L'Éternelle histoire est éternelle précisément parce qu'elle ne pourra jamais se réaliser. Elle n'est qu'un rêve, l'expression d'un désir qui traverse tous les matelots sans que jamais ils puissent l'exaucer.

8

Elle l'attendait. La maison aussi l'attendait, tranquille et scintillante, tel un transatlantique éclairant la nuit.

Karen avait pris soin d'allumer les lampes de chaque pièce. Le salon vert et la chambre attenante, ses propres appartements, la salle à manger, le grand salon et sa véranda tournée vers le port, sa petite chambre qui surplombait la mer depuis le premier étage. La maison tout entière diffusait des lumières douces et palpitantes. Elles guideraient Thorkild dans l'obscurité. Quelle que fût l'heure à laquelle il arriverait, qu'il choisît de traverser le parc ou d'emprunter la route côtière.

Elle l'attendait. Assise au salon, près des fenêtres ouvertes sur le sud, un cendrier plein à ras bord sur la table de bridge, dans le décor familier. Les cadres dorés des tableaux et des hauts trumeaux brillaient à la lueur des bougies et, partout, les bouquets flamboyants qu'elle avait confectionnés dans l'après-midi embaumaient et célébraient le retour imminent du *magister.*

Thorkild Bjørnvig rentrait à la maison après deux mois d'absence.

Elle avait souhaité ardemment son retour. Le lui avait écrit. « *Si vous éprouvez les sentiments que j'imagine, vous pouvez me télégraphier : "Arriving Rungstedlund Sunday evening."* » Lent, si lent, le courrier, pour son impatience. Elle avait doublé sa lettre d'un télégramme. « *Venez vite, Tania.* » Tania ! Le nom que Denys lui avait donné. D'ordinaire, elle signait ses lettres à Thorkild d'un très guindé : « Votre dévouée, Karen Blixen-Finecke. »

Le parfum des roses se faufila jusqu'à elle. La brise de nuit lui caressait la nuque. Karen jeta un coup d'œil au ciel et distingua la nouvelle lune derrière les marronniers. Ça lui rappela la toute première visite de Thorkild et la réflexion qu'elle avait faite : « La nouvelle lune n'aime pas être regardée à travers une vitre. Sinon, elle pourrait vous jouer des tours. » Combien de fois, depuis, l'avaient-ils contemplée côte à côte, leurs pensées s'élevant vers elle ? Dieu qu'il lui avait manqué ! Son absence était contre nature. Le *magister* appartenait à cet endroit. Comme Pasop, comme Clara ou comme les initiales à jamais gravées dans l'écorce du hêtre tout au fond du jardin. Précisément là où elle achevait de faire construire un petit pavillon. « Le cabinet secret de monsieur l'Agrégé. » Il aimerait.

Elle se leva, tourna en rond, l'oreille tendue vers les bruits du soir. Le cri d'un oiseau de nuit. L'odeur de foins coupés. Il serait là d'un moment à l'autre. Elle lui servirait un verre de cet authentique whisky, dernier cadeau en date de Knud. Ils souperaient dans le salon vert. Ils allaient renouer leur complicité. Tellement de choses à se dire. Deux mois, c'est interminable.

Elle regrettait leur querelle et n'était pas mécontente d'en sortir. Une stupide guerre de volontés. Rien d'autre que l'amour-propre d'un auteur qui exige que l'histoire se déroule telle qu'il l'a imaginée. Or, quelque chose avait bougé, c'était infime mais elle pouvait le lire entre les lignes des dernières lettres qu'il lui écrivait. Thorkild avait compris que sa vocation était de vivre et de créer ici, auprès d'elle. Il voulait rentrer avant même la fin de son stage. Quitter Bonn ne signifiait plus qu'il fuyait ce qu'il n'aimait pas, cela elle l'aurait refusé, mais au contraire qu'il se dirigeait fermement vers son but, vers Rungstedlund, vers son accomplissement de poète. Il était en chemin. Nerveuse, elle reprit sa place sur le sofa, la tête tournée vers le jardin. Pour la énième fois depuis le début de la journée, elle fit le long périple qui lui ramenait le jeune homme. Hier, il avait parcouru l'Allemagne en train, ce matin il avait embarqué sur le bateau qui faisait la traversée du détroit du Grand Belt. Cet après-midi, à Krosør il avait pris un autre train qui le menait à la gare centrale de Copenhague, puis un autre jusqu'ici. Peut-être était-il déjà sur le quai de Rungsted Kyst ? Elle l'imagina franchissant la sortie et hélant un taxi... bien qu'en cette nuit de juin il préférerait sans doute traverser le parc à pied.

Une auto remontait l'allée. C'était lui. Pasop quitta les pieds de sa maîtresse et se précipita vers la porte en aboyant. Karen allait entendre la voix enjouée de Thorkild, son rire énorme. Elle se mit sur ses jambes, sourit à la porte qui s'ouvrait. Else lui tendit une lettre exprès. Dehors, la voiture de la poste repartait en faisant crisser le gravier.

Thorkild ne viendrait pas. Il restait à Bonn jusqu'à la fin de son stage, écrivait-il.

Un tumulte d'émotions contradictoires s'empara d'elle. Ses pensées hésitaient entre la déception et le triomphe. Elle se laissa tomber sur le sofa et réfléchit. S'il ne venait pas, c'est qu'il était tombé amoureux. Rien d'autre n'aurait pu l'empêcher de revenir à Rungstedlund. Il était tombé amoureux, comme elle l'y avait si souvent encouragé. Amoureux. Elle sourit. Enfin ! Mais de qui ? Quelle « charmeuse de serpents » avait eu raison de sa pudibonderie ?

Il le lui dirait. Il le lui devait.

9

La nature adoptait les couleurs rousses de l'automne et les soirées redevenaient fraîches. Pasop trottait, s'arrêtait, fouillait du mufle les amas de feuilles mortes qui jonchaient la terre humide, puis repartait sur les pas de Karen en agitant la queue, avant de recommencer son manège.

Karen approchait de la route qui sépare le bois de Rungsted de celui de Folehave, quand elle entendit une portière claquer et le moteur d'une voiture démarrer. À travers le feuillage d'une haie, elle aperçut l'éclat rouge d'un capot. Thorkild surgit devant elle, la faisant sursauter.

« *Magister* ? »

Il était aussi surpris qu'elle. Une ombre traversa son visage.

« Baronne ? Je ne m'attendais pas à vous voir marcher jusqu'ici... Vous êtes remise, alors ? »

Quelle question! Elle venait de passer une semaine clouée au lit par une mauvaise grippe et se retapait doucement. Thorkild le savait mieux que personne, ils vivaient sous le même toit. Curieux. Elle lui emboîta le pas et retourna avec lui à Rungstedlund. Il avait des nouvelles.

« Je reviens de Copenhague. Vous savez quoi? Knud rachète Gyldendal.

– Non!»

Gyldendal, la plus vénérable et prestigieuse maison d'édition du Danemark, qui éditait Kierkegaard, Hans Christian Andersen mais aussi ses œuvres à elle, Isak Dinesen.

« Knud ne m'a rien dit de ses projets... Qu'est-ce qui lui a pris?

– En réalité, il cherchait un local un peu plus grand pour la maison d'édition d'Ole Wivel. Comme rien ne lui convenait, il a jugé aussi simple de racheter les quatre étages de Gyl sur la Klareboderne et tout le fonds littéraire et le vivier d'auteurs!»

Karen éternua un rire. C'était du Knud Jensen tout craché! Sur un claquement de doigts, s'offrir la Vénérable et les rhumatismes qui vont avec.

Ils bavardèrent ainsi jusqu'à la maison. Il y avait bien longtemps qu'ils ne se promenaient plus dans les bois ensemble. Depuis son retour de Bonn, Thorkild était revenu s'installer chez elle, Karen en était profondément heureuse. Cette victoire confirmait son pronostic d'un *magister* convaincu que sa vie était auprès d'elle. Exit

Grete. Karen n'avait pas l'intention d'éprouver la moindre compassion pour cette pauvre fille qui ne méritait pas un mari poète qu'elle s'obstinait à tirer vers des préoccupations matérielles de petit-bourgeois.

Bien que Thorkild fût de retour, ce n'était plus pareil. Il ne se livrait plus à elle spontanément, de la manière enfantine et confiante qui l'avait ravie. Ils continuaient d'écrire chacun dans leur aile, l'une à l'est, l'autre à l'ouest, formant les deux points cardinaux d'une vie littéraire féconde et harmonieuse, mais elle avait l'impression qu'il s'éloignait, cherchait à échapper à ses regards qui le sondaient. Qu'aurait-elle trouvé qu'il voudrait cacher ? L'innocence originelle s'évaporait doucement, Thorkild prenait chaque jour un peu plus de vigueur. Bientôt il serait prêt à s'envoler, bientôt il existerait par lui-même. Ce jour approchait. Karen le redoutait.

Après mûre réflexion, elle avait conclu que le *magister* avait besoin de la preuve de son attachement. D'un lien fort qui lui rappelât la vitalité de leur pacte. Une offrande qui toucherait au cœur même de leur relation.

Elle avait déposé une longue housse devant lui.

« La tunique de mon père. Les Indiens l'avaient cousue pour lui. »

Une splendeur chatoyante taillée dans une peau souple, presque entièrement recouverte de perles multicolores, de broderies et de plumes, aux couleurs aussi vives que lorsque son père l'avait portée dans les vallées du Wisconsin. Thorkild s'était approché, ébloui. Il avait tendu la main, pour toucher. « Ttt, Ttt... », avait-elle fait en retenant son poignet. Il n'allait pas lui fiche son rite en l'air.

« Un peu de patience, *magister* ! »

Elle prit le temps de la contempler une dernière fois puis la lui tendit.

« Désormais, elle vous appartient... »

Comme il protestait, elle le mit en garde.

« Vous devez savoir une chose : si vous m'êtes infidèle de quelque façon que ce soit alors que vous la portez, elle vous brûlera, telle la tunique de Nessus. »

Thorkild l'avait acceptée avec émotion. Mais en réalité ça n'avait pas changé grand-chose à la légère distance qu'il maintenait entre eux.

Karen invita Benedicte pour un thé, le lendemain. Elle voulait en apprendre plus sur la mainmise de son mari sur Gyldendal.

La Triumph écarlate de Benedicte Jensen pila dans la cour à l'heure dite. La jeune femme déplia ses longues jambes brunes et d'un bond émergea de la voiture. Une minceur de jeune garçon, la silhouette longiligne, très haute. Une chemise blanche, des pantalons étroits, une paire de ballerines. Karen aimait la modernité de Benedicte. Ils avaient formé un trio divertissant en Grèce, elle, Ben et Knud. Disparate mais séduisant. Elle remarqua les cheveux noirs humides, rejetés en arrière.

« Vous vous êtes baignée ? » Pour sa part, Karen n'avait pas nagé dans le Sund depuis au moins une dizaine d'années.

« Juste un petit tour de voilier sur le détroit, je n'ai pas eu le temps de me doucher, pardonnez-moi. »

Benedicte était en beauté. Elle dégageait une énergie lumineuse qui lui faisait défaut en Grèce. Tout en buvant leur thé, elle confirma le coup de tête de Knud pour Gyldendal : il ne fallait y voir aucune manœuvre particulière sinon le pragmatisme bien connu de son mari. Karen doutait, mais Knud avait droit à sa sympathie illimitée depuis qu'il la fournissait en bourriches d'huîtres, caisses de vins et de champagne qu'elle adorait. Elle appelait cela « la contribution de Knud à l'art ».

« Nous verrons, fit-elle, mais j'ai la conviction qu'avec lui, pour qu'une chose vaille la peine, il faut d'abord mettre une pièce de deux couronnes sur la table ! Il va vouloir tout bouleverser, la poussière va voler ! »

Benedicte avait la tête ailleurs. Elle regardait Karen d'une étrange manière. Adoratrice et suppliante à la fois. Ses yeux luisaient, elle semblait avoir quelque chose sur le bout de la langue, une chose à dire qui ne pouvait plus attendre. Karen la gratifia d'un regard encourageant.

« Baronne… Je voudrais vous confier un secret… Vous êtes la seule personne à qui je puisse en parler… Je voudrais compter sur votre discrétion et sur votre sympathie.

– Les deux vous sont acquises, ma chère. »

La jeune femme s'humecta les lèvres.

« Eh bien, je suis tombée amoureuse. Terriblement amoureuse… »

Enfin une très bonne nouvelle ! Une promesse d'intrigue qui allait égayer la morte saison qui faisait route vers le Danemark.

« Hummmm ? Et l'heureux élu est… »

Benedicte s'empourpra légèrement.

« Thorkild. »

Karen se figea. Il lui sembla que le prénom mettait un temps infini à parvenir jusqu'à son cerveau. Thorkild.

« Comment est-ce arrivé ? » Sa voix lui parut métallique.

« Quand vous et Knud m'avez envoyée à Bonn pour lui remonter le moral. Elle gloussa. J'ai réussi au-delà de vos espérances ! »

Quels imbéciles ils avaient été ! En effet, les lettres désespérées du *magister* depuis son bourbier allemand, dans lesquelles il suppliait Karen de le laisser rentrer, leur avaient donné une idée : Benedicte tiendrait le journal de bord de leur périple d'Athènes à Rome, qu'elle enverrait à Thorkild sous forme de lettres. Il verrait ainsi qu'on ne l'abandonnait pas. À leur retour, ils avaient missionné la jeune femme pour aller vérifier qu'il tenait le coup.

« Nous sommes tombés amoureux sans prévenir. Un truc incroyable. Le coup de foudre entre deux vieux amis. »

Elle souriait, mutine. Ses dents brillaient, de très grandes dents qui, d'ordinaire, lui donnaient le sourire troublant du chat du Cheshire mais qui, à cette seconde, parut à Karen d'une niaiserie insupportable.

Knud n'était pas au courant. Personne ne l'était, expliquait Benedicte. Ils se retrouvaient dans les bois de Folehave, sûrs de n'y croiser aucune connaissance, et se promenaient main dans la main.

Sans doute Benedicte prenait-elle son silence pour une approbation, car elle continuait, volubile. Intérieurement, Karen s'indignait. Cette fille pensait vraiment que sa misérable intimité intéresserait Karen Blixen ? S'attendait-elle à ce qu'elle bénisse leur petite comédie de boulevard ?

Incapable de contrôler le cyclone qui se formait en elle, Karen se leva brutalement et agonit Benedicte d'injures. Comment pouvait-elle faire ça à Knud qui l'adorait ? Comment osait-elle blesser Grete, une femme aussi fragile ? Et mettre en péril le couple des Bjørnvig ? Avait-elle seulement songé au petit Bo ? Ça ne la gênait pas de vivre dans le mensonge, de raconter des bobards à ceux qui lui avaient donné leur confiance ? Elle n'était qu'une petite égoïste, une de ces filles pour qui aucun homme n'est interdit. Irresponsable. Cupide. Oh oui ! Karen Blixen reconnaissait à mille lieues ce genre de petit animal vorace. Il y en avait une, jadis, qui avait croisé son chemin. Elle les flairait, elles se ressemblaient toutes.

Vidée de son énergie, elle se rassit, incapable de ne pas trembler.

Benedicte prit son sac au vol et s'échappa comme une voleuse, laissant à Karen la satisfaction de l'avoir vue morte de peur.

Karen décida de ne pas en toucher un mot à Thorkild. Elle attendrait au centre de sa toile qu'il vienne s'expliquer.

Dès le lendemain, après le déjeuner il lui proposa une promenade sur la plage qui longeait le Strandvej. Elle était vide de monde. La baraque en bois, peinturlurée au rouge de Falun, où les plaisanciers entreposaient leur petit matériel nautique, ferait une excellente aire de repos à l'abri du vent. Thorkild en prit le chemin. Il se fit la réflexion que la baronne était étrangement séduisante. Elle avait noué un large foulard sur sa tête, à la manière des corsaires, qui mettait l'accent sur ses yeux. On ne pouvait que les remarquer. Ils brillaient, pailletés d'argent, celui de la mer qui s'y reflétait.

Ils s'installèrent sur un banc posé le long du mur, dos au vent. Suspendus entre deux piquets, des filets de pêcheur se balançaient dans la brise. Le ciel clair permettait de distinguer les contours de la Scanie débarrassés des nappes de brume qui la dissimulaient le reste du temps.

Karen entendit de nouveau ce que Benedicte lui avait dit la veille. L'amour fou qui vous tombait dessus, le désir, le feu intérieur, la conviction que l'autre va combler tous les manques, tous les vides qui errent à l'intérieur de vous. Thorkild parlait, concentré sur l'image de Benedicte, seulement conscient du cliquetis des drisses contre les mâts.

Considérablement adoucie, Karen hocha la tête.

« Vous auriez *dû* m'en parler. Je vous ai assez souvent posé la question, à votre retour... Sous vos sourires, vous savez si bien mentir ! Ce n'est pas loyal.

– J'avais besoin de garder cela pour moi, de le laisser vivre en moi. En moi seul...

– J'imagine que vous attendez ma bénédiction, *magister*... »

Thorkild ne prit pas la peine de répondre. Il savait faire la distinction entre une question et un prélude.

« Dans ce cas, n'y comptez pas. Je considère cette histoire comme une calamité. »

Elle prit soin de maîtriser ses émotions. Thorkild croisa son regard, s'attendant à y lire de la colère, des reproches, mais la surface tranquille des deux lacs noirs braqués sur lui ne reflétait qu'une étrange et profonde tristesse.

« Croyez-moi, Benedicte n'est pas du tout la partenaire qu'il vous faut. Cette fille est déséquilibrée, méfiez-vous... Vous êtes sur le point d'échanger une bouillotte contre une grenade dégoupillée. »

Thorkild tiqua. Ben se distinguait des autres femmes par une intensité rare, parfois disproportionnée, mais invoquer un déséquilibre mental ! Karen poursuivait son réquisitoire :

« Vous vous apprêtez à saboter votre vie de famille pour une illusion de bonheur. Sans compter que vous allez fiche en l'air le mariage des Jensen, de votre cher ami et protecteur Knud

Jensen... Il a bien mauvaise mine depuis quelque temps, on dirait un type au bout du rouleau.»

Un sourire narquois flotta sur les lèvres de Thorkild. Il trouvait assez culotté que la baronne prenne la défense de Grete, alors que la veille elle l'aurait volontiers écrasée du talon. Pour ce qui concernait Knud, hélas, quoi objecter ? Depuis qu'il avait quitté la rédaction de *Heretica*, Knud lui montrait son amitié en continuant de lui verser un salaire, afin qu'il pût écrire en paix. Sa trahison rongeait Thorkild, comme elle rongeait Benedicte et leur passion.

Karen ne s'y trompa pas.

«Vous êtes irresponsable et vous me décevez, mais j'imagine que cela n'a plus la moindre importance pour vous, à présent ?»

Elle se leva pour mettre fin à une discussion qui lui coûtait. Thorkild sentit le feu de son regard qui s'abaissait sur lui et frémit au timbre brûlant de la voix :

«Souvenez-vous. Vous ne vous devez qu'à moi. Vous ne pouvez aimer d'autres dieux avant moi. Cela fait partie de notre pacte.»

Elle le laissa seul face à la mer grise. Ils n'avaient pas fait allusion à l'algarade d'hier avec Benedicte.

Thorkild n'avait pas eu l'intention d'envenimer la discussion, il avait bien assez de tumultes en lui. Mais il aurait pu lui rappeler tant de choses.

Il aurait pu lui parler des séjours à Rungstedlund de sa nièce, la séduisante comtesse Caritas Bernstorff-Gyldensteen, quand Karen bourdonnait :

379

« Où allons-nous la faire dormir ? La maison est pleine ! Pourquoi pas dans le lit jumeau du vôtre ? Ce serait merveilleux, non, de vous réveiller et de trouver ce visage d'ange posé si près de votre oreiller ? »

Il aurait pu lui soutenir qu'elle avait vanté avec enthousiasme les charmes et l'intelligence de Benedicte, avant de la trouver cupide et cinglée. Et que, depuis des mois, c'est elle qui dressait le fagot qu'une étincelle involontaire avait allumé.

Il aurait pu lui reprocher de se laisser dépasser par les cataclysmes qu'elle prenait soin de déclencher. De mijoter des entourloupes amoureuses sans tenir compte de l'effroyable démon de la jalousie qui la dévorait. Pas la jalousie pathétique du vulgum pecus. Mais la jalousie terrifiante qu'exerce le Dieu de la Bible, le Dieu trahi qui s'était engagé à protéger son peuple en échange d'un culte exclusif.

Livré à ses pensées, Thorkild vit pour la première fois la situation telle qu'elle était. Envoûté par le don qu'avait Karen de distinguer la magie tapie au cœur du réel, il s'était aventuré dans une idylle mystique, dans un marécage dont il ignorait à quel point il était rempli de frustrations et de colère. Et il lui était impossible de s'en libérer sans se parjurer.

Karen pouvait se targuer d'avoir repris les choses en main. Dorénavant, ils paraîtraient en public, côte à côte, en couple littéraire. La conteuse et le poète. Ils entreraient ensemble dans l'histoire de la littérature.

Elle insistait. Catégorique.

« Vous vivez dans un environnement beaucoup trop étriqué. Élargissez votre cercle d'amis écrivains, sinon vous finirez par écrire des bluettes. »

Ils rencontreraient ses amis à elle, des gens qui comptaient parmi les plus importants de l'époque. Vilhelm Andersen, historien littéraire. Agnes Henningsen, leader du droit des femmes. Albert Schweitzer qu'on ne présentait plus et qui l'avait conseillée dans les années 30, à Londres, pour la construction d'un hôpital en Afrique. John Gielgud. Aldous Huxley. Bien d'autres.

Elle commença par une visite à son voisin, Vilhelm Andersen. Une rencontre chaleureuse, Andersen savait mettre les gens à l'aise, mais Thorkild avait donné l'impression de figurer dans la scène par erreur. Karen ignorait qu'un vers de Blake voletait dans la tête du jeune homme : « *Aucun oiseau ne vole trop haut, s'il vole de ses propres ailes.* »

Elle l'ignorait mais elle le percevait. Respirer. Trouver son oxygène. Sa place. Aspirations légitimes d'un garçon de trente-deux ans. La sensation de froid la pénétrait alors, l'exilait de la plénitude de la vie.

Elle ne put l'empêcher d'accepter une invitation de la Norvège à venir lire sa poésie en public.

Deux semaines sans lui, pendant lesquelles il existerait par lui-même.

Un petit matin brumeux, elle l'accompagna avec Clara jusqu'à l'arrêt du bus pour Sletten, où Grete accueillerait son mari avant qu'il ne parte pour la Norvège.

Thorkild agitait la main par la vitre arrière du bus. Karen portait sa cape à capuche pointue et Clara un étroit manteau de laine. Alors qu'il regardait leurs silhouettes s'amenuiser jusqu'à devenir deux points sombres dans le brouillard, Thorkild leur trouva une ressemblance avec le pasteur Pennhallow et sa femme, les geôliers démoniaques des *Voies de la vengeance*, qui voyaient leur proie leur échapper.

Puis il se dit que c'était injuste pour Clara.

10

Je ne sais pas si vous avez assisté à une pièce de théâtre mal ficelée qui sombre devant vos yeux, sans le moindre espoir de sauvetage. Moi, oui. J'étais au premier rang. Karen Blixen en était à la fois l'auteur et la marionnettiste. La dextérité avec laquelle elle manipulait les ficelles qui donnaient vie à ses poupées aurait bluffé n'importe quel Gepetto. Dans un premier temps, ses personnages semblaient animés par leur propre volonté et je crois qu'ils n'avaient aucune conscience des fines cordes cousues à leurs extrémités ni qu'ils figuraient dans une intrigue écrite par leur amie omnipotente. Tout se déroulait à merveille. Le public, c'est-à-dire moi – j'avais pour ainsi dire le nez sur le scénario –, vibrait, tremblait, soufflait de soulagement, les personnages habitaient leur rôle à cent vingt pour cent, l'auteur se congratulait, c'était tout à fait sensationnel, quand, soudain, ses personnages – je tiens à dire qu'elle éprouvait une tendresse énorme pour eux, vraiment énorme, je peux témoigner qu'elle leur donnait le meilleur d'elle-même –, eh bien, ses personnages n'en ont fait qu'à leur tête. Le genre Pinocchio. À partir de là, le scénario a pris l'eau de toutes parts.

Lorsque Thorkild est parti à Bonn malgré lui, j'ai vu Karen Blixen, ou Isak Dinesen, on ne distinguait plus l'une de l'autre, dépassée par les événements. C'était sidérant, cette vieille femme, encore superbe, pétrifiée par les émotions qui l'envahissaient. Or, on le sait, un auteur doit garder une légère distance avec ses personnages, sinon il perd la vision d'ensemble et court à l'échec. Après Bonn, j'ai noté avec soulagement une accalmie. Thorkild était de retour à la maison, mais il n'était plus le même. Et ça... Quel auteur dramatique apprécierait de se retrouver devant une créature dont il a façonné le destin et qui, sans la moindre explication, se referme sur elle-même et le regarde de travers ? Les seconds rôles s'y sont mis à leur tour ! Là encore, je peux témoigner que Benedicte n'était pas prévue dans la pièce. Ou alors, comme ultime fantasme que l'auteur agiterait devant les yeux d'un Thorkild obstinément trop sage. Aucun point commun avec la charmeuse de serpents tout en courbes que Karen rêvait d'introduire dans le scénario depuis un bon moment. Non. Benedicte évoquait plutôt la femme complète. Beauté, musicalité, intelligence. Elle a tout fichu par terre, la pauvre. Karen le lui a fait savoir vigoureusement.

J'ai tout entendu par la porte ouverte du grand salon. D'après les silences de Benedicte, j'avais conclu à sa terreur absolue. Cette liaison a eu pour effet immédiat de mettre au chômage tout un staff de figurants, Knud Jensen, Ole Wivel qui, laissant le temps à l'affaire de se tasser, ont préféré éviter Rungstedlund. Knud n'avait aucune envie de rencontrer son ex-meilleur ami, ni de voir la baronne se mêler de ses infortunes.

J'avoue que les efforts de Karen pour ravauder son scénario et improviser des remplaçants à son premier rôle défaillant m'ont impressionnée. Elle a introduit dans le jeu Jørgen Gustava Brandt, dix-neuf ans. Un ami poète de Thorkild. Elle s'est entichée de lui. Ils partageaient le même cynisme joyeux. C'est justement sa part de cynisme qui a évité à Brandt d'être dévoré à son tour. En tout cas, Karen l'a utilisé pour ridiculiser les amants clandestins. Je crois qu'elle leur refusait le droit de vivre leur amour sur le mode tragique, le seul digne des grandes passions. Sa vengeance consistait à les traiter en héros de burlesque. Elle a donc mis Brandt dans la confidence, en a ri à pleurer avec lui et l'a fait savoir aux deux intéressés.

Brandt-aux-allures-de-dandy est sorti faire une pause en coulisses. La baronne disposait d'un autre jeune premier, un universitaire, spécialiste de littérature, physique superbe. C'est alors que Grete, un peu vite oubliée, lui a offert le coup de grâce. Moi, j'appelle ça un coup de théâtre. Apprenons à nous méfier des personnages pâlots qui suscitent

d'emblée notre condescendance. Pendant la tournée poétique de Thorkild en Norvège, Grete a
tenté de se suicider en avalant des barbituriques.
On l'a sauvée de justesse. Mais son geste a rendu
caduc ce qui avait été. Thorkild est retourné vivre
chez lui, quoi qu'il lui en coûtât. Sa passion pour
Benedicte était dans une impasse.

Je suis navrée de dire une chose pareille d'Isak
Dinesen : elle était à court d'idées. Il n'y a plus
de scénario possible quand vos personnages vous
lâchent.

11

Karen prit sa voiture pour se rendre à Sletten.
On était un mardi. Bo serait à l'école maternelle.
Avec un peu de chance Grete aurait à faire ailleurs.
La petite Ford arriva en vue de la maison des
Bjørnvig.

C'était un après-midi de fin novembre, laiteux,
sans perspective. Un de ces après-midi où on ne
distingue rien au-delà de son nez. Karen avait eu
une intention claire en téléphonant à Thorkild : elle
voulait lui parler du sens de l'honneur. Elle tremblait d'excitation.

Avant même qu'elle ait ouvert la portière pour
descendre, Thorkild s'asseyait à ses côtés. Ils ne
s'étaient pas revus depuis son retour de Norvège.
Il semblait soucieux, à mille lieues d'elle.

«Bonjour, baronne... Je suis heureux de vous
revoir. Et j'avoue être impatient de connaître ce qui

ne pouvait pas attendre ! » fit-il en frottant ses mains l'une contre l'autre. Il soufflait pour les réchauffer. Sans doute la guettait-il depuis un bon moment sous le porche de la maison.

« Comment va Grete ? demanda-t-elle au lieu de répondre. Elle se rétablit ?

– Plus de peur que de mal. »

Karen n'insista pas, sinon il lui aurait fallu remonter aux racines du problème et reprocher son idylle idiote à Thorkild, or, les griefs qu'elle avait contre lui étaient d'une autre nature. Grete n'y était pas étrangère.

La faible réponse de la jeune femme aux défis de la vie l'agaçait. Cette pauvre créature défigurait l'histoire que Karen avait en tête. Elle n'allait pas le claironner, mais si Grete avait réussi son coup, c'eût été aussi bien.

« Je vous emmène à Fredensborg, un thé au Store Kro, cela vous va ? »

Ce n'était pas le meilleur jour pour profiter des jardins de l'hôtel, mais son salon de thé, avec son décor XVIIIe authentique, serait idéal pour combattre la mélancolie du paysage.

Ils évoquèrent la tournée poétique de Thorkild en Norvège. Karen attendait que la serveuse s'éloigne pour entrer dans le vif du sujet. Elle ôta ses longs gants de daim noir, attrapa son sac à main posé sur une chaise et en sortit une lettre qu'elle tendit au jeune homme.

« J'aimerais que vous la lisiez. »

Il la parcourut, sourcils froncés. Puis il interrogea Karen du regard :

« Eh bien ? C'est une lettre adressée à Grete par l'une de ses amies...

– C'est une lettre qui m'insulte, *magister*. Et je vous en tiens pour responsable. »

L'amie de Grete s'y moquait allègrement des séjours interminables de Thorkild chez la baronne. Lors d'un dîner chez cette amie, il avait remarqué dans la salle à manger la reproduction d'un tableau, *Avant l'attaque !,* précisément celui qui était accroché au-dessus de son lit dans sa chambre de Rungstedlund. L'amie suggérait à Grete de faire de même dans leur chambre afin que Thorkild fréquentât plus souvent le domicile conjugal.

« Voyez-vous... » Karen avait du mal à surmonter son dégoût. « Voyez-vous, en lisant cette lettre j'ai compris une chose. Mes amis ne m'auraient jamais traitée de cette manière. Jamais ! Mes amis sont différents de vous, *magister*. *Eux*, ont un code de l'honneur.

– Naturellement. Mais je vous rappelle que je ne l'ai pas écrite et que, de surcroît, elle ne m'est pas adressée.

– Ceci est hors de propos... Je *veux* que vous m'expliquiez ce que signifie cette lettre. »

Les yeux bleu glacier se plissaient, la fixaient, inquisiteurs.

« Comment vous l'êtes-vous procurée ? »

Karen rougit légèrement. Elle prit un biscuit et l'émietta entre ses doigts.

«Elle était dans le tiroir de votre bureau.

– Et ?» Thorkild avait replié la lettre et l'agitait comme s'il menaçait Karen d'un bâton.

Elle avait fouiné à la recherche de lettres d'amour de Benedicte. Cette liaison la rendait folle. Le souffle court, elle s'était glissée dans le salon vert, avait tiré le tiroir du bureau. Il n'était pas fermé à clé. Ses doigts avaient fouillé, cherché encore, jusqu'à rapporter ce billet qui constituait un motif suffisant à sa colère. Ainsi qu'un excellent prétexte pour raffermir son pouvoir sur Thorkild.

Elle esquiva :

«Je vous ai donné une clé pour le tiroir de votre bureau ainsi qu'une autre pour celui de votre commode. Si vous ne les utilisez pas c'est que vous prenez le risque que je les ouvre.»

Manifestement, Thorkild faisait un effort sur lui-même pour garder son sang-froid.

«Je pense mériter mieux qu'un sophisme bricolé à la hâte.» Il soupira. «Une fois de plus, vous avez violé mon intimité. En réalité, baronne, je crois que la grande différence entre *vos amis* et moi, c'est que vous ne lisez pas leurs lettres sans leur consentement.»

Le cœur de Karen se mit à battre éperdument. Il y avait des moments où Thorkild l'exaspérait, où elle était prête à l'éjecter de son paysage, où elle aurait aimé le faire souffrir à moins qu'il redevienne l'élève maladroit, pieds et poings liés à son jugement. Mais cet homme en qui elle avait mis tant d'espérance était devenu merveilleusement aimable parce que, justement, la plénitude de ce qu'elle lui avait appris se trouvait maintenant en lui. Le rapport de forces était sur le point de s'inverser. Karen sentit une douleur lui vriller la poitrine. Elle se cramponna à la fine anse de porcelaine de sa tasse :

« Après ce que vous venez de me faire, il vaut mieux que nous cessions de nous voir. »

Thorkild pâlit. Elle avait donc un peu de pouvoir sur lui ?

Au moment de partir, il fit mine de prendre la lettre. Elle la lui rafla, le regard féroce.

Dans la voiture, le silence était irrespirable. Karen alla puiser dans ses dernières réserves de courage.

« *Magister*, notre pacte ne peut plus continuer. La situation a changé… »

Elle se gara abruptement sur un bas-côté, phares allumés, puis garda le visage tourné vers la route, vers le déluge qui tombait du ciel, ses forces l'abandonnaient pour affronter le regard de son passager.

« Je vous demande d'annuler notre pacte. Souvenez-vous de mon cri dans la nuit… Vous seul avez ce pouvoir. »

Elle percevait son malaise. Il était incapable de penser oui, impuissant à dire non, comme toujours. Elle dit quelques vers, rythmés par le va-et-vient monotone des essuie-glaces.

Dans ma prison mon cœur chante :
Rien que des ailes, rien que des ailes,
Aucun autre chant au monde

Ne résonne aussi fort à ses oreilles.
Même les oiseaux nés en cage rêvent
De voler en liberté dans l'immensité du ciel,
Et dans ma prison mon cœur chante :
Rien que des ailes, rien que des ailes.

La pluie ruisselait sur le pare-brise, mêlant la route, les arbres et les feux des voitures dans un même tableau mouvant et brouillé. Ou était-ce ses larmes ?

« J'ai écrit ce poème quand j'étais enfant, quand je rêvais de fuir Rungstedlund… Déjà ! »

Elle se tourna enfin vers lui. Elle ne put que répéter, répéter, sans même en avoir conscience :

« Délivrez-moi, délivrez-moi, délivrez-moi ! »

Elle vit la main de Thorkild s'approcher, la sentit qui essuyait une larme le long de sa joue.

C'était la première fois qu'il la touchait. Cela provoqua en elle un frémissement imperceptible.

12

Il y eut la saison des roses, puis celle des lupins, puis des glaïeuls puis des bruyères. La nature avait viré du vert tendre au pourpre sans que Karen y fît attention.

Elle hantait sa maison vide. Allait d'une pièce à l'autre, hagarde et triste, titubait, s'évanouissait parfois. Elle chuta dans l'escalier, sous le poids des chagrins. «Faiblesse générale», conclut le médecin. «Dépression carabinée», aurait chuchoté Clara si elle eût été là pour veiller sur elle.

Bjørnvig d'abord. Puis, Clara.

Une fois de trop, Clara s'était prise pour le premier consul. Alors que Karen pouvait la rabrouer à volonté sans qu'elle bronchât, dès que la littérature s'invitait, Clara se dressait et tonnait. «Votre conte n'est que frivolité. Que voulez-vous que je vous dise de plus? Vous tombez dans l'insignifiance avec *ça*.» Clara venait d'apposer le point final à une histoire que Karen avait vécue comme une récréation au milieu de ses tourments.

En effet, le dénouement d'*Ehrengarde* pouvait passer pour simpliste, mais Clara n'était pas le meilleur juge en matière de frivolité. Néanmoins, en cet instant, il se dégageait de la petite stature de la jeune femme une telle sévérité et en même temps quelque chose de si inattaquable que Karen ne put réprimer son admiration. Cette fille possédait en abondance une qualité essentielle aux bons professionnels : la loyauté. Elle l'avait fichue à la porte.

Il ne pouvait y avoir deux tyrans dans le même foyer.

La lassitude l'avait aussitôt envahie à l'idée de former une remplaçante. Il lui fallait l'admettre, Clara était irremplaçable. Une autre exigerait un salaire, elle ne se contenterait pas d'une fourrure par-ci, d'un vieux chapeau par-là.

Cette petite peste lui manquait.

Quant au *magister*, Dieu merci, il n'était pas tout à fait fâché. Ils se voyaient, bien que rarement ; leurs rencontres oscillaient alors entre le plaisir renouvelé et une somme de petites trahisons. Karen blâmait son désintérêt pour le pacte, mais continuait d'espérer et d'insister, sans jamais desserrer l'étau. Thorkild se défendait, lui reprochait d'avoir violé son intimité, mais elle savait bien qu'il continuait à l'aimer, à éprouver le besoin d'elle et infiniment de gratitude pour ce qu'elle représentait. Sinon il se serait déjà échappé.

Elle se fichait bien qu'il l'adore comme une déesse ! Elle voulait qu'il la désire comme une femme. Elle voulait de l'amour humain. La sensation que des griffes plongeaient dans son cœur, qu'une bête sauvage la déchirait. C'était cela l'amour humain, la plus grande douleur au monde, et n'était-ce pas ce qu'elle ressentait ?

Un soir d'algarade dans son bureau, désemparée, impuissante, elle lui avait fait cet aveu déguisé en boutade :

« Voyez-vous, le problème est que je n'ai pas vingt-cinq ans de moins. Si c'était le cas, nous irions passer deux semaines à Venise et après cela, tout rentrerait dans l'ordre. »

Il la regardait, perplexe, dans son fauteuil. Elle eut une idée, fendit le nuage de fumée jusqu'à sa table de travail et sortit d'un tiroir la lettre du 20 janvier 1950 que Thorkild lui avait écrite alors qu'il avait foi en elle. La lettre avait été dépliée, repliée et triturée mille fois, on le devinait aux plis grisâtres, aux froissures, aux bords cornés. Elle la posa entre eux sur la table.

« Mes amis africains m'ont appris que le sang était plus épais que les mots, qu'il n'existe pas de liens plus forts entre les êtres. »

Sans se soucier de l'expression de méfiance du jeune homme, elle saisit la plume d'oie qui décorait son bureau.

« C'est pourquoi, *magister*, afin que notre pacte soit indestructible, afin qu'il s'inscrive dans l'éternité, nous devons mêler nos sangs et en signer cette lettre. »

Elle l'observait avec un mélange d'espérance et de mépris. Choqué, il éclusait son whisky sans manifester l'intention de répondre. Alors elle décida de laisser tomber. Pour cette fois.

Effrayé, il s'était éloigné. Il redoutait le pouvoir qu'elle avait de s'immiscer dans sa vie.

Karen exulta lorsqu'elle apprit que Benedicte partait vivre en Écosse. Seule. Loin de leur cercle d'amis. Les efforts de Karen pour saboter leur histoire avaient donc abouti ! Elle exulta encore, puis elle souffrit pour Thorkild et son âme meurtrie.

C'est parfois inflexible, une âme meurtrie.

Peu après le départ de Benedicte, Karen reçut une lettre où il l'accusait de l'avoir trahi en révélant à tous vents son amour secret, le tournant en ridicule en public. Thorkild l'assurait qu'il se souviendrait jusqu'à la fin de sa vie des choses merveilleuses qu'ils avaient partagées. Mais il dénonçait le pacte. Il lui rendait sa liberté.

Karen sombra. Ce qu'elle n'avait cessé de redouter et de fuir, advenait. Gustava Brandt rôdait à nouveau dans la maison, s'ingéniant à lui arracher un sourire : au cours d'une promenade, elle se trouva nez à nez avec une génisse qu'il avait enguirlandée de fleurs du jardin. Brandt lui envoyait des lettres d'amour pour la tirer de sa torpeur. Brandt se moquait du *magister*. Mais ça ne l'amusait plus.

Thorkild faisait le mort. Karen, aux aguets, épiait, attendait, immobile, patiente.

Il reviendrait.

Il revint. Un peu distant, moins docile. Pour un thé ici, un verre là. Il n'apparaissait plus jamais à l'improviste. Karen fit mine de s'en contenter.

Ce serait une bonne idée que redonner vie à leurs dîners en tête à tête dans le salon vert. Un espace illuminé qui les attendait comme une scène.

Elle revêtit l'une de ses élégantes robes de soirée, fluides, soyeuses, comme une actrice enfile son costume, et oublia aussitôt ses soixante-sept ans, sa maigreur, sa fatigue. La robe ivoire que Rie Nissen avait immortalisée en photo, vingt ans plus tôt ne nécessitait aucune retouche. Il n'y eut plus que la délicieuse sensation du satin sur sa peau.

En attendant son hôte, elle ouvrit grandes les fenêtres du salon vert. La nouvelle lune brillait dans le ciel sombre et froid. La nouvelle lune produisait un curieux effet sur son psychisme, elle devenait exubérante, s'animait d'un espoir fou, dans ces moments-là elle comparait son énergie à l'appétit d'un nouveau-né.

Thorkild arriva, un bouquet à la main. Karen lui désigna la fenêtre ouverte sur la nouvelle lune.

« N'oubliez pas, *magister*, elle porte malheur si l'on n'a pas le courage de la regarder droit dans les yeux... »

Elle l'attira devant le ciel sombre et fit trois courbettes respectueuses à la fine virgule lumineuse.

« À votre tour de lui souhaiter la bienvenue... »

Thorkild obtempéra en souriant. Ce n'était pas la première fois qu'il se pliait à ce rite païen qu'elle avait inventé et que, parfois, elle accompagnait de trois pas de danse, telle une nymphe fervente bien que légèrement tarabiscotée. Satisfaite, Karen referma la fenêtre sur le froid et lui ouvrit ses bras dans la ferme intention de l'étreindre. La voix grave, elle dit avec une émotion parfaitement contenue :

« Laissez-moi vous saluer, laissez-moi vous embrasser. »

Il se laissa faire, à peine surpris. Les premières lignes du *Rêve de printemps* de Schubert l'avaient bien souvent accueilli lorsqu'elle était heureuse de le voir.

Elle avait décidé que ce serait un dîner tout à fait particulier et il le fut. Un dîner qu'elle porterait à une forme de perfection. Mme Carlsen s'était surpassée, et les vins remontés de la cave par Alfred irriguaient une conversation qui passait des profondeurs contemplatives à une légèreté étourdissante.

Karen était parvenue à faire tourner les aiguilles du temps dans l'autre sens. Leurs chagrins s'estompaient. Il y avait seulement la certitude de n'être jamais aussi heureux qu'ils l'étaient, là, à cette table de rois, dans la nuit de novembre.

Alors elle se leva et quitta la pièce. Une main invisible la poussait, elle pouvait sentir sa pression douce entre ses omoplates, qui la forçait à traverser la maison, à avancer jusqu'à son bureau et à décrocher de la panoplie d'armes suspendue au mur le revolver qui avait appartenu à son père. Elle revint sur ses pas, un peu somnambule, là et ailleurs à la fois, mais joyeuse, pressée d'arriver. Les bougies se consumaient dans le salon vert, éclairant d'une lueur tremblante le visage épanoui d'un Thorkild en béatitude dans son fauteuil. Karen rejoignit son siège, au lieu de s'asseoir elle resta debout, une main sur le dossier tandis que l'autre se levait et pointait le revolver sur lui. Elle tenait le poète dans sa ligne de mire. Sa main ne tremblait pas. Ils se fixèrent, sans ciller, sans frémir. Ils se comprenaient, ne faisaient plus qu'un. Jadis, au cours d'une nuit africaine, elle avait tenu un lion au bout de son fusil. Cette nuit-là elle avait tiré. Elle avait tué la beauté, anéanti une puissance phénoménale. Et elle avait aimé ça. Les yeux bleu glacier de Thorkild continuaient de la fixer, indifférents à leur sort.

Elle abaissa son arme, reprit sa place et la conversation où elle l'avait laissée.

L'andante cantabile de la symphonie n° 5 de Tchaïkovski les accompagna jusqu'à ce qu'ils se disent bonsoir.

Selon ses critères, élevés, ce fut une soirée parfaite.

13

Arrivé là, on était au bout du monde. Au bout de la civilisation. Loin des haines, des ruses et des colères. Arc-boutée contre un vent de force 7, Karen progressait dans l'immensité mouvante du sable. Trente et un kilos d'une volonté d'acier dans un vent tournoyant qui rugissait sans jamais s'essouffler. Une baronne vêtue et chapeautée de noir, sac à main à fermoir clip serré contre elle, avançait obstinément, seul être vivant sur des hectares de dunes et de joncs. Plus d'une fois, elle crut s'envoler vers le large.

Karen fit une pause, cherchant au-delà des herbes folles un toit de chaume qui pût être celui du cottage.

Enfin, elle le vit au loin et reprit sa marche. La terre des Vikings, leur force barbare, innervaient son corps épuisé. Leur fièvre courait dans ses veines.

Face à ce déchaînement, Karen comprit ce qui avait poussé Thorkild à choisir Kandestederne pour s'exiler, se purifier des miasmes de l'année passée.

Il avait coupé toute relation avec Rungstedlund depuis neuf mois. Depuis cette nuit d'Épiphanie, ce tête à tête soigneusement prémédité, où elle l'avait poussé à se moquer de lui-même et de Benedicte qu'elle couvrit de ridicule avec tant d'esprit que Thorkild ne put que l'imiter, délirer et piétiner son amour en riant aux éclats. Travestie en Pierrot, un déguisement de son enfance qu'elle avait tiré d'une malle, le visage fardé de craie, Karen convoqua la puissance diabolique de son imagination pour humilier les amants. Puis elle le maudit, lui et sa lâcheté qui l'empêchait de mêler son sang au sien, le couard incapable d'aller au bout de sa passion et d'enlever la femme qu'il aimait, jusqu'à ce qu'elle le vît se recroqueviller, entièrement en son pouvoir. Alors elle retourna se divertir avec sa première victime, accablant Benedicte de sarcasmes irrésistibles de drôlerie.

« Le nom de votre amie m'a inspiré une anagramme : "L'unique bikini", pas mal non, pour une fille qui a le cerveau d'un petit pois ? Knud m'en a inspiré une autre, qui me semble bien trouvée elle aussi : "Toi, mon véritable eunuque." Qu'en pensez-vous, *magister* ? »

Thorkild riait et buvait, glacé d'effroi, du dégoût de lui-même, il riait encore alors que des larmes acides inondaient ses joues.

Puis il avait disparu de Copenhague.

Karen grimpa le sentier de sable et s'approcha de la fenêtre. L'éclat du soleil l'empêchait de voir distinctement à l'intérieur, mais elle devina Thorkild à une table, penché sur des feuillets de papier. Il lui tournait le dos. Elle frappa trois coups secs. Il se retourna, plissa les yeux pour identifier le petit visage collé aux carreaux et se figea. Elle le vit se lever, se diriger d'un pas lourd vers l'entrée. Elle resta un long moment devant la porte close. Il finit par ouvrir et se trouva face à la baronne et son expression d'intense curiosité.

Karen rompit l'immobilité en lui serrant la main.

« J'ai voyagé à travers le Jutland et marché des kilomètres jusqu'ici dans le seul but de vous faire une visite. Je voulais voir comment vous alliez... Puis-je entrer ? »

Il s'empressa, prit son manteau, l'invita à s'asseoir sur l'unique siège, un banc près de la fenêtre.

Elle avait marché jusqu'ici ! Un endroit inaccessible privé de route. Thorkild se demanda si elle n'avait pas plutôt enfourché un manche à balai et volé jusqu'à lui.

Karen dit, d'une voix chaude :

« Je boirais bien un thé, vous avez ça ? »

Elle s'obligea à ne pas remarquer les jambes nues et poilues qui dépassaient du short, ni les joues barbues ou le laisser-aller qui régnait dans la petite maison.

Ils burent leur thé, un peu contraints. Pour dissiper la gêne, Karen raconta qu'elle connaissait bien la région, il y avait des années de cela, elle s'était installée à Skagen, sur cette pointe extrême du Danemark, pour y écrire en paix *La Ferme africaine*. Au bout d'un moment, elle eut un soupir douloureux:

« Il y a si longtemps que nous n'avons pas bavardé comme ça… Pensez-vous jamais revenir à Rungstedlund ? »

Elle ne lui demandait pas de répondre sur-le-champ. Qu'il prenne le temps de réfléchir, mais s'il pouvait revenir comme il le faisait au début…

« Nous ne parlerons pas des choses tristes, nous avons tellement à nous dire. Vous me manquez, *magister*… Ce serait tellement agréable… »

À nouveau Thorkild sembla sous l'emprise du vieux sortilège. Sa tête oscillait de haut en bas, en signe d'approbation.

Ils discutèrent de leur travail respectif, Karen le félicita pour son poème *Les Sorcières*. Elle ajouta qu'un conteur les aurait fait réfléchir davantage. Mais le poète lyrique qu'il était se préoccupait davantage des éléments qui gravitaient autour de lui que de ce qui se passait en lui-même.

« Voilà pourquoi nous avons parfois tant de moments difficiles ensemble… »

Ils bavardèrent un long moment, puis Karen se leva pour prendre congé.

« J'ai un déjeuner à Skagen à midi. Vous voulez bien m'accompagner à Kandestederne, et m'y appeler un taxi ? »

Ils empruntèrent le chemin de la mer. Parfois, les chaussures de Karen s'ensablaient, alors elle chancelait, puis repartait, vaillamment. Thorkild marchait en silence à l'avant pour lui ouvrir le passage. Tout à coup, sans se retourner il étendit le bras vers elle, pour stopper sa marche. Une vipère croisait leur chemin, glissant dans le sable. Le visage de Thorkild s'assombrit. Celui de Karen s'éclaira.

Au village Thorkild lui commanda un taxi et ils se dirent au revoir.

Une fois seule, Karen regretta. Si seulement il s'était montré plus accueillant, elle serait restée. Elle n'aurait pas eu à prétexter un déjeuner qui n'existait pas. Mais tout ce chemin vers lui dans l'unique but de lui tendre un rameau d'olivier n'avait pas été vain. Elle retrouvait l'espoir.

Thorkild revint au cottage par le chemin de sable, soucieux.

Où qu'il se réfugiât, elle le retrouverait. Existait-il un seul endroit au monde où il pourrait échapper à son pouvoir ?

Aussitôt arrivée à Rungstedlund, Karen lui écrivit sa joie de l'avoir revu.

« *À partir de maintenant, tout ira bien, je le sais, notre rencontre avec la vipère en est le signe, elle nous protégera nous et notre amitié de tous les démons.* »

C'était une lettre d'espérance.

Au moment même où Thorkild la recevait, elle lisait celle qu'il lui avait écrite à son retour au cottage. Il renonçait définitivement à toute idée de réconciliation. « *Il fut un temps où je sentais que je sombrais si je devais vous quitter ; à présent, je sais que je sombrerais si je devais revenir.* »

Soudain elle se sentit fatiguée de courir et vit ce qu'elle avait refusé d'admettre jusque-là : les cruautés qu'elle avait infligées à cette âme confiante en voulant se substituer aux dieux.

Un dernier télégramme : « *Reçu votre lettre. Brûlez la mienne.* »

Elle se demanda si, là-bas, enfin apaisé, il serait en mesure d'entendre le vaste silence de l'univers.

ÉPILOGUE

Le lac Naivasha scintille au loin. Une averse tropicale vient de prendre fin. L'aube se lève, une fine brume voile le bleu du ciel. L'actrice est assise à mes côtés, pelotonnée dans un fauteuil, les yeux dans le vague. Elle a jeté un châle somali sur ses épaules. Ce châle pourpre finement brodé est la réplique de celui que Karen a rapporté d'Afrique. Elle le tenait de Denys. Je suppose qu'avant de quitter Nairobi Meryl a emprunté celui-ci à la garde-robe de son personnage.

Je parle depuis le début de la nuit, sans que son attention ait faibli un seul instant, comme si elle craignait que le fil qui la lie à la femme aux cent visages ne se rompe.

La fraîcheur du soir nous a chassées vers le feu de cheminée du salon, les premières lueurs nous ramènent dehors, vers le ciel lavé de frais, vers le spectacle de la jungle, vers la naissance du monde.

Mon récit n'est pas terminé. Nous envisageons de le poursuivre en marchant jusqu'au lac, distant d'à peine trois cents mètres, mais le Kikuyu qui garde la maison a l'air épouvanté : « C'est l'heure des léopards ! » Ses mains miment deux pattes qui griffent le vide. Alors, nous restons à l'abri de la varangue, dans les amples fauteuils d'acajou, légèrement ivres des odeurs qui montent de la terre humide. Des odeurs vertes, pleines, suffocantes. La clarté du matin éclabousse l'herbe mouillée qui étincelle de milliers de diamants. Est-ce le manque de sommeil ? La réfraction de la lumière sur les minuscules cristaux me donne l'illusion de voir le visage pâle de Karen vibrer dans l'air, un peu flou, prêt à se dissoudre dans l'atmosphère. Il dégage la même lumière douce que je lui ai connue les dernières années de sa vie.

« Voyez-vous, Meryl, à compter de cette année 1955 qui a marqué sa rupture définitive avec Thorkild Bjørnvig, la maladie a pris pleinement possession de son organisme. Mœlle épinière, ulcères hémorragiques... l'obligeant à lutter contre la mort. Tout à coup, la vie cessa de lui être une corvée. La proximité de sa fin a considérablement amplifié sa frivolité, cette partie d'elle-même qui ironisait sur la tragédie de la vie et la portait à aimer le champagne, les palaces, les *parties* et le bourdonnement des conversations mondaines.

L'actrice boit une gorgée de thé en me jetant un regard soupçonneux.

« Tout de même... pour le jeune poète, vous ne connaissiez pas l'existence du pacte ? Personne n'a vendu la mèche ?

– Figurez-vous que non. Deux personnes au monde savaient: Karen et Thorkild. Il n'y avait pas plus loyal que lui, il avait juré, ce qui lui interdisait la moindre confidence. Mais vingt ans après les faits, douze ans après la mort de Karen, il a écrit un livre, *Le Pacte*. Un livre troublant, on y retrouve le mélange d'extrême sophistication et de naïveté qui, selon les circonstances, exaspérait ou enchantait Karen. Je vous promets qu'il ne s'y est pas donné le beau rôle! Je l'ai retrouvé tel que je l'ai connu: naïf mais conscient de ses besoins matériels, envoûté par la baronne, pétrifié par ses colères, lâche avec sa femme, souvent velléitaire… Pendant des années, les journaux et les éditeurs ont sollicité Thorkild à propos de cette amitié particulière. Il n'a jamais accepté d'en dire un mot, d'écrire une seule ligne.

» Et puis un jour de 1974, il est revenu à Rungstedlund, il s'est glissé à la place qui avait été la sienne, dans le salon vert, et nous l'avons entouré de notre amitié, Caroline Carlsen et moi. Pendant six mois, le «*magister*» a vécu dans ses anciens appartements, parmi les murmures et les éclats d'autrefois, écrivant le livre que Karen lui avait demandé d'écrire après sa mort. "Écrivez sur notre histoire, écrivez librement, sans peur, sans vous soucier de ce que j'en aurais pensé." Son livre sonne doux et dur à la fois. Il n'a pas écrit *Le Pacte* pour obéir au vœu de Karen, ni pour satisfaire la curiosité du public, il l'a écrit parce qu'il le devait à lui-même. Il avait cinquante-six ans, il était devenu

411

un grand poète sans le concours d'aucun mentor, mais il lui restait à se délivrer d'elle, à défaire les dernières chaînes qu'elle avait nouées autour de lui, pour pouvoir reconstruire sa vie. »

Je le comprenais si bien, ce besoin ! Je n'ignorais rien de la force qu'il avait fallu à Thorkild. C'était une tâche impossible, comme si la marée décidait de se soustraire à l'attraction lunaire.

« Benedicte venait de se suicider. Après leur rupture, elle s'était remariée dans les brumes d'Écosse mais elle n'avait jamais complètement renoncé à Thorkild. C'était une fille étrange, intense, à cran. Après être retourné au bercail Thorkild a fini par divorcer de Grete. La jeune Birgit était entrée dans sa vie. L'avenir exigeait qu'il fît place nette. »

Un souffle caresse ma joue. La brise. Ou le fantôme de Karen. Je soupire :

« Au bout du compte, Karen est parvenue à ses fins. *Le Pacte* les fait entrer ensemble dans la légende littéraire. Je les imagine très bien, Bjørnvig et Blixen bras dessus bras dessous arpentant l'éternité. Souvent, il m'arrive de me demander qui mange qui ! »

Je me tais et pense à une photographie. Elle m'a toujours amusée. Le cliché a été pris en 1960 lors d'un déjeuner littéraire. L'ignorance des organisateurs les a placés côte à côte, alors que depuis leur rupture Thorkild évitait Karen comme le diable. Elle est sublime ce jour-là, ultrachic, étole de renard et bibi insensé, rayonnante d'avoir le *magister* à ses côtés. La lionne a retrouvé son petit, une tête brûlée, son préféré. Quelque chose dans son regard me dit qu'elle savoure pleinement cette ironie de la vie. Lui a la mine renfrognée d'un enfant que l'on envoie au coin.

Sans doute est-il plus long et difficile de se débarrasser d'un sortilège que de digérer un échec amoureux. Trois années ont suffi à Karen pour que son chagrin lui devienne supportable et transposer leur histoire douloureuse en un conte fantastique. Elle l'a baptisé *Échos*, en hommage à ses amours de cendres avec Denys dont sa passion pour Thorkild ne fut que l'écho affaibli. Ce fut l'occasion de ressusciter la jeune et chatoyante Pellegrina Leoni qui ne cessait de palpiter en elle, sous le masque de l'âge.

« C'est un épisode si peu connu de sa vie..., murmure l'actrice.

– Un « épisode » ? Il s'agit ni plus ni moins d'un chapitre essentiel. Il clôt l'appartenance de Karen Blixen au chœur des créatures humaines qui aiment et qui perdent et qui souffrent. À partir du moment où elle a vaincu sa dépression, elle est devenue son propre personnage. La conteuse éternelle. Celle qui a tué un lion et dont on parle pour le Nobel. Elle ne fut plus jamais une créature amoindrie. »

Sauf pour moi. Je ne puis l'oublier pantelante à la maison, bravache en société.

« Il y a des femmes à qui on cède spontanément sa place dans le métro. Karen était de celles devant qui on se lève aussi sec en se mettant au garde-à-vous... »

L'actrice amorce un rire, vite rattrapé par un sourire désolé.

« Je ne comprends pas quelle n'ait jamais reçu le Nobel ! Ni elle ni Joyce… ni Proust !

– C'est ce que Truman Capote lui disait pour la consoler : "Ce n'est qu'une petite organisation misérable. D'ailleurs, quiconque a décerné le prix Nobel à Pearl Buck devrait être soumis à un examen mental !" Tous deux s'y entendaient en ironie légère… »

L'actrice se redresse sur son siège, un sourcil levé :

« Truman ? Qu'est-ce qu'il fichait là ?

– Capote avait écrit le scénario des *Rêveurs* et cherchait un producteur. C'était aux environs de 1952. Il avait déjà la star. Greta Garbo. Elle avait fait ses adieux au cinéma mais Truman n'imaginait qu'elle pour incarner le mystère Pellegrina. Miracle, la Divine a donné son accord ! On allait assister à l'exhumation de Garbo. Un conte partait à la rescousse d'un mythe. Le projet se situant au niveau de l'Olympe, il avait séduit Karen. Ça n'a débouché sur rien, mais l'excitation de la chasse au producteur les avait soudés. »

Capote à Rungstedlund. Sa dernière visite, en 1958. Visage et boucles d'ange. S'imprégnant du moindre mot de l'antiquité sculptée par le temps, qui lui fait face. Karen est plus fragile qu'une crevette-bouquet, mais droite sur son siège. Le salon résonne de son rire aigrelet, l'air retrouve une transparence oubliée. Capote engouffre la collation préparée par Caroline. Une pyrotechnie de beignets, petits pâtés, foies grillés et fines crêpes à la fleur d'oranger. Karen l'observe qui engloutit, ravie. Elle, une fraise accompagnée d'une bulle de champagne lui suffit. Elle encourage son invité : « Encore un beignet, Truman ? J'aime vous voir manger. Ça me permet de me nourrir par procuration. » Trente et un kilos arrachés au dépérissement à force de pointes d'asperges, d'huîtres, de grains de raisin et rien d'autre. Malnutrition grand style. Karen Blixen réduite à l'essence d'elle-même.

Ils s'entendaient à merveille... Deux remarquables stylistes. Capote tenait *La Ferme africaine* pour l'un des plus beaux livres du siècle. Karen a préfacé l'édition danoise de *Breakfast at Tiffany's*. Elle admirait l'écrivain, elle aimait bien l'homme. Pour ma part, chaque fois qu'il ouvrait la bouche, je m'attendais à voir darder l'extrémité fourchue d'une langue de vipère.

À fréquenter Capote, son désir d'Amérique reprenait chair.

Elle n'avait pas cessé d'écrire. Plus elle s'affaiblissait, plus son besoin de raconter des histoires l'obsédait. Couchée ou debout elle écrivait, dictait, réécrivait, peaufinait. Ça ne l'a pas empêchée de ne rien publier pendant quatorze ans. Je la voyais s'acheminer vers le statut d'écrivain dont on a beaucoup parlé mais que personne ne lit.

Soudain, à soixante-douze ans, le feu de la mitraille. Coup sur coup, deux nouveaux livres en librairie. Fin 1957, ses *Derniers contes*, parmi lesquels «Échos», tous écrits avec un pied et demi dans la tombe. Fin 1958, *Anecdotes de la destinée*, un recueil de ses nouvelles publiées dans les magazines américains. Deux livres, deux énormes succès au Danemark, en Suède mais aussi en Angleterre et aux États-Unis.

New York, ça l'a prise comme ça! À la sortie de chaque nouveau livre, elle demandait à changer d'air. Celui du Danemark devenait irrespirable. Trop confiné. Trop de regards perçants posés sur elle. La vieille animosité remontait. Karen étouffait. Il fallait partir. Maintenant. Tout de suite. Ailleurs. En Amérique.

Et puis, Pasop venait de mourir.

Tout de suite? En Amérique? Je la regardai, sidérée. Le docteur Busch venait de l'opérer de l'épine dorsale. Elle ne se déplaçait plus d'une pièce à l'autre sans que Caroline ou moi-même la portions dans nos bras. Son dos en feu. Ses semaines de convalescence, clouée sur son lit, yeux au plafond, à écouter tomber la neige sur le parc, sur la mer grise, à dire non à tout. Sa main retombait, son visage retournait à la contemplation des flammes dans le poêle de fonte. Plus d'envie. La défaite. Et soudain New York sort du chapeau?

Sourire de biais. «L'Académie des arts et des lettres de New York m'a choisie comme hôte d'honneur de leur dîner annuel. Ils me demandent de prononcer le discours d'ouverture. Mais je ne me vois pas aller là-bas pour une seule soirée.»

Bien sûr, elle avait sa petite idée : « Voyons avec Otto s'il peut m'organiser quelque chose, trouver quelqu'un qui prenne en charge les frais de mon séjour. De notre séjour. Vous m'accompagnerez, Clara. »

Pauvre Otto. Lindhardt, bras droit de Knud Jensen, s'occupait d'Isak Dinesen chez Gyldendal pour tout ce qui touchait à son bien-être et à son rayonnement. Marketing, distribution, déplacements. Jadis, Otto avait échappé aux manigances de Karen qui voulait lui faire épouser l'une de ses nièces, il ne couperait pas à l'expédition américaine.

Pauvre, cher Otto.

Brave, vieille Clara, devrais-je ajouter.

Ce furent quatre mois à veiller sur une vieille femme au bout du rouleau qui n'en faisait qu'à sa tête. Une affreuse impression d'exécuter des acrobaties sur glace, un vase Ming posé en équilibre sur le crâne ! Avant de lancer sa prospection dans les clubs littéraires qui souhaitaient accueillir Isak Dinesen, Otto Lindhardt avait couru demander l'avis du médecin de Karen. Celui-ci s'était gratté le menton : « Est-ce raisonnable ? Pas du tout ! D'un autre côté, mourir sur scène en plein triomphe, ça ne lui déplairait pas. »

Donc, le 3 janvier 1959, nous partions. Une difficulté majeure surgit dès notre arrivée dans l'avion : faire admettre aux membres du personnel de bord qu'ils serviraient des huîtres tout au long du trajet. Ensuite, qu'ils devraient trouver un couteau pour les ouvrir. Après quoi, tout s'enchaîna à la perfection.

Random House avait beau publier et réimprimer sans discontinuer les livres d'Isak Dinesen depuis 1934, Robert Haas et son équipe ne mesuraient pas encore la portée de l'honneur qui leur était fait. La «tournée» a donc commencé, grâce aux seuls efforts d'Otto, par une poignée de prestations éparses sur le continent et quelques talk-shows télévisés.

Ce fut l'embrasement. Un engouement invraisemblable pour les récits d'Afrique de la baronne Blixen. Pour la créature aux lignes brisées, si friable que les spectateurs redoutaient qu'elle ne bouclât le cercle de son existence sous leurs yeux.

Au lieu de quoi elle les emportait sur ses ailes vers des contrées insoupçonnables.

Ils la demandaient tous. Boston, Washington, New York. Surtout New York. La frénésie. Conférence au Radcliffe College, à l'Institut des arts contemporains, colloque sur Shakespeare, interviews pour un film consacré aux plus grands écrivains vivants par la Fondation Ford, trois prestations au centre de poésie du YMHA... on se l'arrachait. Elle adorait ça. Tenir le public sous sa coupe. Lui donner, donner, et donner encore. Elle aimait New York et ses fêtes, elle aimait qu'on la hèle avec des «*Darling!*», et vivre à l'hôtel, et dormir dans des lits *king size*. New York lui montait à la tête, elle rajeunissait et s'épuisait.

Dans quel état allaient-ils me la rendre?

J'ai détesté ces vampires. Les Barbara Paley et Gloria Vanderbilt qui conviaient la terre entière en son honneur et la couvraient de cadeaux. Ce Sydney Lumet qui la baladait dans ses bras telle une chatte hors d'âge, pour lui faire les honneurs de sa terrasse panoramique sur les néons de Manhattan. Et Steinbeck qui rameutait ses amis écrivains pour l'encenser et la distraire.

Karen Blixen, épicentre de leur univers. Ils s'en lasseraient. Qu'adviendrait-il d'elle, alors ?

Je la voyais s'amenuiser.

Parfois, elle m'échappait, ça l'amusait. J'imaginais le pire. Une syncope chez Saks, un chauffard sur Fifth Avenue, une marche glissante au Metropolitan Museum.

Je la récupérais, la couchais, la bordais.

Un soir, je l'ai retrouvée paisible dans sa chambre. Je l'ai déshabillée, elle n'en avait plus la force, et j'ai défait ses cheveux gris. Devant le miroir de sa coiffeuse, elle a eu un geste inhabituel. Un geste de tendresse. Elle a entouré ma taille ronde, a penché sa tête d'oiseau vers la mienne et l'air pensif a soupiré : «Regarde-nous... Quel couple on fait ! Tu es mon Sancho Panza, je suis Don Quichotte ! »

En voyage nous nous tutoyions, je l'appelais «Tania», ou « Khamar », le cheval mythique qui court jusqu'à l'épuisement. En voyage nous étions sœurs.

Elle s'est endormie très vite, j'entendais son souffle par la porte de communication entrebâillée. Dans sa nuit tissée de rumeurs, de chuchotements innombrables a-t-elle reconnu les voix anciennes qui formaient un cocon, l'attiraient, murmuraient, irrésistibles ? S'est-elle abandonnée à leur froissement de papier de soie ? S'est-elle dit qu'au moment de mourir rien ne valait le souvenir de ceux que l'on a aimés ? Que le reste ne valait pas un clou ?

Car cette nuit-là elle a failli mourir. Aux urgences de l'hôpital, les médecins ont diagnostiqué une surconsommation d'amphétamines, avalées en douce pour pallier son épuisement et ne pas perdre une miette de la frénésie qu'elle suscitait. Ils ont aussi découvert que le mercure qui était à la base de son traitement de la syphilis, en 1915, l'avait lentement empoisonnée.

J'estimai qu'il était temps d'abréger la fête. Khamar rua bien un peu, mais il finit par rentrer dans son box.

Les souvenirs finissent par se ternir. Les fêtes crépitantes, la débauche de rires, de lumières et de musiques ont glissé entre nos doigts pour rejoindre l'humus dont on fait les légendes. Un éclat pourtant s'est fiché dans la postérité. Il a fait la une de *Life*.

C'était après le dîner annuel de l'Académie des arts et des lettres ; après le discours de Karen qui lui a valu, pour la première fois dans l'histoire de l'Académie, une standing ovation ; après qu'elle y fit la connaissance d'une admiratrice qu'elle-même admirait, Carson McCullers. Celle-ci relisait *La*

Ferme africaine chaque année depuis 1937. Karen avait profondément aimé *Le cœur est un chasseur solitaire*. Elles formaient un couple étrange, l'une à côté de l'autre, leurs corps tourmentés et déformés par la maladie, leurs visages portant les stigmates des douleurs traversées. Carson a demandé : « Qui aimeriez-vous rencontrer ? » La réponse de Karen m'a étonnée : « Marilyn Monroe. » J'ignorais son admiration pour la blonde la plus sexy de Hollywood. Ainsi fut fait. Un déjeuner amical chez Carson, à Nyack, avec Arthur Miller et son épouse. Marilyn arriva en retard dans un fourreau noir échancré. Je la trouvais divine. Puis elle a parlé de sa cuisson des macaronis. À mon avis, une déesse ne fait pas cuire de nouilles. Karen la mangeait des yeux. « Elle rayonne d'une énergie sans limites et d'une inconcevable innocence. J'ai déjà observé cela chez un lionceau que l'on m'avait apporté en Afrique. Je l'ai relâché », dira-t-elle plus tard. Puis, Miller et Marilyn nous ont quittées pour assister à la première new-yorkaise de *Certains l'aiment chaud*.

La photo immortelle. Carson et Miller sont hors champ. Karen et Marilyn regardent un manuscrit posé sur les genoux de Karen. Un bonnet-turban brodé de l'écusson royal du Danemark dissimule ses cheveux, une écharpe légère autour du cou la protège du froid, qui est en elle. Deux perles fines aux oreilles répondent à l'éclat de ses yeux. Son visage tout en longueur rappelle le troublant portrait de Rie Nissen, mais le temps en a fait un

421

masque bienveillant. Marilyn porte une étole de fourrure sur un décolleté vertigineux. Sa peau laiteuse absorbe la lumière crue du flash et la renvoie adoucie au lecteur ébloui. Elle rit à ce qu'a dit Karen, ses dents font un collier de perles fines.

L'éclat singulier de l'une n'éclipse pas celui de l'autre. Elles sont en parfaite harmonie. Elles sont les deux visages de la féminité, elles sont le transitoire de la jeunesse et l'éternité du spectre. Elles nous rappellent que toute beauté est double.

Otto avait une explication : « Je parie que la baronne a pensé à *La Belle et la Bête*, en posant ce jour-là. » Il a raison. On peut être à la fois un poète et un as du marketing.

Puis les grilles se sont refermées sur elle. Le retour à la réalité la désolait. Nos journées la désolaient. Musique classique sur le Gramophone l'après-midi, parties de bézigue en tête à tête devant le feu le soir. Elle a fini par me congédier pour une broutille. Immunisée par de nombreux précédents, j'ai saisi l'occasion pour terminer ma traduction en danois du *Guépard* de Lampedusa, interrompue par notre séjour américain. Bien sûr, je fus réintégrée quelques semaines plus tard. Mon absence lui était bien plus insupportable que ma présence. Elle tournait en rond. Flirtait avec ses admirateurs. « Là-bas, on m'appelait *darling*, ici on me donne du baronne... Dites-moi que vous m'aimez », fit-elle à celui qui s'aventurait dans ses parages ce jour-là. Il le lui dit. Puis il fit livrer une rose à sa porte, il en fut ainsi tous les jours suivants, jusqu'au dernier.

Tout de même, elle s'ennuyait. On l'oubliait.

Au même moment, tout près, un grand artiste brûlait de la rencontrer. Il aimait Isak Dinesen depuis qu'il avait lu son premier livre. Il admirait qu'elle le force à tourner toute son attention vers des sujets élevés qui n'étaient plus de mode : le code de l'honneur, l'ironie et les ténèbres. Ses histoires le hantaient. Il lui avait écrit d'Amérique, mais il avait déchiré la lettre. Il venait d'atterrir à Copenhague dans l'espoir d'obtenir un rendez-vous avec elle, mais il restait dans sa chambre de l'hôtel d'Angleterre, paralysé devant le combiné du téléphone. « Qu'est-ce qu'un simple visiteur peut espérer apporter à un tel personnage, sinon quelques bafouillements d'admiration ? » Après une nuit blanche, Orson Welles prit le premier avion en sens inverse.

Elle aurait tant aimé. Elle ne l'a jamais su.

Nous travaillions à *Ombres sur la prairie*, la suite de *La Ferme africaine*, et nous apprêtions à boucler une année 1959 bercée par le tic-tac de la grosse horloge, quand un choc l'a bouleversée. Un livre de photographies. *Observations*, de Richard Avedon, préfacé par Truman Capote.

Karen avait cédé à l'insistance de Capote qui lui demandait de poser pour son ami Richard Avedon, lequel réalisait une série de portraits de célébrités : William Burroughs, Dorothy Parker, Somerset Maugham, Noureev... Elle avait accepté, à condition que la prise de vues n'ait pas lieu à Rungstedlund mais dans une suite de l'hôtel d'Angleterre. La séance s'était déroulée normalement. Avedon se montrait charmant, d'une courtoisie exquise. J'ai bien noté sa surprise quand Karen lui a demandé ce qu'il pensait de Shakespeare et du *Roi Lear*. Elle faisait le coup à chaque nouvelle relation. Le comportement qu'une personne aurait eu vis-à-vis du vieux roi lui permettait, disait-elle, de jauger sa valeur. Avedon a pris Karen pour une snob et, selon moi, il l'a photographiée comme telle.

Elle était extrêmement amaigrie par son opération du dos, la peau de son visage paraissait aspirée vers l'intérieur. J'avais émis des doutes sur la pertinence de sa tenue : un bonnet en tricot orné d'une broche et un épais manteau de loup sombre.

Puis nous partîmes pour New York.

Devant le résultat, Karen sentit le sol s'ouvrir sous ses pieds.

Un sombre oiseau maléfique. Un vautour. Hideux. Hautain. Une petite tête au bec crochu émergeant d'un plumage noir informe. En insert, le gros plan de ses mains serrées l'une contre l'autre, squelettiques, déformées, suppliantes. Un second gros plan déformait son visage : sourire incertain, yeux écarquillés, il était extrait d'une prise en rafale tandis qu'elle parlait à Avedon qui shootait. Je restai sans voix. Rien à voir avec la femme que je connaissais, jusque dans ses pires moments. Nulle trace de sa douceur, de sa lumière ni de son intelligence ou de son humour. Karen s'est assise, a allumé une cigarette. Un moment de réflexion, puis sa voix grave : « Je respecte l'artiste, mais je n'aime ni son style ni son intention. »

Capote en a pris pour son grade. Elle ne digérait pas la comparaison qu'il faisait de ses jambes avec les pattes d'un loriot. Avedon, lui, a plaidé qu'en photographiant les mains décharnées il disait l'obsession de la conteuse à écrire des histoires, de même que les pieds torturés de Noureev racontaient celle du danseur.

Au fond, ce qui la dérangeait était qu'Avedon révélât son obsession à incarner le personnage de la conteuse millénaire. Les secrets d'une sorcière exigent les ténèbres.

Sa colère retombée, elle a pardonné.

Ce fut un peu la préfiguration de sa mort.

Au fil des mois, Karen fit ses adieux à ce qu'elle avait aimé. Quand ses forces le lui permettaient, elle sortait dans le parc, soutenue par un ami, et se promenait dans la lumière de l'automne. Elle respirait les tilleuls comme on respire un parfum pour la dernière fois, écoutait le chant des rossignols en fermant les yeux. Un jour que nous faisions halte sur le banc qui fait face à la tombe de Pasop, là même où elle voulait être enterrée, un gémissement d'impuissance s'est échappé de ses lèvres : « Je veux terminer un livre, je veux connaître l'été prochain et ses fruits, voir Rome encore une fois, et John Gielgud à Stratford... »

Je sentais bien qu'elle était prête. L'avenir de Rungstedlund était assuré : elle avait bataillé pour en faire une fondation, son parc accueillerait désormais les oiseaux migrateurs, dont certains viendraient d'Afrique. Ses arbres triplement centenaires resteraient hors de portée des promoteurs immobiliers qui pullulaient désormais à Rungsted.

Karen, Tanne, Tania et la baronne sont parties dans le même souffle, le 7 septembre 1962, à soixante-dix-sept ans. La veille, dans le salon vert, Karen a écouté l'aria de Haendel que lui chantait Denys. *Where'er you walk.* Puis elle est montée dans sa chambre et s'est couchée. Je ne l'ai plus revue.

Ni fleurs ni couronnes. Une pierre plate sur une colline du parc, l'ombre d'un grand hêtre, Pasop à ses côtés et rien d'autre. J'aime cet endroit, il m'apaise, il m'inspire, je viens souvent y retrouver nos bavardages. Sa tombe ignore la désolation propre aux cimetières. Elle appartient à la nature dont elle épouse les cycles et les saisons.

J'ignorais qu'après les brimades qu'elle m'a fait subir tout au long de notre association, Karen me désignerait pour gérer son œuvre littéraire et assurer le rayonnement d'Isak Dinesen. J'ignorais qu'elle m'estimait à ce point.

« Je lui ai consacré ma vie, Meryl. Et moi aussi, comme Thorkild Bjørnvig, comme tant d'autres dont je ne vous ai pas parlé, elle m'a hantée. Il m'a fallu presque vingt ans pour me libérer de son emprise.

Le soleil est haut dans le ciel à présent. La faune sauvage fait un raffut du diable autour de nous dans la lumière du matin. Nous allons rentrer à Nairobi et traverser le désert du Rift avant qu'il ne soit écrasé de chaleur. Je jette un dernier regard à cette maison qu'elle a aimée, au lac d'aquarelle qu'elle a peint.

Je ne puis oublier la lumière d'une incroyable limpidité qui coulait de son regard, six mois avant qu'elle meure. Le rayonnement étrange de tout son être. Un jeune photographe anglais, amoureux fou de l'Afrique lui aussi, a su les saisir. La peau parcheminée, les lèvres enfin détendues, les pupilles noires qui observent l'objectif depuis des territoires lointains...

Peter Beard était venu de loin, d'ici, du Kenya, pour rencontrer Karen. Il est venu au moment juste. Comme tous les grands chasseurs de fauves.

Il a attendu. Lui seul a su capturer la lionne ailée. La lionne enfin apaisée.

REMERCIEMENTS

Ce roman m'a été inspiré par la vie réelle de Karen Blixen. Tous les personnages – à l'exception d'Ismaïl – ont réellement existé. Les faits sont avérés mais j'ai choisi de les exprimer librement à travers le prisme de la fiction. Ce roman repose néanmoins sur l'étude de son œuvre, de sa correspondance et des nombreux livres qui ont été publiés à son sujet, ainsi que sur une enquête minutieuse, notamment parmi les archives personnelles de Karen Blixen qui ont été mises à ma disposition par la Fondation Rungstedlund et par le département des manuscrits de la Bibliothèque Royale de Copenhague, que je tiens à remercier. D'autres traces du passé, plus secrètes, intimes, m'ont été livrées par les vivants et ont donné lieu à des rencontres qui se sont, parfois, transformées en amitié. Je veux donc leur dire toute ma gratitude pour leur générosité à partager avec moi leur connaissance des personnages qui tissent cette histoire d'amour, de folie et de résurrections, et pour leur aide.

Tout d'abord, merci à Marianne Wirenfeldt Asmussen, qui a créé et dirigé le musée Karen Blixen de Rungstedlund et qui a succédé à Clara Selborn comme exécutrice littéraire de Karen Blixen. Elle m'a introduite et guidée dans ce domaine merveilleux et puissant et m'a accompagnée et soutenue pendant les quatre années de mon travail. Merci du fond du cœur à Birgit Bjørnvig qui, à un moment charnière de sa vie, m'a ouvert les portes de sa maison sur la petite île de Samsø où elle a vécu de longues années de bonheur auprès de Thorkild Bjørnvig, et qui m'a éclairée sur la personnalité et l'œuvre de son mari. Merci à Vivi Jensen, la seconde épouse de Knud Jensen, qui a bien connu les protagonistes du « pacte ». Merci à Tove Hussein pour son accueil à Nairobi et les quelques jours passés à Naivasha au bord du lac, dans sa maison construite par Bror Blixen, qui était le refuge de Karen quand rien n'allait plus à Mbogani, et à son beau livre *Africa's Songs of Karen Blixen*.

Merci également à Tore Dinesen. Il m'a fait un portrait sans filtre de sa tante la baronne. À Nils Carlsen et à ses souvenirs d'enfance auprès d'elle. À Otto Lindhardt pour sa gourmandise à évoquer leur voyage périlleux en Amérique. À Klaus Rifbjerg, Morten Henriksen, Anders Westenholz, Catherine Lefebvre, Henriette Birch-Hansen, Mikkel Hansen.

Cette longue aventure n'aurait été ni aussi longue ni aussi riche sans la compréhension, le soutien et l'enthousiasme de Manuel Carcassonne. Merci Manuel, mon bourreau. Émilie Pointereau et Jeanne Grange, bravo pour vos lectures attentives et rigoureuses de mon texte et pour vos suggestions.

Et à Françoise, à Monique, mes deux anges gardiens. À Zizou.